Diogenes Taschenbuch 21000

George Orwell

Der Weg nach Wigan Pier

Deutsch und mit einem Nachwort von Manfred Papst

Diogenes

Titel der englischen Originalausgabe
›The Road to Wigan Pier‹

Umschlagzeichnung von Tomi Ungerer

Deutsche Erstausgabe

80/83/8/2
ISBN 3 257 21 000 0

ERSTER TEIL

1

Das erste, was man am Morgen hörte, war das Klappern der Holzschuhe von Fabrikarbeiterinnen auf dem Kopfsteinpflaster. Noch früher gingen vermutlich die Fabriksirenen, aber dann war ich noch nicht wach.

Normalerweise waren wir zu viert im Schlafzimmer; das war ein scheußlicher Ort, mit dem schmutzigen und provisorischen Aussehen von Zimmern, die nicht zu ihrem eigentlichen Zweck gebraucht werden. Vor Jahren war das Haus ein gewöhnliches Wohnhaus gewesen, und als die Brookers es übernommen und zu einem Kuttelngeschäft und einer Pension umgebaut hatten, hatten sie einige der nutzloseren Möbelstücke geerbt und nie die Energie aufgebracht, sie wegzuschaffen. Wir schliefen deshalb in einem Raum, dem man das ehemalige Wohnzimmer noch ansah. Von der Decke hing ein Glasleuchter, auf dem der Staub so dicht lag, daß er wie ein Pelz aussah. Eine Wand wurde fast vollständig verdeckt von einem riesigen, gräßlichen Unding zwischen Garderobe und Büffet, mit einer Menge Schnitzereien, kleinen Schubladen und Streifen von Spiegelglas. Daneben gab es einen einstmals prunkvollen Teppich mit den Spüleimerringen vieler Jahre, zwei piekfeine Stühle mit geplatzten Sitzen und einen dieser altmodischen roßhaargepolsterten Sessel, von denen man herunterrutscht, sobald man sich hinzusetzen versucht. Zwischen dieses Gerümpel hatte man noch vier schäbige Betten gequetscht, und so war der Raum zu einem Schlafzimmer geworden.

Mein Bett stand in der rechten Ecke auf der Türseite. An seinem Fußende war ein weiteres Bett hineingezwängt (es mußte so stehen, damit man die Tür öffnen konnte), so daß ich mit angezogenen Beinen schlafen mußte; wenn ich sie ausstreckte, trat ich dem im andern Bett ins Kreuz. Es war ein älterer Mann namens Mr. Reilly, so etwas wie ein Mechaniker, der »obendrin« bei einer der Kohlegruben angestellt war. Glücklicherweise mußte er morgens um fünf zur Arbeit, so daß ich, nachdem er fort war, meine Beine auseinanderwickeln und ein paar Stunden richtig schlafen konnte. Im Bett gegenüber war ein schottischer Bergmann, der bei einem Grubenunglück verletzt worden war (ein riesiger Steinbrocken preßte ihn auf den Boden, und es dauerte mehrere Stunden, bis der Stein weggehoben werden konnte) und dafür fünfhundert Pfund Abfindung erhalten hatte. Er war ein großer, stattlicher Mann um die vierzig, mit ergrautem Haar und einem kurzgeschnittenen Schnurrbart, eher ein Offizier als ein Bergmann; und er blieb, eine kurze Pfeife rauchend, bis spät am Tag im Bett liegen. Das vierte Bett wurde in rascher Folge von Handlungsreisenden, Zeitungsabonnentenfängern und Anreißern für Abzahlungsgeschäfte, die meist nur ein paar Nächte blieben, belegt. Es war ein Doppelbett und bei weitem das beste im Zimmer. Während meiner ersten Nacht hier hatte ich selber darin geschlafen, war dann aber hinausmanövriert worden, um einem andern Mieter Platz zu machen. Ich glaube, daß in dem Doppelbett, das sozusagen als Köder ausgelegt war, alle Neuankömmlinge ihre erste Nacht verbrachten. Alle Fenster waren mit einem roten, am unteren Ende festgeklemmten Sandsack fest verschlossen, und am Morgen stank das Zimmer wie ein Frettchenstall. Beim Aufstehen merkte man es nicht; aber wenn man aus dem Zimmer ging und dann zurückkam, schlug einem der Gestank mit voller Wucht entgegen.

Ich fand nie heraus, wie viele Schlafzimmer das Haus hatte, aber seltsamerweise gab es ein Badezimmer, das noch aus der Zeit vor den Brookers herrührte. Im unteren Stockwerk war die übliche Wohnküche mit ihrem riesigen offenen Kochherd, in dem Tag und Nacht Feuer brannte. Sie war nur durch ein Oberlicht erhellt, denn auf der einen Seite der Küche war der

Laden und auf der anderen die Speisekammer, die zu einem dunklen Kellerraum führte, wo die Kutteln gelagert wurden. Einen Teil der Tür zur Speisekammer versperrte ein unförmiges Sofa, auf dem Mrs. Brooker, unsere Vermieterin, ständig kranklag, eingewickelt in schmutzige Decken. Sie hatte ein großes, bleichgelbes, ängstliches Gesicht. Niemand wußte ganz sicher, was mit ihr los war; ich vermute, daß ihre einzigen wirklichen Beschwerden vom zu vielen Essen kamen. Vor dem Herd hing fast immer eine Leine mit feuchter Wäsche, und in der Mitte des Zimmers stand der große Küchentisch, an dem die Familie und alle Hausbewohner aßen. Ich habe diesen Tisch nie völlig unbedeckt gesehen, aber ich sah das, was ihn bedeckte, zu verschiedenen Zeiten. Zuunterst lag eine Schicht alten Zeitungspapiers, mit Worcestersauce getränkt, darüber eine Lage klebriges weißes Wachstuch, über diesem ein grüner Serge-Stoff und zuoberst ein grobes Leintuch, das niemals gewechselt und selten weggenommen wurde. Gewöhnlich lagen die Krümel vom Frühstück beim Abendessen noch auf dem Tisch. Einzelne Krümel konnte ich wiedererkennen, wenn sie von Tag zu Tag den Tisch hinauf- und hinunterwanderten.

Der Laden war ein enger, kalter Raum. Außen am Fenster klebten ein paar weiße Buchstaben, Überreste einer alten Schokoladenreklame, verstreut wie Sterne. Innen war eine Steinplatte, auf der in großen weißen Falten die Kutteln lagen, daneben die graue flockige, als »schwarze Kutteln« bekannte Masse, sowie die geisterhaft durchscheinenden abgekochten Schweinsfüße. Es war ein gewöhnlicher »Kutteln und Erbsen«-Laden, und außer Brot, Zigaretten und Dosenkram war kaum etwas am Lager. Im Schaufenster wurde für »Diverse Teesorten« Reklame gemacht, aber wenn ein Kunde eine Tasse Tee verlangte, wurde er gewöhnlich mit Entschuldigungen abgefertigt. Mr. Brooker hatte zwar seit zwei Jahren keine Arbeit mehr, war aber von Beruf Bergmann; seine Frau und er hatten jedoch ihr ganzes Leben als Nebenerwerb verschiedene Geschäfte betrieben. Einmal hatten sie eine Kneipe gehabt, aber sie verloren ihre Lizenz, weil sie Glücksspiele zugelassen hatten. Ich bezweifle, daß eines ihrer Geschäfte je Gewinn gebracht hat; sie gehörten zu der Art von Leuten, die ein Geschäft vor allem betreiben, um etwas zu haben, worüber sie schimpfen können. Mr. Brooker war ein dunkler, kleingebauter, saurer, irisch aussehender Mann, und erstaunlich schmutzig. Ich glaube nicht, daß ich ihn je mit sauberen Händen gesehen habe. Weil Mrs. Brooker nun ständig krank war, machte er meist das Essen, und wie alle Leute mit ständig schmutzigen Händen hatte er eine besonders vertrauliche und schleppende Art, mit Dingen umzugehen. Wenn er einem eine Scheibe Butterbrot gab, war immer ein schwarzer Daumenabdruck drauf. Sogar am frühen Morgen, wenn er in die geheimnisvolle Grube hinter Mrs. Brookers Sofa hinabstieg und die Kutteln herausfischte, waren seine Hände schwarz. Von den andern Hausbewohnern hörte ich fürchterliche Geschichten über den Ort, an dem die Kutteln aufbewahrt wurden. Küchenschaben gäbe es dort in Mengen. Ich weiß nicht, wie oft frische Lieferungen von Kutteln bestellt wurden, aber es geschah in langen Abständen, denn Mr. Brooker pflegte Ereignisse danach zu datieren. »Lassen Sie mich mal überlegen, ich hatte drei Lieferungen Gefrorenes (gefrorene Kutteln), seit das passiert ist« etc. Wir Hausbewohner bekamen nie Kutteln zu essen. Damals dachte ich, sie seien zu teuer; heute meine ich eher, daß wir einfach zuviel über sie wußten. Ich bemerkte auch, daß die Brookers selber nie Kutteln aßen.

Die einzigen Dauermieter waren der schottische Bergmann, zwei Rentner und ein Arbeitsloser, der vom P.A.C. [Public Assistance Committee, Komitee für öffentliche Fürsorge] lebte. Er hieß Joe und gehörte zu der Art Leute, die keinen Nachnamen haben. Der schottische Bergmann war, wenn man ihn erst einmal kannte, recht langweilig. Wie so viele Arbeitslose verbrachte er zuviel Zeit mit Zeitunglesen, und wenn man ihn nicht abklemmte, hielt er stundenlang Vorträge über die »Gelbe Gefahr«, Morde mit Verstümmelungen, Astrologie und den Konflikt zwischen Religion und Wissenschaft und ähnliches. Die Rentner waren, wie üblich, durch den Means Test* aus ihren Behausungen vertrieben worden. Sie zahlten den Brookers zehn Shilling pro Woche und bekamen dafür an Annehmlichkeiten, was man für zehn Shilling erwarten kann: also ein Bett im Dachstock und Mahlzeiten, die hauptsächlich aus Butterbroten bestanden. Einer von ihnen war »etwas Besseres« und starb an einer bösartigen Krankheit dahin, vermutlich an Krebs. Er stieg nur noch an den Tagen aus dem Bett, an denen er seine Rente abholen ging. Der andere, den jedermann »Old Jack« nannte, war ein achtundsiebzigjähriger ehemaliger Bergmann, der weit über fünfzig Jahre in den Gruben gearbeitet hatte. Er war beweglich und intelligent, aber seltsamerweise schien er sich nur an die Erfahrungen seiner Knabenzeit erinnern zu können und alles über die neuen Maschinen und Verbesserungen in den Minen vergessen zu haben. Er erzählte mir oft Geschichten von Kämpfen mit wilden Pferden in engen unterirdischen Gängen. Als er hörte, daß ich Vorbereitungen träfe, in verschiedene Kohlengruben hinabzugehen, erklärte er mir geringschätzig, ein Mann von meiner Größe (sechs Fuß und zweieinhalb Zoll) würde das »Reisen« nicht schaffen; es war zwecklos, ihm zu sagen, das »Reisen« ginge besser als früher. Aber er war freundlich zu jedermann und rief uns immer ein tüchtiges »Gute Nacht, Jungens!« zu, wenn er die Treppe zu seinem Bett irgendwo unter den Dachsparren hochkletterte. Was ich an Old Jack am meisten bewunderte, war, daß er nie schnorrte. Am Ende der Woche war ihm gewöhnlich der Tabak ausgegangen, aber er weigerte sich stets, welchen von jemand anderem zu rauchen. Die Brookers hatten für die beiden Rentner bei einer Sixpence-pro-Woche-Firma eine Lebensversicherung abgeschlossen. Es wurde erzählt, man hätte sie den Versicherungsanreißer besorgt fragen hören, »wie lange Leute noch leben, wenn sie Krebs haben«.

* Means Test: Behördliche Einkommensermittlung, die darüber entschied, ob man nach Ablauf der Zeit, während der man Arbeitslosenunterstützung bezogen hat, von der Wohlfahrt unterstützt wird oder nicht. Die Rentner haben früher vermutlich bei ihren Kindern gewohnt. Dort konnten sie nicht bleiben, weil sie nach dem Means Test als Untermieter galten und dadurch die Unterstützung der (ebenfalls arbeitslosen) Kinder gefährdeten.

Wie der Schotte war Joe ein großer Zeitungsleser und verbrachte fast den ganzen Tag in der öffentlichen Bibliothek. Er war der typische unverheiratete Arbeitslose, ein verloren aussehendes, unverhohlen zerlumptes Wesen mit einem runden, fast kindlichen Gesicht, auf dem ein ungezogener Ausdruck lag. Er sah eher wie ein vernachlässigter Junge aus als wie ein erwachsener Mann. Ich glaube, es ist das völlige Fehlen von Verantwortung, das so viele dieser Männer jünger aussehen läßt, als sie sind. Nach seinem Aussehen hatte ich Joe auf etwa achtundzwanzig Jahre geschätzt und war dann erstaunt, als ich erfuhr, daß er dreiundvierzig war. Er hatte eine Vorliebe für großsprecherische Phrasen und war sehr stolz auf seinen Scharfsinn, durch den er ums Heiraten herumgekommen war. Oft sagte er zu mir: »Die Ketten des Ehestands, das ist eine kolossale Sache«, und hatte offensichtlich das Gefühl, das sei eine sehr feinsinnige und weitreichende Bemerkung. Sein gesamtes Einkommen betrug fünfzehn Shilling pro Woche, und sechs oder sieben davon mußte er den Brookers für sein Bett bezahlen. Manchmal sah ich ihn, wie er sich über dem Küchenherd eine Tasse Tee machte, aber sonst verpflegte er sich auswärts; vermutlich kam es meist auf Margarinebrote und Fish-and-Chips-Päckchen heraus.

Neben den Dauermietern gab es die rasch wechselnde Kundschaft von Handelsreisenden der ärmeren Sorte, Wanderschauspielern – nichts Ungewöhnliches im Norden, weil die meisten größeren Kneipen für die Wochenenden Varieteártisten einstellen – und Zeitungsabonnentenfängern. Das war eine Art Leute, der ich vorher noch nie begegnet war. Ihre Arbeit kam mir so hoffnungslos, so entmutigend vor, daß ich mich wunderte, wie jemand sich auf sie einlassen konnte, wo es als andere Möglichkeit doch das Gefängnis gab. Sie wurden vor allem von Wochen- oder Sonntagszeitungen angestellt und von Stadt zu Stadt geschickt, ausgerüstet mit Karten und Listen von Straßen, die sie jeden Tag zu bearbeiten hatten. Wenn es ihnen nicht gelang, zwanzig Abonnementsbestellungen pro Tag festzumachen, wurden sie gefeuert. Solange sie ihre zwanzig Bestellungen pro

Tag schafften, bekamen sie ein schmales Gehalt, zwei Pfund pro Woche, glaube ich; für die Bestellungen über zwanzig erhielten sie eine winzige Provision. Das Ganze ist nicht so unmöglich, wie es tönt, denn in Arbeitervierteln hält sich jede Familie ein Zweipenny-Wochenblatt und wechselt es alle paar Wochen; aber ich bezweifle, daß irgendwer so einen Job lange behält. Die Zeitungen stellen verzweifelte arme Teufel ein, arbeitslose Büroangestellte, Handlungsreisende und ähnliche Leute, die sich eine Zeitlang anstrengen wie wild, um wenigstens den minimalen Absatz zu erreichen; sobald die tödliche Arbeit sie abgenützt hat, werden sie gefeuert und neue Leute eingestellt. Ich lernte zwei kennen, die von einer der berüchtigteren Wochenzeitungen angestellt worden waren. Beide waren Männer mittleren Alters, die Familien zu ernähren hatten, und der eine war schon Großvater. Sie waren zehn Stunden am Tag auf den Beinen, »bearbeiteten« die ihnen zugeteilten Straßen und waren bis spät in die Nacht damit beschäftigt, Formulare für irgendeine Gaunerei ihrer Zeitschrift auszufüllen – eines dieser Muster, bei denen man einen Satz Geschirr »geschenkt bekommt«, wenn man eine Bestellung für sechs Wochen abschließt und außerdem noch eine Postanweisung über zwei Shilling aufgibt. Der Dicke, der schon Großvater war, schlief gewöhnlich mit dem Kopf auf einem Stapel Formulare ein. Keiner von beiden konnte sich das Pfund pro Woche leisten, das die Brookers für Vollpension verlangten. Sie bezahlten eine kleine Summe für ihre Betten und machten sich in einer Ecke der Küche verschämt Mahlzeiten aus Schinken und Margarine, die sie in ihren Koffern bei sich hatten.

Die Brookers hatten Söhne und Töchter in Mengen; die meisten waren schon lange von Zuhause geflohen. Manche waren in Kanada, »auf Kanada«, wie Mrs. Brooker sich auszudrücken pflegte. Nur ein Sohn wohnte in der Nähe, ein großer, einem Schwein nicht unähnlich sehender Mann, der in einer Garage arbeitete und oft zum Essen nach Hause kam. Seine Frau war mit ihren beiden Kindern den ganzen Tag da; der größte Teil des Kochens und Wäschewaschens wurde von ihr und von

Emmie, der Verlobten eines anderen Sohns, der in London war, erledigt. Emmie war ein blondes, unglücklich aussehendes Mädchen mit einer spitzen Nase, das für einen Hungerlohn in einer der Fabriken arbeitete und sich trotzdem noch jeden Abend bei den Brookers abrackerte. Wie ich erfuhr, wurde die Hochzeit immer wieder verschoben und würde vielleicht nie stattfinden, aber Mrs. Brooker hatte Emmie schon als Schwiegertochter eingespannt und nörgelte in der eigenartig wachsamen und liebevollen Art, die Kranken eigen ist, an ihr herum. Die übrige Haushaltsarbeit wurde von Mr. Brooker erledigt oder auch nicht. Mrs. Brooker stand selten von ihrem Sofa in der Küche auf (sie verbrachte die Nacht dort so gut wie den Tag) und war zu krank, um irgend etwas zu tun, außer riesige Mahlzeiten zu sich zu nehmen. Mr. Brooker kümmerte sich um den Laden, gab den Mietern ihr Essen und »machte« die Schlafzimmer. Er bewegte sich mit einer unglaublichen Langsamkeit von einer verhaßten Tätigkeit zur andern. Oft waren die Betten um sechs Uhr abends noch nicht gemacht, und zu jeder Tageszeit mußte man damit rechnen, Mr. Brooker mit einem vollen Nachttopf, den er mit dem Daumen auf der Innenseite festhielt, auf der Treppe zu begegnen. Morgens saß er mit einem Kübel schmutzigem Wasser am Feuer und schälte in Zeitlupengeschwindigkeit Kartoffeln. Ich habe nie jemanden gesehen, der mit solch einer Miene brütenden Widerwillens Kartoffeln schälen konnte. Man konnte seinen Haß auf die »verdammte Weiberarbeit«, wie er es nannte, wie einen bitteren Saft in ihm gären sehen. Er war einer jener Menschen, die ihren Verdruß unablässig wiederkäuen können.

Natürlich hörte ich, da ich oft im Hause war, alles über das Weh und Ach der Brookers, wie jedermann sie betrog und undankbar war und wie der Laden nichts einbrachte und die Pension kaum etwas. Nach lokalen Maßstäben waren sie gar nicht so schlecht dran, denn Mr. Brooker drückte sich, ich weiß auch nicht wie, um den Means Test und bezog eine Unterstützung vom P.A.C. Aber ihr Hauptvergnügen bestand darin, jedem, der zuhörte, ihr Leid zu klagen. Mrs. Brooker jammerte

Stunde um Stunde, auf ihrem Sofa liegend, ein weicher Hügel aus Fett und Selbstmitleid; und sie sagte immer und immer wieder das gleiche: »Wir bekommen wohl keine Mieter nicht mehr heutzutage. Ich weiß nicht, wie das ist. Die Kutteln liegen nur da herum Tag für Tag – und es sind so herrliche Kutteln! Es ist wirklich hart, jawohl«, etc. etc. etc. Alle Klagen von Mrs. Brooker endeten mit »Es ist wirklich hart, jawohl«, wie der Refrain einer Ballade. Sicher stimmte es, daß der Laden nichts einbrachte. Er hatte das unverkennbar staubige, schmuddelige Aussehen eines Geschäftes, mit dem es abwärts geht. Aber auch wenn jemand die Stirn gehabt hätte, ihnen zu erklären, *warum* niemand in den Laden kam, wäre es ziemlich unnütz gewesen. Keiner der beiden war imstande zu begreifen, daß im Schaufenster liegende tote Schmeißfliegen vom letzten Jahr den Umsatz nicht fördern.

Was sie aber wirklich quälte, war der Gedanke an diese beiden Rentner, die in ihrem Haus wohnten, Raum beanspruchten, Essen verschlangen und nur zehn Shilling pro Woche abgaben. Ich bezweifle, daß sie bei den Rentnern wirklich draufzahlten, obwohl der Gewinn bei zehn Shilling pro Woche sicherlich sehr klein gewesen sein muß. Aber in ihren Augen waren die beiden alten Männer eine Art gräßlicher Schmarotzer, die sich an sie gesetzt hatten und von ihrer Wohltätigkeit lebten. Old Jack konnten sie gerade noch ertragen, weil er tagsüber meist außer Haus war, aber den Bettlägerigen, Hooker mit Namen, haßten sie wirklich. Mr. Brooker sprach seinen Namen komisch aus, ohne H und mit einem langen U – »Uuker«. Was für Geschichten habe ich nicht über den alten Hooker gehört, über seine Widerborstigkeit, die Zumutung, sein Bett machen zu müssen, seine Art, dieses nicht essen zu mögen und jenes nicht essen zu mögen, und, vor allem, die selbstsüchtige Halsstarrigkeit, mit der er sich weigerte zu sterben! Die Brookers sehnten sich recht offen nach seinem Tod. Dann konnten sie wenigstens das Versicherungsgeld einstreichen. Sie schienen ihn zu spüren, wie er Tag für Tag ihre Substanz aufzehrte, als sei er ein lebender Wurm in ihren

Eingeweiden. Manchmal schaute Mr. Brooker vom Kartoffelschälen auf, begegnete meinem Blick und wandte seinen Kopf ruckartig und mit einem Ausdruck unbeschreiblicher Bitterkeit zur Decke, nach Mr. Hookers Zimmer hin. »Das ist doch ein –, nicht wahr?« sagte er. Es war nicht nötig, mehr zu sagen; ich hatte schon alles über die Schliche des alten Hooker gehört. Aber die Brookers hatten an allen ihren Mietern dieses oder jenes auszusetzen, zweifellos auch an mir. Joe, der vom P.A.C. lebte, gehörte praktisch in die gleiche Kategorie wie die Rentner. Der Schotte bezahlte ein Pfund pro Woche, aber er blieb fast den ganzen Tag im Haus, und sie »mochten es nicht, wenn er immer hier rumhing«, wie sie es ausdrückten. Die Zeitungswerber waren den ganzen Tag außer Haus, aber die Brookers hatten sie auf der Pike, weil sie ihre eigene Verpflegung mitbrachten, und sogar Mr. Reilly, ihr bester Mieter, war in Ungnade gefallen, weil Mrs. Brooker sagte, er wecke sie auf, wenn er morgens die Treppe herunterkomme. Sie konnten, wie sie sich ständig beklagten, einfach nicht die richtigen Mieter finden, »bessere Geschäftsherren«, die Vollpension bezahlten und den ganzen Tag weg waren. Ihr idealer Mieter wäre einer gewesen, der dreißig Shilling die Woche bezahlte und außer zum Schlafen nie ins Haus kam. Mir ist aufgefallen, daß Leute, die Zimmer vermieten, ihre Mieter fast immer hassen. Sie wollen ihr Geld, aber betrachten sie als Eindringlinge und bewahren eine sonderbar wachsame, eifersüchtige Haltung, die im Grunde die Entschlossenheit ist, den Mieter nicht zu sehr heimisch werden zu lassen. Das ist die unvermeidliche Folge eines schlechten Systems, nach dem der Mieter im Haus eines andern leben muß, ohne zur Familie zu gehören.

Die Mahlzeiten im Haus der Brookers waren gleichbleibend scheußlich. Zum Frühstück gab es zwei Scheiben Schinken und ein bleiches Spiegelei sowie Butterbrote, die oft schon am Abend vorher geschnitten wurden und auf denen immer Daumenabdrücke waren. Wie taktvoll ich es auch versuchte, ich konnte Mr. Brooker nie dazu bewegen, mich meine eigenen Butterbrote machen zu lassen; *jedesmal* gab er sie mir Scheibe um Scheibe, jede Scheibe vom festen Zugriff des breiten schwarzen Daumens gezeichnet. Zum Mittagessen gab es gewöhnlich diese Drei-penny-Fleischkuchen, die fertig in Dosen verkauft werden – ich glaube, sie gehörten zum Ladenvorrat –, gekochte Kartoffeln und Reispudding. Zum Tee gab es wieder Butterbrote und abgenützt aussehende süße Kuchen, die vielleicht als altbackene Ware beim Bäcker gekauft worden waren. Zum Abendessen gab es weichlichen, schlappen Lancashire-Käse und Kekse. Die Brookers nannten diese Kekse nie Kekse. Sie bezeichneten sie immer ehrerbietig als Rahmbisquits – »Nehmen Sie noch ein Rahmbisquit, Mr. Reilly; ein Rahmbisquit zum Käse wird Ihnen schmecken« – so beschönigten sie die Tatsache, daß es zum Abendessen nur Käse gab. Mehrere Flaschen Worcestersauce und ein halbvoller Marmeladetopf standen immer auf dem Tisch. Es war üblich, alles, sogar den Käse, mit Worcestersauce zu tränken, aber ich sah nie einen sich an den Marmeladentopf wagen, in dem sich eine unbeschreibliche Masse von Klebrigkeit und Staub befand. Mrs. Brooker nahm ihre Mahlzeiten von uns getrennt ein, aß aber »ein paar Happen« mit bei jeder Mahlzeit, die sich sonst noch ergab, und machte sich immer mit großer Geschicklichkeit an das, was sie den »Boden des Topfes« nannte, d. h. die stärkste Tasse Tee. Sie hatte die Angewohnheit, ihren Mund ständig an einer der Decken abzuwischen. Gegen Ende meines Aufenthaltes ging sie dazu über, zu diesem Zweck Streifen von der Zeitung abzureißen, und am Morgen war der Boden oft mit zerknüllten Bällchen schleimigen Papiers bestreut, die stundenlang liegenblieben. Der Gestank in der Küche war furchtbar, aber wie beim Schlafzimmer bemerkte man ihn mit der Zeit nicht mehr.

Es erstaunte mich, daß dieser Ort für Mietshäuser in Industriegebieten nichts Ungewöhnliches sein konnte, denn im großen und ganzen beklagten sich die Mieter nicht. Der einzige, der, soviel ich weiß, es je tat, war ein kleiner schwarzhaariger Cockney mit einer spitzen Nase, Vertreter einer Zigarettenfirma. Er war noch nie im Norden gewesen, und ich vermute, daß er bis vor kurzem eine bessere Anstellung gehabt und in Hotels für Handelsreisende gewohnt hatte. Dies war sein erster Eindruck von einer richtigen Unterschicht-Absteige, der Art Unterkunft, in der die Vertreter von der ärmeren Sorte und Anreißer auf ihren endlosen Reisen übernachten müssen. Am Morgen, als wir uns anzogen (er hatte natürlich im Doppelbett geschlafen), sah ich, wie er sich mit einer Art verwunderter Abscheu in dem trostlosen Raum umschaute. Unsere Blicke trafen sich, und er erriet plötzlich, daß ich ein Landsmann aus dem Süden war.

»Diese verdammten dreckigen Saukerle!« kam es ihm aus der Seele.

Dann packte er seinen Koffer, ging nach unten und sagte den Brookers mit großer Entschlossenheit, das sei nicht die Art Haus, die er gewohnt sei, und er reise unverzüglich ab. Die Brookers konnten das nie verstehen. Sie waren erstaunt und verletzt. So eine Undankbarkeit! Sie nach einer einzigen Nacht einfach so zu verlassen! Die Sache wurde wieder und wieder in allen Richtungen diskutiert und zum Vorrat an Verdruß gelegt.

An dem Tag, als ein voller Nachttopf unter dem Frühstückstisch stand, beschloß ich zu gehen. Der Ort begann mich zu bedrücken. Es war nicht nur der Schmutz, der Gestank, das minderwertige Essen, sondern das Gefühl sinnloser Verwahrlosung ohne Ausweg, das Gefühl, in eine unterirdische Welt geraten zu sein, in der die Menschen herumkribbeln wie Küchenschaben in einem ewigen Durcheinander schäbiger Arbeit und alltäglicher Sorgen. Man bekommt den Eindruck, sie seien gar keine wirklichen Menschen, sondern eine Art Gespenster, die ewig das gleiche nichtige Geschwätz herunterspulen. Zuletzt stieß mich Mrs. Brookers selbstmitleidiges Gerede – immer die gleichen Klagen, wieder und wieder, und immer in dem zitternden Gewinsel »es ist wirklich hart, jawohl« endend – noch mehr ab als ihre Gewohnheit, den Mund mit Zeitungspapierfetzen abzuwischen. Aber es hat keinen Zweck, einfach zu sagen, daß Leute wie die Brookers abstoßend sind, und zu versuchen, sie aus dem Gedächtnis zu verdrängen. Denn sie existieren zu Dutzenden und Abertausenden; sie sind eines der charakteristischen Nebenprodukte der modernen Welt. Wenn man die Zivilisation, die sie hervorgebracht hat, gutheißt, darf man sie nicht übersehen. Denn sie sind zumindest ein Teil dessen, was die Industrialisierung für uns getan hat. Kolumbus segelte über den Atlantik, die ersten Dampfmaschinen setzten sich ruckelnd in Bewegung, die britischen Truppen hielten den französischen Gewehren bei Waterloo stand, die einäugigen Schurken des neunzehnten Jahrhunderts lobten Gott und füllten ihre Taschen, und das alles führte eben zu labyrinthischen Slums und dunklen, nach hinten gelegenen Küchen mit ungesunden, schnell alternden Menschen, die herumkribbeln wie Küchenschaben. Es ist eine Art Pflicht, solche Orte hin und wieder zu sehen und zu riechen, besonders zu riechen, damit man nicht vergißt, daß es sie gibt; obwohl es vielleicht besser ist, nicht zu lange dort zu verweilen.

Der Zug trug mich fort, durch die abscheuliche Gegend von Schlackenbergen, Kaminen, Schrotthaufen, stinkigen Kanälen, Pfaden im Aschenschlamm, kreuz und quer von Holzschuhabdrücken gezeichnet. Es war März, aber es war entsetzlich kalt gewesen, und überall lagen Hügel schwärzlichen Schnees. Wir fuhren langsam durch die Außenquartiere der Stadt und kamen an Reihen um Reihen kleiner grauer Slum-Häuser vorbei, die im rechten Winkel zu den Aufschüttungen verliefen. Hinter einem der Häuser kniete eine junge Frau auf den Steinen und stieß mit einem Stock in das bleifarbene Abflußrohr hinauf, das vom Ausguß drinnen kam und vermutlich verstopft war. Ich hatte Zeit, sie mir genau anzusehen – ihre sackleinene Schürze, ihre klobigen Holzschuhe, ihre von der Kälte geröteten Arme. Sie sah auf, als der Zug vorbeifuhr, und ich war beinahe nah genug, um ihrem Blick zu begegnen. Sie hatte ein rundes bleiches Gesicht, das gewöhnliche, erschöpfte Gesicht eines fünfundzwanzigjährigen Slum-Mädchens, das durch Fehlgeburten und Plackerei aussieht wie vierzig, und es hatte, in der Sekunde, da ich es sah, den verlassensten, hoffnungslosesten Ausdruck, den ich je gesehen habe. Ich merkte mit einem Schlag, daß wir im Irrtum sind, wenn wir sagen, daß es »für sie nicht das gleiche ist, wie es für uns sein würde«, und daß Leute, die in den Slums großgeworden sind, sich nichts anderes vorstellen können als die Slums. Denn was ich in ihrem Gesicht sah, war nicht das unwissende Leiden eines Tieres. Sie wußte ganz genau, was mit ihr geschah – sie wußte so genau wie ich, was für ein schreckliches Los es war, da in der bitteren Kälte auf den schmierigen Steinen eines Slum-Hinterhofes zu knien und einen Stock in einem verdreckten Abflußrohr hinaufzustoßen.

Aber schon bald fuhr der Zug ins offene Land hinaus, und das wirkte seltsam, fast unnatürlich, als ob die Landschaft eine Art Park wäre; denn in den Industriegebieten hat man immer das Gefühl, daß der Rauch und der Schmutz immer weitergehen und kein Teil der Erdoberfläche ihm entgeht. In einem dichtbesiedelten, schmutzigen kleinen Land wie dem unseren nimmt man Verschmutzung beinahe als selbstverständlich hin. Schlackenberge und Kamine erscheinen als normalere und möglichere Landschaften als Gras und Bäume, und auch draußen auf dem Land erwartet man, wenn man seine Hacke in den Boden schlägt, so halb eine zerbrochene Flasche oder eine rostige Büchse. Aber hier draußen war der Schnee frei von Fußspuren und lag so hoch, daß nur der oberste Teil der steinernen Grenzmauern, die sich wie schwarze Wege über die Hügel zogen, zu sehen war. Es kam mir in den Sinn, daß D. H. Lawrence, als er über dieselbe oder eine in der Nähe liegende Landschaft schrieb, sagte, daß die schneebedeckten Hügel wellenförmig »wie Muskeln« zum Horizont liefen. Dieser Vergleich wäre mir nicht eingefallen. Für mein Auge wirkten der Schnee und die schwarzen Mauern wie ein weißes Kleid mit schwarzen Streifen. Von der Schneedecke war noch kaum etwas weggeschmolzen, aber die Sonne stand strahlend am Himmel, und hinter den geschlossenen Wagenfenstern schien das Wetter warm. Nach dem Kalender war es Frühling, und ein paar Vögel glaubten das wohl auch.

Zum erstenmal in meinem Leben sah ich, auf einem schneefreien Flecken neben der Eisenbahnlinie, Saatkrähen sich paaren. Sie taten es auf dem Boden und nicht, wie ich erwartet hätte, auf einem Baum. Der Balzvorgang war eigenartig. Das Weibchen stand mit offenem Schnabel da, und das Männchen ging um es herum und schien es zu füttern. Ich war kaum eine halbe Stunde im Zug, aber der Weg von der Küche der Brookers zu den weißen Schneehängen, dem strahlenden Sonnenschein und den großen schimmernden Vögeln kam mir lang vor.

Die ganzen Industriegebiete sind eigentlich eine riesige Stadt mit etwa der gleichen Einwohnerzahl wie Groß-London, aber glücklicherweise mit einer viel größeren Fläche, so daß sogar in ihrem Innern noch Platz ist für ein paar saubere und ordentliche Flecken. Das ist ein ermutigender Gedanke. Trotz hartnäckiger Versuche ist es dem Menschen noch nicht gelungen, seinen Dreck überall hinzubringen. Die Erde ist so weit und noch so leer, daß sogar im schmutzigen Herzen der Zivilisation noch Felder zu finden sind, wo das Gras grün ist und nicht grau; wenn man suchte, fände man vielleicht sogar noch Bäche mit lebenden Fischen anstatt Lachs in Dosen. Noch recht lange, vielleicht zwanzig Minuten, fuhr der Zug durch offenes Land, bevor die Vorstadtvillenzivilisation uns wieder einzuschließen begann; dann kamen die äußeren Slums und dann die Schlackenberge, die rauchenden Kamine, die Hochöfen, die Kanäle und Gaskessel der nächsten Industriestadt.

II

Unsere Zivilisation beruht – mit Verlaub, Herr Chesterton – auf Kohle, und zwar viel umfassender, als man sich im klaren ist, bis man einmal darüber nachdenkt. Die Maschinen, die für uns lebensnotwendig sind, und die Maschinen, die die Maschinen herstellen, sind alle direkt oder indirekt von Kohle abhängig. Im Stoffwechsel der Westlichen Welt ist nur noch der Mann, der die Erde pflügt, wichtiger als der Bergmann. Er ist eine Art rußige Karyatide, auf deren Schultern fast alles ruht, was *nicht* rußig ist. Deshalb lohnt es sich durchaus, den tatsächlichen Prozeß der Kohlegewinnung zu betrachten, wenn man die Gelegenheit dazu hat und die Mühe auf sich nehmen will.

Wenn man in ein Kohlebergwerk einfährt, sollte man versuchen, zur Abbaustelle zu gelangen, wenn die »Füller« an der Arbeit sind. Das ist nicht einfach, denn während der Arbeitszeit sind Besucher lästig und werden nicht eben ermutigt; aber wenn man zu einer andern Zeit geht, bekommt man vielleicht einen völlig falschen Eindruck. An Sonntagen zum Beispiel sieht eine Grube fast friedlich aus. Man muß hingehen, wenn die Maschinen lärmen, die Luft vom Kohlestaub schwarz ist und man wirklich sieht, was die Bergleute tun müssen. Zu diesen Zeiten ist es da unten wie in der Hölle oder jedenfalls so wie in meinem Phantasiebild von der Hölle. Fast alles, was man sich in der Hölle vorstellt, ist da: Hitze, Lärm, Durcheinander, Dunkelheit, stickige Luft, und vor allem eine unerträgliche Enge. Alles ist da bis auf das Feuer, denn da unten gibt es kein Feuer außer dem schwachen Schein der Davylampen und Taschenlampen, die kaum durch die Kohlestaubwolken dringen.

Wenn man endlich unten angelangt ist – und das ist eine Sache für sich, wie ich gleich erklären werde –, kriecht man zwischen der letzten Reihe Grubenhölzer durch und sieht sich dann einer schimmernden schwarzen Wand von drei oder vier Fuß Höhe gegenüber. Das ist das Kohleflöz [engl. »Das Gesicht der Kohle«]. Über sich hat man die glatte Decke; sie besteht aus dem Fels, aus dem die Kohle herausgeschnitten wurde; unter einem ist wieder Fels, so daß der Stollen, in dem man sich befindet, nur so hoch ist wie die Kohleschicht selbst, wahrscheinlich nicht viel mehr als ein Yard. Der zunächst alles andere beherrschende Eindruck ist das fürchterliche, ohrenbetäubende Gerassel des

Förderbandes, das die Kohle abtransportiert. Man kann nicht weit sehen, weil der Kohlestaubnebel das Licht der Grubenlampen zurückwirft; aber man sieht auf beiden Seiten eine Reihe halbnackter, kniender Männer, vier oder fünf Yards voneinander entfernt, die ihre Schaufeln unter die herabgefallene Kohle stoßen und sie mit einem Schwung über die linke Schulter werfen. Sie füllen sie aufs Förderband, ein Gummiband von ein paar Fuß Breite, das ein bis zwei Yards hinter ihnen vorbeiläuft. Auf diesem Band fließt dauernd ein glitzernder Kohlestrom abwärts. In großen Gruben befördert es mehrere Tonnen Kohle pro Minute. Es bringt sie zu einem Platz im Hauptstollen, wo es sie in Förderwagen wirft, die eine halbe Tonne fassen, um dann zu den Förderkörben geschleppt und zur Erdoberfläche hinaufgezogen zu werden.

Man kann den »Füllern« unmöglich bei der Arbeit zusehen, ohne einen Stich des Neids auf ihre Zähigkeit zu spüren. Sie verrichten eine schreckliche, ja nach gewöhnlichen Maßstäben fast übermenschliche Arbeit. Denn sie bewegen nicht nur ungeheure Mengen von Kohle, sondern sie tun das auch noch in einer Stellung, die die Arbeit verdoppelt und verdreifacht. Sie müssen die ganze Zeit knien – sie könnten sich kaum aufrichten, ohne an die Decke zu stoßen –, und man kann die ungeheure Anstrengung leicht ermessen, wenn man es selbst einmal versucht. Solange man aufrecht stehen kann, geht das Schaufeln relativ leicht, denn man kann die Schaufel mit Hilfe der Knie und Oberschenkel führen; wenn man kniet, liegt die ganze Belastung auf den Arm- und Bauchmuskeln. Die übrigen Arbeitsbedingungen machen die Sache auch nicht gerade leichter. Da ist einmal die Hitze – sie ist unterschiedlich, aber in manchen Gruben ist sie zum Ersticken –, dann der Kohlestaub, der Kehle und Nase verstopft und sich um die Augenlider festsetzt, und das endlose Rasseln des Förderbandes, das in dem engen Raum eher wie das Knattern eines Maschinengewehrs tönt. Aber die »Füller« arbeiten, als seien sie aus Eisen, und so sehen sie auch wirklich aus – wie gehämmerte Eisenstatuen – unter der glatten

Kohlestaubschicht, die sie von Kopf bis Fuß überzieht. Nur wenn man die Bergleute unten in der Grube und nackt sieht, wird einem klar, was für prächtige Männer sie sind. Die meisten sind klein (große Männer sind bei dieser Arbeit im Nachteil), aber fast alle haben die herrlichsten Körper; breite Schultern, schlanke, geschmeidige Hüften, ein kleines ausgebildetes Hinterteil und sehnige Oberschenkel, und nirgends eine Unze überflüssiges Fleisch. In den heißeren Bergwerken tragen sie nur ein Paar dünne kurze Hosen, Holzschuhe und Knieschoner. Nach ihrem Aussehen kann man kaum sagen, ob sie jung oder alt sind. Sie können jedes Alter haben, bis zu sechzig oder sogar fünfundsechzig Jahren; aber wenn sie nackt und schwarz sind, sehen sie alle gleich aus. Keiner, der nicht den Körper eines jungen Mannes hat – und die Figur eines Gardisten dazu –, könnte ihre Arbeit tun; ein paar zusätzliche Pfunde um die Hüften würden das ständige Gebücktsein verunmöglichen. Wenn man dieses Schauspiel einmal gesehen hat, kann man es nie mehr vergessen – die Reihe gebückter, kniender Gestalten, ganz schwarz vom Ruß, die ihre riesigen Schaufeln mit erstaunlicher Kraft und Geschwindigkeit in die Kohle stoßen. Ihre Arbeitszeit dauert siebeneinhalb Stunden, theoretisch ohne Pause, denn es gibt keine »freie« Zeit. Tatsächlich schnappen sie sich während der Schicht eine Viertelstunde oder so, um zu essen, was sie sich mitgebracht haben, gewöhnlich ein dickes Stück Brot mit Schmalz und eine Flasche kalten Tee. Als ich den »Füllern« zum erstenmal zusah, kam ich mit der Hand unter dem Kohlestaub an etwas Schleimiges. Es war ein ausgekauter Tabakpriem. Fast alle Bergleute kauen Tabak; man sagt, das lösche den Durst.

Wahrscheinlich muß man mehrere Gruben besuchen, bevor man sich von den Vorgängen um einen herum einen Begriff machen kann, hauptsächlich deshalb, weil die bloße Anstrengung, von einem Ort zum andern zu gelangen, es schwierig macht, noch etwas anderes wahrzunehmen. In mancher Hinsicht ist es sogar enttäuschend, zumindest aber anders, als man erwartet hat. Man steigt in den Käfig, einen Stahlkasten von der

Breite einer Telefonzelle und zwei- oder dreimal so lang. Er faßt zehn Personen, aber damit ist er vollgepackt wie eine Sardinenbüchse, und ein großer Mann kann kaum aufrecht stehen. Die Stahltür schließt sich über einem, und jemand, der das Kabelgewinde bedient, läßt einen ins Leere fallen. Man hat augenblicklich das gewöhnliche flaue Gefühl im Magen und heftiges Ohrensausen, aber kaum ein Gefühl von Geschwindigkeit, bis man sich dem Boden nähert und der Käfig sich so abrupt verlangsamt, daß man schwören könnte, er führe wieder aufwärts. Während der Fahrt erreicht der Käfig wohl sechzig Meilen pro Stunde, bei manchen tiefer gelegenen Gruben sogar noch mehr. Wenn man unten aus dem Käfig herausklettert, ist man ungefähr vierhundert Yards unter der Erdoberfläche. Das bedeutet, daß man einen ganz hübschen Berg über sich hat; Hunderte von Yards massives Gestein, Knochen ausgestorbener Tiere, verschiedene Erd- und Kieselschichten, Wurzeln von Pflanzen, grünes Gras, Kühe, die darauf weiden – das alles hängt einem über dem Kopf und wird nur von hölzernen Pfosten, die so dick sind wie eine Wade, abgestützt. Aber wegen der Geschwindigkeit, mit welcher der Käfig einen hinuntergebracht hat, und der völligen Dunkelheit, durch die man gefahren ist, glaubt man kaum tiefer unten zu sein als im Untergrundbahnhof von Piccadilly.

Wirklich überraschend sind dagegen die immensen horizontalen Entfernungen, die unter Tage zurückgelegt werden müssen. Bevor ich selber unten in einer Kohlengrube war, hatte ich eine vage Vorstellung vom Bergmann, der aus dem Käfig steigt und sich ein paar Yards weiter an einem Kohleflöz an die Arbeit macht. Mir war nicht klar gewesen, daß er, bevor er überhaupt zu seinem Arbeitsplatz gelangt, durch Stollen kriechen muß, die so lang sind wie der Weg von der London Bridge zum Oxford Circus. Am Anfang wird der Grubenschacht natürlich in der Nähe eines Kohlevorkommens gegraben. Aber wenn dieses Vorkommen ausgebeutet ist und man neuen Adern nachgeht, entfernen sich die Arbeitsplätze immer weiter vom Einstiegsschacht. Wenn das Kohleflöz eine Meile vom Einstiegsschacht abliegt, dürfte das eine durchschnittliche Entfernung sein; drei Meilen gelten noch als normal; es soll sogar einige Gruben geben, in denen die Entfernung fünf Meilen beträgt. Aber diese Distanzen kann man nicht mit den entsprechenden Distanzen über Tage gleichsetzen. Denn auf der ganzen Meile oder vielleicht auf den ganzen drei Meilen gibt es außerhalb des Hauptstollens (und auch dort nur selten), kaum Stellen, an denen ein Mann aufrecht stehen kann.

Was das bedeutet, merkt man erst, wenn man ein paar hundert Yards gegangen ist. Zunächst geht man leicht gebückt durch den matt beleuchteten Stollen, der acht bis zehn Fuß breit und etwa fünf Fuß hoch ist und dessen Wände aus Schieferplatten bestehen, wie die Steinmauern in Derbyshire. Alle ein oder zwei Yards stehen hölzerne Pfosten, die die Träger und Balken abstützen. Einige Balken haben sich zu phantastischen Krümmungen verzogen, unter denen man sich durchbücken muß. Gewöhnlich kann man nur schlecht gehen – über dicken Staub und scharfkantige Schieferbrocken, und wo Wasser in der Nähe ist, ist es schlammig wie auf einem Bauernhof. Außerdem ist da noch das Gleis für die Kohlewaggons, eine Art Miniaturschienen mit Schwellen im Abstand von ein bis zwei Fuß, die das Gehen mühsam machen. Alles ist grau vom Schieferstaub, und überall hängt ein staubiger, brenzliger Geruch, der wohl in allen Bergwerken der gleiche ist. Man sieht geheimnisvolle Maschinen, deren Zweck man nie begreifen wird, Bündel von Werkzeugen, die auf Drähte gezogen sind, und manchmal Mäuse, die vor dem Lampenstrahl weghuschen. Mäuse sind überraschend häufig, besonders in Bergwerken, wo Pferde eingesetzt werden oder wurden. Es wäre interessant zu erfahren, wie sie ursprünglich dahingekommen sind; vielleicht sind sie einen Schacht hinuntergefallen – es heißt ja, daß eine Maus aufgrund ihrer im Verhältnis zum Gewicht großen Oberfläche einen Sturz aus beliebiger Höhe unverletzt überstehen kann. Man drückt sich an die Wand, um den Förderwagen, die langsam in Richtung Schacht rumpeln,

Platz zu machen. Die Waggons werden von einem endlosen Stahlkabel gezogen, das von oben her bedient wird. Man kriecht unter sackleinenen Vorhängen durch und kommt an dicke Holztüren, bei deren Öffnen einem heftige Zugluft entgegenschlägt. Die Türen sind ein wichtiger Teil des Ventilationssystems. Die verbrauchte Luft wird durch Ventilatoren aus dem einen Schacht gesaugt, und die frische Luft strömt dann von selbst in den andern Schacht. Sich selbst überlassen, würde die Luft den kürzesten Weg nehmen, und die tiefer gelegenen Abbaustellen blieben unbelüftet; deshalb müssen alle Abkürzungen verschlossen werden.

Am Anfang macht das gebückte Gehen irgendwie noch Spaß, aber dieser Spaß erschöpft sich rasch. Ich bin durch meine ungewöhnliche Körpergröße ohnehin im Nachteil, aber wenn der Stollen schließlich nur noch vier Fuß oder weniger hoch ist, wird das Vorwärtskommen für jeden mühsam, Zwerge und Kinder ausgenommen. Man muß sich nicht nur tief bücken, sondern gleichzeitig immer den Kopf aufrecht halten, um die Balken und Träger kommen zu sehen und ihnen auszuweichen. Deshalb hat man dauernd einen steifen Hals, aber das ist nichts im Vergleich mit den Schmerzen in den Knien und Schenkeln. Nach einer halben Meile werden sie (ich übertreibe nicht!) zu einer unerträglichen Qual. Man beginnt sich zu fragen, ob man je bis zum Ende gelangen wird – und mehr noch, wie in aller Welt man zurückkommen soll. Der Schritt wird langsamer und langsamer. Auf einer Strecke von ein paar hundert Yards ist der Stollen besonders niedrig, und man muß sich kauernd vorwärts bewegen. Dann plötzlich weicht die Decke zu geheimnisvoller Höhe zurück – wahrscheinlich der Schauplatz eines früheren Felseinsturzes – und für zwanzig volle Yards kann man aufrecht stehen. Die Erleichterung ist überwältigend. Aber danach kommt wieder ein niedriger Stollen von hundert Yards und dann eine Reihe von Balken, unter denen man herkriechen muß. Man geht auf allen vieren; sogar das ist eine Erholung nach dem Gehen in der Hocke. Aber wenn man ans Ende der Balken kommt und wieder aufstehen will, merkt man, daß die Knie vorübergehend streiken und sich weigern, einen aufzurichten. Man bittet beschämt um einen Halt und sagt, man würde gern eine Minute oder zwei ausruhen. Der Führer (ein Bergmann) hat Verständnis: er weiß, daß ich nicht Muskeln habe wie er. »Nur noch vierhundert Yards«, sagt er ermutigend; er könnte genausogut sagen: nur noch vierhundert Meilen. Aber schließlich kriecht man doch irgendwie bis zum Kohleflöz. Man ist eine Meile gegangen und hat fast eine Stunde dafür benötigt; ein Bergmann würde kaum mehr als zwanzig Minuten brauchen. Einmal angelangt, muß man sich erst einmal in den Kohlestaub strecken und ein paar Minuten ausruhen, bevor man auch nur die laufende Arbeit mit einigem Verständnis betrachten kann.

Der Rückweg ist schlimmer als der Hinweg, nicht nur, weil man schon müde ist, sondern auch, weil der Weg zurück zum Schacht wahrscheinlich leicht ansteigt. Die niedrigen Stollen bringt man mit der Geschwindigkeit einer Schildkröte hinter sich, und man schämt sich nicht mehr, »Halt« zu rufen, wenn man in den Knien einknickt. Sogar die Lampe, die man trägt, wird zu einer Last, und wahrscheinlich würde man sie, wenn man stolperte, fallen lassen: woraufhin sie, wenn es eine Davylampe ist, ausginge. Den Balken auszuweichen, wird immer anstrengender, und manchmal vergißt man es. Man versucht, wie die Bergleute mit gesenktem Kopf zu gehen, und dann stößt man sich den Rücken an. Sogar den Bergleuten passiert das oft. Deshalb haben in den heißen Gruben, wo man sich kaum anders als halbnackt bewegen kann, die meisten Bergleute das, was sie »Knöpfe den Rücken runter« nennen – Schorf an jedem Rückenwirbel. Wo die Geleise abwärts führen, stellen sich die Bergleute manchmal mit ihren unten eingekerbten Holzschuhen auf die Schienen und rutschen hinunter. In Gruben, wo das »Reisen« sehr schwierig ist, haben die Bergleute Stöcke bei sich, die etwa zweieinhalb Fuß lang und unter dem Griff ausgebuchtet sind. Normalerweise hält man den Stock am Griff, und in den niedrigen Gängen läßt man die Hand abwärts in die Ausbuchtung gleiten. Diese Stöcke sind eine große Hilfe, und die hölzernen Helme – eine relativ neue Erfindung – sind ein wahrer Segen. Sie sehen wie französische oder italienische Stahlhelme aus, sind aber aus einer Art Hartholz gemacht und sehr leicht, doch so fest, daß man auch einen heftigen Schlag auf den Kopf nicht spürt. Wenn man schließlich wieder nach oben kommt, war man vielleicht drei Stunden unter Tage und ist zwei Meilen »gereist«, aber man ist erschöpfter als nach einem Fünfundzwanzig-Meilen-Marsch über Tage. Die ganze folgende Woche sind die Schenkel so steif, daß es ein recht schwieriges Kunststück ist, die Treppe hinunterzukommen; man muß sich in einer merkwürdigen Stellung seitwärts hinunterarbeiten, ohne die Knie zu beugen. Wenn die befreundeten Bergleute den steifen Gang bemerken, wird man von ihnen aufgezogen: »Na, wie wär's, in der Grube unten arbeiten, eh?« Aber selbst ein Bergmann, der lange nicht gearbeitet hat – zum Beispiel, weil er krank war –, hat es nach der Rückkehr in die Grube während der ersten paar Tage schwer.

Es sieht vielleicht so aus, als würde ich übertreiben, aber das wird wohl keiner sagen, der je in einer altmodischen Kohlengrube gewesen ist (die meisten Kohlengruben in England sind altmodisch) und wirklich bis zum Kohleflöz gegangen ist. Aber ich möchte folgendes betonen. Dieses schreckliche Hin- und Zurückkriechen, das für jeden normalen Menschen an sich schon eine harte Tagesarbeit ist, gehört noch gar nicht zur Arbeit des Bergmanns; es ist lediglich eine Zugabe wie für den Geschäftsmann die tägliche U-Bahn-Fahrt. Der Bergmann macht diesen Weg hin und her, und dazwischengeklemmt liegen siebeneinhalb Stunden grausamer Arbeit. Ich bin nie viel mehr als eine Meile zum Kohleflöz »gereist«, aber oft sind es drei Meilen, und in einem solchen Fall würden ich und die meisten andern, die keine Bergleute sind, überhaupt nie ankommen. Das ist einer der Punkte, die man immer gern vergißt. Wenn man an ein Kohlebergwerk denkt, denkt man an Tiefe, Hitze, Dunkelheit, rußgeschwärzte Gestalten, die auf Mauern aus Kohle einhacken; aber man denkt nicht unbedingt an die Meilen, die man hin- und herkriechen muß. Dazu kommt noch die Frage der Zeit. Eine Schicht zu siebeneinhalb Stunden – das klingt nicht sehr lang; aber pro Tag muß man mindestens eine Stunde für das »Reisen« dazurechnen – öfter zwei Stunden und manchmal drei. Natürlich ist das »Reisen« formal keine Arbeit, und der Bergmann wird nicht dafür bezahlt; es kommt aber der Arbeit so nahe, daß die Unterscheidung sinnlos ist. Es ist leicht gesagt, den Bergleuten mache das nichts aus. Sicher ist es für sie nicht das gleiche, was es für Sie oder mich bedeuten würde. Sie sind seit ihrer Kindheit daran gewöhnt, haben die erforderlichen gehärteten Muskeln und können sich unter Tage mit verblüffender und fast unheimlicher Behendigkeit bewegen. Ein Bergmann senkt den Kopf und *rennt* mit langen, schwingenden Schritten durch Stollen, durch die ich nur stolpern kann. Vor Ort sieht man sie auf allen vieren, fast wie Hunde, um die Stützbalken schlüpfen. Aber es ist ein erheblicher Fehler, zu glauben, das mache ihnen Spaß. Ich habe mit Dutzenden von Bergleuten darüber gesprochen, und alle gaben zu, daß das »Reisen« harte Arbeit ist; jedenfalls gehört es, wenn man Bergleute unter sich über eine Grube reden hört, immer zu den Diskussionsthemen. Es heißt, daß eine Schicht zum Rückweg immer weniger Zeit braucht als zum Hinweg, aber trotzdem finden alle Bergleute den Rückweg nach dem harten Arbeitstag besonders mühsam. Es ist ein Teil ihrer Arbeit, und sie werden damit fertig, aber zweifellos ist es eine große Anstrengung. Man kann es vielleicht mit dem Besteigen eines kleineren Berges vor und nach der Arbeit vergleichen.

Wenn man in zwei oder drei Gruben gewesen ist, bekommt man allmählich eine Vorstellung von den Arbeitsprozessen unter Tage. (Ich sollte übrigens sagen, daß ich überhaupt nichts von der technischen Seite des Bergbaus verstehe; ich beschreibe lediglich, was ich gesehen habe.) Kohle liegt in schmalen Schichten zwischen enormen Felsmassen, so daß die Kohlegewinnung im Prinzip dem Versuch gleicht, aus einem neapolitanischen Eis die mittlere Schicht herauszulöffeln. Früher wurde die Kohle noch mit Pickel und Brecheisen direkt herausgehauen – eine mühsame Arbeit, denn Kohle ist in ihrem ursprünglichen Zustand fast so hart wie Stein. Heute werden die Vorarbeiten von einem elektrisch angetriebenen Kohleschneider erledigt, das ist im Prinzip eine ungeheuer harte und starke Bandsäge, die sich nicht in vertikaler, sondern in horizontaler Richtung bewegt und deren Zähne mehrere Zoll lang und einen halben oder einen Zoll dick sind. Sie kann sich aus eigener Kraft vorwärts und rückwärts bewegen, und die Männer, die sie bedienen, können sie hin- und herdrehen. Übrigens macht die Maschine eines der schrecklichsten Geräusche, die ich je gehört habe, und wirbelt solche Wolken von Kohlestaub auf, daß man nicht weiter als zwei oder drei Fuß sehen und kaum atmen kann. Die Maschine fährt dem Kohleflöz entlang, legt einen Schnitt in die Kohle und lockert sie fünf bis fünfeinhalb Fuß tief; danach ist es verhältnismäßig einfach, die Kohle, soweit sie gelockert worden ist, herauszulösen. Wo sie »schwer zu bekommen ist«, muß sie allerdings noch mit Sprengstoff gelöst werden. Ein Mann mit einem elektrischen Bohrer, einer stark verkleinerten Form der Bohrer, die man bei Straßenarbeiten verwendet, bohrt in bestimmten Abständen Löcher in die Kohle, füllt sie mit Sprengstoff, stopft sie mit Lehm zu, geht um die Ecke, wenn eine in der Nähe ist (er sollte sich etwa fünfundzwanzig Yards zurückziehen) und zündet den Sprengstoff mit einem elektrischen Stromstoß. Dadurch soll die Kohle nicht herausgesprengt, sondern nur gelockert werden. Gelegentlich ist die Ladung freilich zu stark, und sie befördert nicht nur die Kohle heraus, sondern auch die Decke herunter.

Nach der Sprengung können die »Füller« die Kohle herausbrechen, zu kleineren Stücken zerschlagen und auf das Förderband schaufeln. Zunächst kommt die Kohle in riesigen Brocken heraus, die bis zu zwanzig Tonnen wiegen können. Das Förderband wirft sie in die Waggons, die ihrerseits zum Hauptstollen geschoben und dann an einem endlosen Stahlkabel befestigt werden, das sie zu den Förderkörben zieht. Dann werden sie hochgezogen, und oben wird die Kohle sortiert, indem man sie über Roste laufen läßt, und nötigenfalls wird sie gewaschen. So weit wie möglich wird der »Dreck« – d. h. der Gesteinsschutt – zur Schotterung des Stollenbodens verwendet. Was man unten nicht brauchen kann, wird nach oben gebracht und weggekippt; daher die riesigen »Dreckhalden«, scheußliche graue Berge, die das charakteristische Landschaftsbild der Kohlegebiete sind. Wenn die Kohle bis zu der Tiefe, die die Maschine ausgefräst hat, abgebaut ist, ist der Kohleflöz fünf Fuß vorgerückt. Neue Pfosten werden eingesetzt, um die neuentstandene Decke abzustützen, und in der nächsten Schicht wird das Förderband abmontiert, um fünf Fuß nach vorn versetzt und wieder zusammengebaut. Wenn möglich werden die drei Arbeitsschritte, das Schneiden, Sprengen und Abräumen, in drei verschiedenen Schichten durchgeführt; das Schneiden nachmittags, das Sprengen nachts (es gibt ein Gesetz, nach dem nur gesprengt werden darf, wenn niemand anders in der Nähe arbeitet, aber es wird nicht immer befolgt) und das »Füllen« während der Morgenschicht, die von sechs bis halb zwei dauert.

Selbst wenn man den Prozeß der Kohlegewinnung beobachtet, tut man das wahrscheinlich nur für kurze Zeit, und man muß ein paar Berechnungen anstellen, bis einem bewußt wird, was für eine erstaunliche Arbeit die »Füller« leisten. Normalerweise hat jeder Arbeiter auf einer Breite von vier bis fünf Yards die Kohle abzuräumen. Die Fräsmaschine hat die Kohle bis zu einer Tiefe von fünf Fuß angeschnitten, so daß, wenn das Flöz drei oder vier Fuß hoch ist, jeder sieben bis zwölf Kubikyards Kohle herausbricht, zerkleinert und auf das Förderband lädt. Rechnet man das Gewicht eines Kubikyards Kohle mit, sagen wir, siebenundzwanzig Zentnern, so ergibt sich, daß jeder Mann gegen zwei Tonnen Kohle pro Stunde abräumt. Ich habe gerade genug Erfahrung mit Pickeln und Schaufeln, um zu wissen, was das bedeutet. Wenn ich meinen Garten umgrabe und an einem Nachmittag zwei Tonnen Erde umschaufle, habe ich das Gefühl, ich hätte meinen Tee verdient. Aber im Vergleich mit Kohle ist Erde ein fügsames Material, und ich muß nicht tausend Fuß unter der Erdoberfläche im Knien arbeiten, in erstickender Hitze, und mit jedem Atemzug Kohlestaub schlucken. Ich muß auch nicht eine Meile gebückt gehen, bevor ich anfangen kann. Die Arbeit des Bergmanns übersteigt meine Kräfte ebenso wie Vorführungen am Trapez oder ein Sieg im Grand National. Ich verrichte keine körperlich anstrengende Arbeit, und Gott möge verhüten, daß ich es je tun muß, aber es gibt ein paar manuelle Arbeiten, die ich zur Not tun könnte. Im Bedarfsfall könnte ich einen mäßigen Straßenkehrer abgeben oder einen unfähigen Gärtner, oder sogar einen zehntklassigen Bauernknecht. Aber auch mit aller vorstellbaren Anstrengung und Übung könnte ich niemals Bergmann werden; die Arbeit würde mich in ein paar Wochen umbringen.

Wenn man Bergleuten bei der Arbeit zusieht, wird einem augenblicklich klar, in was für verschiedenen Welten verschiedene Menschen leben. Da unten, wo die Kohle abgebaut wird, ist eine Welt für sich, von der man ohne weiteres sein ganzes Leben niemals etwas hören kann. Wahrscheinlich würden das die meisten sogar vorziehen. Aber sie ist das absolut notwendige Gegenstück zu unserer Welt oben. Praktisch alles, was wir tun, vom Eisessen bis zur Atlantiküberquerung und vom Brotbacken bis zum Romanschreiben, impliziert direkt oder indirekt die Verwendung von Kohle. Für alle Friedenskünste wird Kohle gebraucht; bricht ein Krieg aus, benötigt man sie um so mehr. In Revolutionszeiten muß der Bergmann weiterarbeiten, oder die Revolution bricht ab, denn die Revolution ist auf Kohle ebenso angewiesen wie die Reaktion. Was immer über der Erdoberfläche geschieht, das Hacken und Schaufeln muß ohne Pause weitergehen, oder jedenfalls darf die Pause nicht länger als ein paar Wochen dauern. Damit Hitler im Stechschritt marschieren, der Papst gegen den Bolschewismus wettern kann, damit die Zuschauermassen zu einem Cricket-Match in Lord's zusammenströmen und die Schöngeister sich gegenseitig auf die Schultern klopfen können, muß weiter Kohle gefördert werden. Aber meistens ist uns das nicht bewußt; wir wissen alle, daß wir

»Kohle haben müssen«, aber wir erinnern uns selten oder nie, was alles mit der Kohleförderung verbunden ist. Hier sitze ich zum Beispiel an meinem gemütlichen Kohlefeuer. Es ist April, aber ich muß noch heizen. Alle vierzehn Tage kommt der Kohlewagen vorbei, und Männer in Lederschürzen tragen in festen, nach Teer riechenden Säcken die Kohle hinein und schütten sie mit Gerassel in den Kohleverschlag unter der Treppe. Nur ganz selten und mit einer entschiedenen gedanklichen Anstrengung bringe ich die Kohle mit der Arbeit weit weg in den Bergwerken in Verbindung. Es ist einfach »Kohle« – etwas, das ich haben muß; schwarzes Zeug, das auf rätselhafte Weise von irgendwoher kommt, wie Manna, nur muß ich dafür bezahlen. Man könnte leicht mit dem Auto quer durch Nordengland fahren, ohne ein einziges Mal daran zu denken, daß mehrere hundert Fuß unter der Straße Bergleute Kohle zerkleinern. Dennoch sind es in gewissem Sinn die Bergleute, die das Auto antreiben. Die Grubenlampen-Welt da unten ist für die Tageslicht-Welt so nötig wie die Wurzeln für die Blume.

Vor noch nicht allzulanger Zeit waren die Arbeitsbedingungen in den Bergwerken schlechter als heute. Es gibt noch ein paar sehr alte Frauen, die in ihrer Jugend unter Tage gearbeitet haben; mit einem Ledergeschirr um die Hüften und einer Kette, die zwischen den Beinen durchlief, sind sie auf allen vieren gekrochen und haben Kohlewagen gezogen. Das ging auch so weiter, wenn sie schwanger waren. Und ich glaube, daß wir sogar heute, wenn Kohle nicht anders zu fördern wäre, eher schwangere Frauen sie hin und her ziehen ließen, als auf Kohle zu verzichten. Aber meistens würden wir natürlich lieber vergessen, daß sie es taten. So ist es mit allen Formen körperlicher Arbeit: sie erhalten uns am Leben, und wir ignorieren ihre Existenz. Vielleicht kann der Bergmann mehr als jeder andere als Typus des körperlichen Arbeiters gelten, nicht nur weil seine Arbeit so übermäßig schrecklich, sondern auch weil sie so lebensnotwendig und doch unserer Erfahrung so fremd ist, so unsichtbar gewissermaßen, daß wir sie vergessen können, so wie wir vergessen, daß Blut in unsern Adern fließt. In gewissem Sinn ist es sogar demütigend, Bergleuten bei der Arbeit zuzusehen. Es läßt in einem einen augenblicklichen Zweifel an der eigenen Stellung als »Intellektueller« und als Bessergestellter überhaupt entstehen. Denn man begreift, wenigstens solange man zuschaut, daß die Bessergestellten nur deshalb bessergestellt bleiben, weil sich die Bergleute die Gedärme aus dem Leib schwitzen. Sie und ich und der Herausgeber des *Times Literary Supplement* und die Schöngeister und der Erzbischof von Canterbury und der Genosse X, Verfasser von *Marxismus für Minderjährige* – wir alle verdanken unsern verhältnismäßig anständigen Lebensstandard armen Teufeln unter Tage, die, schwarz bis an die Augen und die Kehlen voll Kohlestaub, mit stahlharten Armen und Bauchmuskeln ihre Schaufeln vorwärtsstoßen.

III

Wenn ein Bergmann aus der Grube nach oben kommt, ist sein Gesicht so bleich, daß man es sogar durch die Kohlestaubmaske hindurch bemerkt. Das kommt von der schlechten Luft, die er geatmet hat, und verliert sich rasch. Für einen Südengländer, der zum erstenmal in ein Bergbaugebiet kommt, ist der Schichtwechsel mit Hunderten von Bergleuten, die aus dem Grubenausgang strömen, ein fremdes und etwas unheimliches Schauspiel. Die erschöpften Gesichter mit dem in allen Fältchen sitzenden Ruß sehen grimmig und wild aus. Zu anderen Zeiten, und mit sauberen Gesichtern, unterscheiden sie sich kaum vom Rest der Bevölkerung. Sie haben einen sehr steifen, aufrechten Gang (eine Reaktion auf das ständige Bücken unter Tage), aber die meisten sind ziemlich klein, und ihre dicken, schlechtsitzenden Kleider verbergen ihre prächtigen Körper. Der bezeichnende Unterschied zwischen ihnen und den andern sind die blauen Schrammen auf der Nase. Jeder Bergmann hat blaue Schrammen auf Nase und Stirn und wird sie bis zu seinem Tod behalten. Der Kohlestaub, von dem die Luft unter Tage erfüllt ist, dringt in jede Schnittwunde, und dann wächst die Haut darüber und bildet blaue Flecken wie Tätowierungen; tatsächlich sind sie ja nichts anderes. Die Stirnen mancher älteren Männer sind aus diesem Grund geädert wie Roquefort-Käse.

Sobald ein Bergmann wieder über Tage ist, gurgelt er mit etwas Wasser, um den ärgsten Kohlestaub aus Kehle und Nase zu bekommen; dann geht er heim und wäscht sich oder auch nicht, je nach Temperament. Nach dem, was ich gesehen habe, würde ich sagen, daß die Mehrheit der Bergleute es vorzieht, zuerst zu essen und sich dann zu waschen; und in ihrer Situation würde ich das auch tun. Es ist der Normalfall, daß man einen Bergmann mit einem Christy-Minstrel-Gesicht* beim Tee sitzen sieht, völlig schwarz bis auf die roten Lippen, die durchs Essen sauber werden. Nach dem Essen nimmt er eine ziemlich große Schüssel mit Wasser und wäscht sich sehr methodisch, zuerst die Hände, dann Brust, Hals und Achselhöhlen, dann die Unterarme, dann Gesicht und Kopfhaut (dort sitzt der Ruß am festesten); und dann nimmt seine Frau den Waschlappen und wäscht ihm den Rücken. Er hat nun erst die obere Körperhälfte gewaschen, und wahrscheinlich ist sein Nabel noch ein Nest von Kohlestaub; aber sogar so muß man ziemlich geschickt sein, um mit einer einzigen Schüssel Wasser einigermaßen sauber zu werden. Ich meinerseits brauchte nach jedem Grubenbesuch zwei Vollbäder. Um den Schmutz aus den Augenlidern zu bekommen, benötigt man allein schon zehn Minuten.

In einigen größeren und besser ausgestatteten Kohlebergwerken gibt es Waschkauen. Das ist von großem Vorteil, denn die Bergleute können sich nicht nur jeden Tag in bequemen oder sogar luxuriösen Bädern waschen, sondern jeder hat dort auch

* Als Neger geschminkte Varieté- und Sängertruppe, gegründet von George Christy.

zwei Schließfächer, in denen er seine Grubenkleider und seine gewöhnlichen Kleider getrennt aufbewahren kann, so daß er, zwanzig Minuten nachdem er schwarz wie ein Neger nach oben gekommen ist, piekfein angezogen zu einem Fußballspiel fahren kann. Aber Waschkauen sind relativ selten, da ein Kohlevorkommen nicht unerschöpflich ist und es sich nicht unbedingt lohnt, für jeden neuen Schacht ein eigenes Bad zu bauen. Ich kann hier keine exakten Zahlen angeben, aber wahrscheinlich hat weniger als ein Drittel der Bergleute die Möglichkeit, Waschkauen zu benützen. Vermutlich sind die meisten Bergleute von den Hüften abwärts mindestens sechs Tage in der Woche völlig schwarz. Daß sie sich zu Hause ganz waschen, ist praktisch unmöglich. Jeder Tropfen Wasser muß aufgeheizt werden, und in einem kleinen Wohnzimmer, das neben einem Kochherd und einer Menge Möbel eine Ehefrau, ein paar Kinder und wahrscheinlich einen Hund enthält, ist einfach kein Platz da, um sich richtig zu waschen. Sogar wenn man ein Waschbecken hat, verspritzt man fast zwangsläufig die Möbel. Leute aus dem Mittelstand sagen gern, die Bergleute würden sich nicht richtig waschen, auch wenn sie könnten; aber das ist Unsinn, wie schon die Tatsache zeigt, daß die vorhandenen Waschkauen von allen Bergleuten benutzt werden. Nur unter den ganz alten Männern hält der Glaube, daß man vom Beinewaschen »Rheuma bekommt«, immer noch an. Außerdem werden die Waschkauen, wo es sie gibt, über die Wohlfahrtskassen ganz oder zum Teil von den Bergleuten selbst bezahlt. Manchmal beteiligt sich die Bergwerksgesellschaft, manchmal trägt die Kasse die ganzen Kosten. Aber zweifellos sagen die alten Damen in den Pensionen in Brighton heute noch: »Wenn man den Bergleuten Bäder gäbe, würden sie sie doch nur zum Kohlelagern brauchen.«

In der Tat ist es erstaunlich, wie regelmäßig sich die Bergleute waschen, wenn man in Betracht zieht, wie wenig Zeit ihnen zwischen Arbeiten und Schlafen bleibt. Es ist ein großer Fehler, den Arbeitstag eines Bergmanns mit siebeneinhalb Stunden zu veranschlagen. Siebeneinhalb Stunden beträgt die Zeit, die er tatsächlich vor Ort verbringt, aber wie ich schon erklärt habe, muß zu dieser Zeit die des »Reisens« gerechnet werden, und das ist selten weniger als eine Stunde, und oft sind es drei Stunden. Zusätzlich brauchen die meisten Bergleute eine beträchtliche Zeit, um zur Grube und zurück zu gelangen. In den Industriequartieren herrscht eine akute Wohnungsnot, und nur in den kleinen Bergbaudörfern, wo das Dorf um ein Bergwerk herum entstanden ist, können die Leute sicher sein, daß sie nahe an ihrem Arbeitsplatz wohnen. In den größeren Bergbaustädten, in denen ich gewesen bin, mußte fast jeder mit dem Bus zur Arbeit fahren; eine halbe Krone war wohl der übliche Betrag für Fahrtkosten. Ein Bergmann, bei dem ich wohnte, arbeitete in der Frühschicht, die von sechs Uhr bis halb zwei mittags dauerte. Er mußte um Viertel vor vier aus dem Bett sein und kam am Nachmittag irgendwann nach drei Uhr zurück. In einem andern Haus, wo ich wohnte, arbeitete ein fünfzehnjähriger Junge in der Nachtschicht. Er ging um neun Uhr abends zur Arbeit und kam am andern Morgen um acht Uhr zurück, frühstückte, ging dann sofort ins Bett und schlief bis abends um sechs Uhr, so daß sich seine Freizeit auf etwa vier Stunden belief – eigentlich weit weniger, wenn man die Zeit zum Waschen, Essen und An- und Auskleiden abzieht.

Wenn ein Bergmann Schichtwechsel hat, ergeben sich für die Familie Umstellungen, die äußerst ermüdend sein müssen. Wenn er in der Nachtschicht arbeitet, kommt er zur Frühstückszeit heim, von der Frühschicht kommt er mitten am Nachmittag heim und von der Nachmittagsschicht mitten in der Nacht; und in jedem Fall will er seine Hauptmahlzeit natürlich gleich nach seiner Rückkehr. Mir fällt auf, daß Reverend W. R. Inge in seinem Buch *England* die Bergleute der Völlerei bezichtigt. Nach meinen eigenen Beobachtungen würde ich sagen, daß sie erstaunlich wenig essen. Die meisten Bergleute, bei denen ich wohnte, aßen etwas weniger als ich. Manche erklären, sie könnten nach einer schweren Mahlzeit nicht arbeiten, und was sie mitnehmen, ist nur ein Imbiß, gewöhnlich Brot mit Schmalz und kalter Tee. Sie nehmen ihn in flachen, »Schnappbüchsen« genannten Blechdosen mit, die sie am Gürtel befestigen. Wenn ein Bergmann spät nachts von der Schicht heimkommt, bleibt die Frau seinetwegen auf, aber wenn er Frühschicht hat, ist es üblich, daß er sein Frühstück selber macht. Offenbar ist der alte Aberglaube, es bringe Unglück, vor der Frühschicht eine Frau zu sehen, noch nicht ganz ausgestorben. Man sagt, daß früher ein Bergmann, der morgens eine Frau traf, oft umkehrte und an diesem Tag nicht arbeiten ging.

Bevor ich selber in den Kohlegebieten war, teilte ich die weitverbreitete Illusion, die Bergleute seien relativ gut bezahlt. Man entnimmt ungenauen Angaben, daß ein Bergmann pro Schicht zehn oder elf Shilling erhält, macht eine kleine Multiplikation und kommt zu dem Resultat, daß er rund zwei Pfund pro Woche oder hundertfünfzig Pfund im Jahr verdient. Aber die Feststellung, ein Bergmann verdiene zehn oder elf Shilling pro Schicht, ist irreführend. Zunächst einmal wird nur dem eigentlichen »Abräumer« so viel bezahlt; ein »Dataller«* zum Beispiel, der für die Abstützung der Decken sorgt, verdient weniger, gewöhnlich acht oder neun Shilling pro Schicht. Außerdem wird der Abräumer in vielen Bergwerken im Akkord bezahlt, so und soviel pro geförderte Tonne, so daß sein Verdienst von der Qualität der Kohle abhängt; eine Maschinenpanne oder ein »Fehler« – d. h. ein Felsstreifen, der durch das Kohlevorkommen läuft, können ihn jedesmal um den Verdienst von einem oder zwei Tagen bringen. Aber ohnehin sollte man nicht davon ausgehen, daß ein Bergmann sechs Tage in der Woche und zweiundfünfzig Wochen im Jahr arbeitet. Höchstwahrscheinlich wird er während einer Reihe von Tagen »beurlaubt«. Der durchschnittliche Schichtverdienst der Bergleute beider Geschlechter und aller Altersstufen betrug 1934 in Großbritannien 9 s. 1¼ d.** Wenn jedermann die ganze Zeit gearbeitet hätte,

* urspr. »Tagelöhner«

** Aus dem *Bergbaujahrbuch und Kohlehandelsverzeichnis* für 1935 würde das bedeuten, daß ein Bergmann etwas mehr als 142 Pfund im Jahr oder fast 2 Pfund 15 Shilling pro Woche verdient. Das wirkliche Einkommen ist jedoch weit niedriger, denn die 9 s. 1¼ d. sind lediglich eine Durchschnittsrechnung der Schichten, in denen wirklich gearbeitet wurde, und berücksichtigen die andern Tage nicht.

Vor mir liegen fünf Lohnzettel eines Bergmanns in Yorkshire, die für fünf (nicht aufeinanderfolgende) Wochen Anfang 1936 ausgestellt wurden. Wenn man ihren Durchschnitt ausrechnet, kommt man auf einen Bruttolohn von 2 £ 15 s. 2 d.; das macht im Schnitt fast 9 s. 2½ d. pro Schicht. Aber diese Lohnzettel gelten für den Winter, wo in fast allen Bergwerken voll gearbeitet wird. Im Lauf des Frühjahrs läßt der Kohlehandel nach, und mehr und mehr Leute werden »vorübergehend entlassen«, während andere, die auf dem Papier noch eingestellt bleiben, pro Woche ein bis zwei Tage weniger arbeiten. Es ist deshalb offensichtlich, daß das Jahreseinkommen eines Bergmanns mit 150 oder auch nur 142 Pfund in hohem Maße überschätzt wird. Tatsächlich betrug 1934 der durchschnittliche Bruttolohn aller Bergleute in Großbritannien nur 115 £ 11 s. 6 d. Er variierte von Distrikt zu Distrikt beträchtlich, in Schottland stieg er auf 133 £ 2 s. 8 d., während er sich in Durham nur auf 105 £, oder kaum mehr als zwei Pfund pro Woche, belief. Diese Zahlen entnehme ich dem *Kohlekasten* von Mr. Joseph Jones, Mayor of Barnsley, Yorkshire. Mr. Jones fügt hinzu:

> Diese Zahlen schließen den Verdienst von Jugendlichen wie von Erwachsenen und von höheren und niederen Gehaltsklassen ein ... auch besonders hohe Einkommen sind in den Zahlen eingeschlossen; das gleiche gilt für die Einkommen bestimmter Beamter und anderer hochbezahlter Leute sowie für höhere Beträge, die für Überstunden bezahlt wurden.
> *Die Zahlen geben Durchschnittswerte an und können die Lage Tausender erwachsener Arbeiter, deren Einkommen*

wesentlich unter dem Durchschnitt liegen und die pro Woche nur 30 bis 40 s. oder weniger bekommen, nicht zeigen.

Hervorhebungen von Mr. Jones. Aber bitte beachten Sie, daß sogar diese schäbigen Löhne noch Bruttolöhne sind. Das bedeutet, daß jede Woche alle möglichen Abzüge von ihnen abgerechnet werden müssen. Die folgende Liste wöchentlicher Abzüge bekam ich als typisches Beispiel in einem Distrikt von Lancashire:

Arbeitslosenversicherung und Krankenkasse	1 s. 5 d.
Lampenmiete	6 d.
Schleifen der Werkzeuge	6 d.
Gewichtsprüfer	9 d.
Invalidenversicherung	2 d.
Spital	1 d.
Wohltätigkeitskasse	6 d.
Gewerkschaftsgebühren	6 d.
	Total 4 s. 5 d.

Einige dieser Abgaben, etwa die für die Wohlfahrtskasse und für die Gewerkschaft, liegen gewissermaßen im Interesse der Bergleute; andere werden von der Bergbaugesellschaft bestimmt. Sie sind nicht in allen Distrikten gleich hoch. Der gemeine Schwindel, den Bergmann für seine Lampe Miete bezahlen zu lassen (für Sixpence pro Woche könnte er sich in einem einzigen Jahr die Lampe mehrmals kaufen), kommt nicht überall vor. Dennoch scheinen die Abzüge im ganzen überall etwas gleichviel auszumachen. Auf den fünf Lohnzetteln des Bergmanns aus Yorkshire beträgt der durchschnittliche Bruttolohn 2 £ 15 s. 2 d. pro Woche, der durchschnittliche Nettolohn nach Abrechnung der Abzüge 2 £ 11 s. 4 d. – das bedeutet eine Reduktion von 3 s. 4 d. pro Woche. Aber der Lohnzettel führt natürlich nur Abzüge auf, die von der Bergbaugesellschaft bestimmt oder bezahlt werden; die Gewerkschaftsabgaben müssen hier noch dazuaddiert werden, und so kommt man im ganzen auf eine Lohnreduktion von etwas mehr als vier Shilling. Wahrscheinlich kann man sagen, daß die verschiedenen Abzüge beim Wochenlohn jedes erwachsenen Bergmanns etwa vier Shilling ausmachen. Das heißt, daß die 115 £ 11 s. 6 d., mit denen das durchschnittliche Jahreseinkommen der Bergleute in Großbritannien für 1934 angegeben wurde, in Wirklichkeit viel eher etwa 105 Pfund bedeutet. Auf der andern Seite erhalten die meisten Bergleute Warenrabatte: sie können Kohle für ihren Eigenbedarf zu einem reduzierten Preis kaufen, gewöhnlich acht oder neun Shilling pro Tonne. Aber laut Mr. Jones, der oben schon zitiert wurde, »betragen die durchschnittlichen Warenrabatte auf das ganze Land gerechnet lediglich Fourpence pro Tag.« Und dieser Fourpence wird in vielen Fällen für das Fahrgeld gebraucht, das der Bergmann für den Weg zum und vom Bergwerk ausgeben muß. Wenn man also die Industrie als ganzes betrachtet, beläuft sich der Betrag, den der Bergmann wirklich nach Hause bringt, auf durchschnittlich nicht mehr und vielleicht auch etwas weniger als zwei Pfund pro Woche.

Wieviel Kohle produziert indessen ein Bergmann durchschnittlich?

Die jährliche Kohleproduktion pro im Bergbau beschäftigte Person steigt langsam, aber stetig. 1914 produzierte ein Bergmann durchschnittlich 253 Tonnen Kohle; 1934 waren es 280 Tonnen.*

Das sind natürlich Durchschnittszahlen, die alle Arten von Bergleuten einbeziehen; die, die wirklich am Kohleflöz arbeiten, fördern eine weit größere Menge – in manchen Fällen wahrscheinlich mehr als tausend Tonnen pro Mann. Aber auch wenn man 280 Tonnen als repräsentative Zahl annimmt, lohnt es sich zu überlegen, was für eine ungeheure Leistung das ist.

* *Der Kohlekasten.* Das *Bergbaujahrbuch und das Kohlenhandelsverzeichnis* führen etwas höhere Zahlen an.

Man bekommt die klarste Vorstellung davon, wenn man das Leben eines Bergmanns mit einem anderen vergleicht. Sollte ich sechzig Jahre alt werden, so habe ich bis dann wahrscheinlich dreißig Romane geschrieben; das reicht gerade, um zwei mittelgroße Regale in der Bibliothek zu füllen. In der gleichen Zeit produziert ein Bergmann im Durchschnitt 8400 Tonnen Kohle, genug, um den Trafalgar Square fast zwei Fuß hoch zu bedecken oder sieben große Familien über hundert Jahre mit Brennstoff zu versorgen.

Von den fünf Lohnzetteln, die ich oben erwähnt habe, sind nicht weniger als drei mit dem Gummistempelvermerk »Todes-Beitrag« versehen. Wenn ein Bergmann bei der Arbeit ums Leben kommt, sammeln die andern Bergleute gewöhnlich Geld, meist einen Shilling pro Mann, für seine Witwe; und dieses Geld wird von der Bergbaugesellschaft eingezogen und direkt vom Lohn abgerechnet. Das entscheidende Detail hier ist der Gummistempel. Unfälle sind bei Bergleuten, verglichen mit andern Berufen, so häufig, daß solche Zwischenfälle vorausgesetzt werden, fast wie in einem kleineren Krieg. Jedes Jahr kommt ein Bergmann von etwa neunhundert um, und etwa jeder sechste wird verletzt. Die meisten dieser Verletzungen sind natürlich geringfügig, aber eine beträchtliche Anzahl von ihnen führt zu völliger Invalidität. Das heißt, daß ein Bergmann, der vierzig Jahre lang arbeitet, eine Chance von beinahe nur 1 : 7 hat, ohne Verletzung zu bleiben, und nicht viel weniger als 1 : 20, bei der Arbeit getötet zu werden. Kein anderer Beruf ist so gefährlich; der zweitgefährlichste ist die Seefahrt, dort kommt jedes Jahr ein Seemann von knapp 1300 um. Die Zahlen, die ich angegeben habe, beziehen sich natürlich auf die Bergleute im ganzen; für die, die tatsächlich unter Tage arbeiten, wäre der Anteil an Verletzungen weit höher. Jeder ältere Arbeiter, mit dem ich sprach, war entweder schon selbst einmal ziemlich schwer verunglückt oder hatte gesehen, wie einige seiner Kameraden umkamen; und in jeder Familie werden einem Geschichten von bei der Arbeit umgekommenen Vätern, Brüdern und Onkeln erzählt. (»Und er fiel siebenhundert Fuß tief, und sie hätten die Stücke nie zusammengesucht, aber er hatte ganz neues Ölzeug an« etc.) Manche dieser Geschichten entsetzen aufs äußerste. Ein Bergmann beschrieb mir zum Beispiel, wie einer seiner Kameraden, ein »Dataller«, von herabstürzendem Gestein verschüttet wurde. Sie stürzten zu ihm, und es gelang ihnen, seinen Kopf und seine Schultern freizulegen, so daß er atmen konnte; er lebte noch und sprach mit ihnen. Dann sahen sie, daß die Decke wieder einstürzte, und mußten wegrennen, um sich selber zu retten, und ihr Kamerad wurde ein zweites Mal verschüttet. Wieder rannten sie zu ihm hin und legten Kopf und Schultern frei, und wieder war er noch am Leben und sprach mit ihnen. Dann stürzte die Decke ein drittes Mal ein, und dieses Mal konnte er mehrere Stunden lang nicht ausgegraben werden; danach war er natürlich tot. – Aber der Bergmann, der mir die Geschichte erzählte (er war selber einmal verschüttet worden, konnte aber glücklicherweise den Kopf zwischen die Beine klemmen, so daß etwas Raum zum Atmen blieb), fand sie nicht besonders schlimm. Für ihn lag ihre Bedeutung darin, daß der »Dataller« genau gewußt hatte, daß die Stelle, wo er arbeitete, nicht sicher war und daß er täglich einen Unfall erwartete. »Das beschäftigte ihn so stark, daß er anfing, seine Frau zu küssen, bevor er zur Arbeit ging. Und sie erzählte mir später, daß er sie davor über zwanzig Jahre nicht mehr geküßt hatte.«

Der offenbar nächstliegende Grund für Unfälle sind Explosionen des Gases, das in größerer oder kleinerer Konzentration immer in der Luft in den Gruben enthalten ist. Es gibt eine spezielle Lampe, mit der man den Gasgehalt der Luft feststellen kann; und wenn er sehr groß ist, kann er mit einer gewöhnlichen Davy-Lampe entdeckt werden: sie brennt dann blau. Wenn die Flamme bei ganz aufgedrehtem Docht immer noch blau brennt, ist der Gasgehalt gefährlich hoch; er ist jedoch schwierig festzustellen, da sich das Gas nicht gleichmäßig ausbreitet, sondern in Rissen und Spalten hängt. Vor Arbeitsbeginn prüfen die Bergleute oft den Gasgehalt, indem sie mit der Lampe alle Ecken abtasten. Das Gas kann aus verschiedenen Gründen entzündet werden: durch einen Funken bei Sprengungen oder durch einen Funken, der beim Hacken abspringt, durch defekte Lampen oder durch »Steinfeuer«: von selbst entstandenen Feuern, die im Kohlestaub schwelen und sehr schwer zu löschen sind. Die großen Grubenunglücke, die von Zeit zu Zeit geschehen und bei denen mehrere hundert Männer ums Leben kommen, sind gewöhnlich von Explosionen verursacht; deshalb neigt man dazu, Explosionen für die Hauptgefahr beim Bergbau zu halten. In Wirklichkeit sind die allermeisten Unfälle den normalen, alltäglichen Grubengefahren zuzuschreiben, besonders den Deckeneinstürzen. Es gibt zum Beispiel »Topflöcher«, kreisförmige Löcher, aus denen ein Steinklumpen, der groß genug ist, um einen Mann zu töten, mit der Geschwindigkeit einer Kanonenkugel hervorschießt. Soweit ich mich erinnern kann, haben mit nur einer Ausnahme alle Bergleute, mit denen ich gesprochen habe, erklärt, die neuen Maschinen und das schnellere Tempo überhaupt hätten die Arbeit gefährlicher gemacht. Das mag zum Teil einer konservativen Haltung zuzuschreiben sein, aber die Bergleute können zahlreiche Gründe anführen. Zunächst bleiben durch die Geschwindigkeit, mit der die Kohle heute gefördert wird, gefährlich große Deckenflächen ohne Abstützungen. Dazu kommen die Vibrationen, die alles lockerschütteln, und der Lärm, der es schwieriger macht, Zeichen der Gefahr zu bemerken. Man muß bedenken, daß die Sicherheit eines Bergmanns unter Tage weitgehend von seiner eigenen Sorge und Geschicklichkeit abhängt. Ein erfahrener Bergmann behauptet, er wisse es durch eine Art Instinkt, wenn die Decke unsicher ist; er »kann das Gewicht auf sich spüren«, wie er es ausdrückt. Er kann zum Beispiel das schwache Knarren der Pfosten hören. Noch heute zieht man Holzpfosten im allgemeinen den Eisenträgern vor, weil Holzpfosten, die einzubrechen drohen, einen durch ihr Knarren warnen, während ein

Eisenträger völlig unerwartet herausfliegt. Der betäubende Lärm der Maschinen macht es unmöglich, irgend etwas anderes zu hören, und dadurch wächst die Gefahr.

Wenn ein Bergmann verunfallt, ist es natürlich nicht möglich, ihn sofort zu behandeln. Er liegt auf einem furchtbar scharfkantigen Grund, eingequetscht zwischen mehreren Zentnern Gestein, und auch nachdem er befreit ist, muß man ihn eine Meile oder noch weiter schleppen, vielleicht durch Stollen, in denen keiner aufrecht stehen kann. Gewöhnlich erfährt man im Gespräch mit Bergleuten, daß sie erst nach mehreren Stunden an die Oberfläche gebracht wurden. Manchmal passieren natürlich auch Unfälle mit dem »Käfig«. Der »Käfig« schießt mit der Geschwindigkeit eines Schnellzugs hinauf oder hinab, und er wird von jemandem bedient, der über Tage ist und nicht sehen kann, was geschieht. Er hat sehr genaue Anzeigen, die ihm sagen, wo der Käfig gerade ist, aber es ist möglich, daß er einen Fehler macht, und es ist vorgekommen, daß ein Käfig mit voller Geschwindigkeit auf den Grubenboden krachte. Dieser Tod erscheint mir schrecklich. Denn während die schmale Stahlkiste durch die völlige Dunkelheit saust, muß ein Moment kommen, wo die zehn eingeschlossenen Männer *wissen*, daß etwas schiefgegangen ist, und an die letzten Sekunden, bevor sie zerschellen, darf man gar nicht denken. Ein Bergmann erzählte mir, daß er einmal in einem Käfig war, mit dem etwas schiefging. Er verlangsamte sich nicht wie sonst, und sie glaubten, das Kabel sei gerissen. Nun, sie kamen wohlbehalten unten an, aber als der Bergmann hinausstieg, bemerkte er, daß ihm ein Zahn herausgebrochen war: so fest hatte er in Erwartung des schrecklichen Aufpralls die Zähne zusammengebissen. Abgesehen von den Unfällen wirken die Bergleute gesund, und das müssen sie offensichtlich auch sein, wenn man die von ihnen verlangten Muskelanstrengungen in Betracht zieht. Sie bekommen mit großer Wahrscheinlichkeit Rheumatismus, und ein Mann, der schwach auf der Lunge ist, hält es in der stauberfüllten Luft nicht lange aus;

die charakteristischste Industriekrankheit jedoch ist der Nystagmus. Das ist eine Augenkrankheit, bei der die Augäpfel auf seltsame Art oszillieren, wenn sie in die Nähe einer Lichtquelle kommen. Verursacht wird sie vermutlich durch das Arbeiten im Halbdunkel, und manchmal führt sie zu völliger Blindheit. Bergleute, die auf diese oder eine andere Weise arbeitsunfähig werden, erhalten von der Bergbaugesellschaft eine Abfindung; manchmal eine einmalige lumpige Auszahlung, manchmal eine wöchentliche Rente. Diese Rente liegt nie über 29 Shilling pro Woche; wenn sie unter 15 Shilling fällt, kann der arbeitsunfähige Mann auch etwas von der Arbeitslosenunterstützung oder vom P.A.C. bekommen. Wenn ich ein arbeitsunfähiger Bergmann wäre, würde ich die lumpige Auszahlung vorziehen, denn dann wüßte ich wenigstens, daß ich mein Geld hätte. Arbeitsunfähigkeitsrenten sind nicht durch einen zentralen Fonds garantiert; wenn die Bergbaugesellschaft bankrott geht, ist es aus mit der Rente, obwohl der Bergmann zu den Gläubigern gehört.

In Wigan wohnte ich eine Zeitlang bei einem Bergmann, der an Nystagmus litt. Er konnte durchs Zimmer schauen, aber nicht viel weiter. Während der letzten neun Monate hatte er 29 Shilling pro Woche Abfindung bekommen; aber die Bergbaugesellschaft sprach nun davon, ihn auf eine »Teilausgleichszahlung« von 14 Shilling pro Woche zu setzen. Alles hing davon ab, ob der Arzt ihn für leichte Arbeit »über Tage« gesundschrieb. Überflüssig zu sagen, daß, auch wenn der Arzt ihn gesundschrieb, es keine leichte Arbeit geben würde, aber er könnte Arbeitslosenunterstützung beziehen, und die Gesellschaft hätte 15 Shilling pro Woche gespart. Als ich den Mann zur Bergbaugesellschaft gehen sah, um seine Entschädigung abzuholen, war ich betroffen von den tiefgreifenden Unterschieden, die vom *Status* her immer noch gemacht werden. Da war ein Mann, der in einem der nützlichsten Berufe der Welt halb erblindet war und der eine Entschädigung bezog, auf die er ein vollkommenes Recht hatte, wenn irgend jemand ein

Recht auf irgend etwas hat. Aber er konnte seine Rente nicht eigentlich *verlangen* – er konnte sie beispielsweise nicht beziehen, wann und wie er wollte. Er mußte einmal pro Woche zu einem Zeitpunkt, den die Bergbaugesellschaft bestimmte, zum Bergwerk gehen, und wenn er dort angekommen war, ließ man ihn stundenlang im kalten Zug warten. Soweit ich weiß, wurde von ihm auch erwartet, daß er die Hand an die Mütze legte und gegenüber dem, der ihm gerade das Geld gab, seine Dankbarkeit zeigte. Auf jeden Fall verlor er einen Nachmittag und mußte Sixpence Busfahrgeld bezahlen. Für ein Mitglied der Bourgeoisie, sogar für so ein allerunterstes Mitglied wie mich, sieht das ganz anders aus. Auch am Rand des Hungers habe ich noch gewisse Rechte, die zu meinem bürgerlichen Status gehören. Ich verdiene nicht viel mehr als ein Bergmann, aber ich werde wenigstens nach der Art des feinen Mannes über meine Bank bezahlt und kann das Geld abholen, wann ich will. Sogar wenn mein Konto erschöpft ist, sind die Leute von der Bank noch einigermaßen höflich.

All diese kleinen Unannehmlichkeiten und Beleidigungen – Wartengelassen werden, alles nach dem Belieben anderer Leute tun müssen – sind ein fester Bestandteil des Arbeiterlebens. Zahlreiche Umstände drängen den Arbeiter dauernd in eine *passive* Rolle. Er handelt nicht, er wird behandelt. Er fühlt sich als Sklave einer mysteriösen Autorität und ist fest davon überzeugt, daß »sie« ihm nie erlauben werden, dies oder das oder jenes zu tun. Als ich einmal Hopfen pflückte, fragte ich die verschwitzten Pflücker (sie verdienen irgendwas unter Sixpence pro Stunde), warum sie nicht eine Gewerkschaft gründen. Augenblicklich wurde mir gesagt, daß »sie« das niemals zulassen würden. Ich fragte, wer »sie« wären. Niemand schien es zu wissen, aber offensichtlich waren »sie« allmächtig.

Ein Mensch bürgerlicher Herkunft geht durchs Leben mit einer gewissen Erwartung, das, was er will, innerhalb vernünftiger Grenzen auch zu bekommen. Daher rührt die Tatsache, daß die »gebildeten« Leute, wenn's drauf ankommt, vermehrt in den Vordergrund treten; sie sind kein bißchen begabter als andere, und ihre »Bildung« selber ist meist ziemlich unnütz; aber sie sind an ein gewisses Maß an Achtung gewöhnt und haben die Dreistigkeit, die ein Befehlshaber braucht. *Daß* sie in den Vordergrund treten, scheint überall und immer als selbstverständlich angenommen zu werden. In Lissagarays *Geschichte der Commune* gibt es eine interessante Passage, die die Erschießungen nach der Niederschlagung der Commune beschreibt. Die Obrigkeit wollte die Rädelsführer erschießen, und weil sie nicht wußte, wer die Rädelsführer waren, suchte sie sie nach dem Prinzip heraus, daß es Mitglieder der oberen Schicht sein müßten. Ein Offizier schritt eine Reihe von Gefangenen ab und suchte die Leute heraus, die entsprechend aussahen. Einer wurde erschossen, weil er eine Uhr anhatte, ein anderer, weil er »ein intelligentes Gesicht hatte«. Ich würde nicht gern wegen meines intelligenten Gesichtes erschossen werden, aber ich pflichte der Ansicht bei, daß in fast jeder Revolte die Anführer Leute waren, die ihre h's auch auszusprechen wußten.*

IV

Wenn man so durch die Industriestädte geht, verliert man sich in Labyrinthen kleiner, rauchgeschwärzter Ziegelhäuser, die in planlosem Durcheinander um schmutzige Gassen und kleine rußige Gärten modern, in denen man stinkige Mülleimer, Reihen dreckiger Waschräume und baufälliger W.C.'s sieht. Die Inneneinrichtungen dieser Häuser sehen sich immer sehr ähn-

* Eine gesellschaftlich überbetonte Eigenart der Aussprache gewisser Schichten, vor allem der Londoner Cockneys, ist es, die anlautenden h's auszulassen (*'orse* statt *horse*), was zum sprichwörtlichen Ausdruck »dropping one's aitches« geführt hat, dem »Fallenlassen der h's«.

lich, obwohl die Anzahl der Zimmer zwischen zwei und fünf variiert. Alle haben fast genau das gleiche Wohnzimmer, zehn bis fünfzehn Fuß im Quadrat, mit einem offenen Küchenherd; in den größeren gibt es auch eine Spülküche, in den kleineren befinden sich Ausguß und Waschkessel im Wohnzimmer. Nach hinten liegt der Garten oder der Teil eines Gartens, den sich mehrere Häuser teilen, gerade groß genug für die Mülltonne und das W.C. Kein einziges Haus hat fließendes Warmwasser. Man könnte buchstäblich Hunderte von Meilen durch Straßen gehen, in denen Bergleute wohnen, von denen jeder, wenn er arbeitet, täglich von Kopf bis Fuß schwarz wird, ohne je an einem Haus vorbeizukommen, in dem man ein Bad nehmen könnte. Es wäre sehr einfach gewesen, eine vom Küchenherd betriebene Warmwasseranlage zu installieren, aber der Bauherr sparte vielleicht zehn Pfund pro Haus, indem er darauf verzichtete, und als diese Häuser gebaut wurden, konnte sich keiner vorstellen, daß die Bergleute Bäder wollten.

Denn es muß festgehalten werden, daß die Mehrheit dieser Häuser mindestens fünfzig bis sechzig Jahre alt ist und nach üblichen Maßstäben nicht als menschliche Behausung taugt. Weiterhin gemietet werden sie einfach deshalb, weil keine anderen zu haben sind. Und das ist das zentrale Wohnproblem in den Industriegebieten: nicht daß die Häuser klein und häßlich sind, ohne sanitäre Anlagen und ohne Komfort, und daß sie über unglaublich schmutzige Slums verteilt sind, um rauchende Gießereien, stinkende Kanäle und Schlackenberge, die sie mit Sulphur-Rauch einhüllen – obwohl das alles uneingeschränkt zutrifft –, sondern einfach, daß es nicht genug davon gibt.

»Wohnungsnot« ist ein Ausdruck, der seit dem Krieg in aller Munde ist; aber für jemanden, der mehr als zehn Pfund oder auch nur mehr als fünf Pfund in der Woche verdient, bedeutet er sehr wenig. Wo die Mieten hoch sind, besteht die Schwierigkeit nicht darin, Häuser zu finden, sondern Mieter. Gehen Sie durch irgendeine Straße in Mayfair: in der Hälfte der Fenster werden

Sie »Zu vermieten«-Schilder sehen. In den Industriegebieten dagegen macht die bloße Schwierigkeit, ein Haus zu bekommen, die Armut noch schlimmer. Das bedeutet, daß die Leute sich mit allem zufriedengeben – mit jedem Loch und jedem Slumwinkel, mit allem Elend an Wanzen und morschen Böden und rissigen Wänden, mit jeder Gemeinheit geiziger Vermieter und erpresserischer Vermittler –, einfach um ein Dach über dem Kopf zu haben. Ich war in schrecklichen Häusern, in Häusern, wo ich auch gegen Bezahlung keine Woche bleiben würde, und erfuhr, daß die Mieter seit zwanzig oder dreißig Jahren da lebten und nur auf das Glück hofften, da sterben zu dürfen. Im allgemeinen – wenn auch nicht immer – werden diese Bedingungen als Selbstverständlichkeit hingenommen. Manche Leute scheinen sich kaum vorstellen zu können, daß es so etwas wie ordentliche Häuser gibt, und betrachten Wanzen und undichte Dächer als den Willen Gottes. Andere ziehen erbittert über ihre Vermieter her, aber klammern sich verzweifelt an ihre Häuser, wenn es nur nicht noch schlimmer wird als vorher. So lange die Wohnungsnot anhält, können die lokalen Behörden nicht viel unternehmen, um die bestehenden Häuser bewohnbar zu machen. Sie können ein Haus für unbewohnbar erklären, aber sie können nicht verfügen, daß es abgerissen wird, bevor der Mieter ein anderes Haus beziehen kann, und so bleiben die für unbewohnbar erklärten Häuser stehen und werden, weil sie für unbewohnbar erklärt sind, um so schlechter: denn der Vermieter wird natürlich nicht mehr als irgendwie möglich für ein Haus ausgeben, das früher oder später abgerissen wird. In einer Stadt wie Wigan stehen zum Beispiel über zweitausend Häuser, die seit Jahren für unbewohnbar erklärt sind, und ganze Stadtteile würden es *en bloc* ebenfalls, wenn irgendeine Hoffnung auf andere Häuser als Ersatz bestünde. In Städten wie Leeds und Sheffield gibt es Zehntausende von »Rücken-an-Rücken«-Häusern, die alle zu den unbewohnbaren gehören, aber noch Jahrzehnte stehenbleiben werden.

Ich habe zahlreiche Häuser in verschiedenen Bergbaustädten

inspiziert und über die wesentlichen Dinge Notizen gemacht. Wahrscheinlich kann ich eine Vorstellung von den Wohnbedingungen am besten durch ein paar mehr oder weniger zufällig gewählte Auszüge aus meinem Notizbuch vermitteln. Es sind nur kurze Notizen; sie erfordern gewisse Erklärungen, die ich nachher geben werde. Die ersten paar Notizen stammen aus Wigan:

1. Haus im Wallgate-Quartier. Blinde-Rückseite-Typ. Eins oben, eins unten. Wohnzimmer mißt 12 auf 10 Fuß; Zimmer oben gleich. Nische unter der Treppe, mißt 5 auf 5 Fuß und dient als Speisekammer, Spülküche und Kohleschütte. Die Fenster lassen sich öffnen. Entfernung zum Waschraum 50 Yards. Miete 4 s. 9 d., Nebenkosten 2 s. 6 d., Total 7 s. 3 d.
2. Ähnliches Haus in der Nähe. Maße wie oben, aber keine Nische unter der Treppe, nur ein zwei Fuß tiefer Winkel, der den Ausguß enthält – kein Platz für Speisevorräte etc. Miete 4 s. 9 d., Nebenkosten 2 s., Total 5 s. 2 d.
3. Haus im Scholes-Quartier. Für unbewohnbar erklärt. Eins oben, eins unten. Zimmer 15 auf 15 Fuß. Ausguß und Waschkessel im Wohnzimmer, Kohleschütte unter der Treppe. Fußboden senkt sich. Fenster lassen sich nicht öffnen. Haus einigermaßen trocken. Vermieter gut. Miete 3 s. 8 d., Nebenkosten 2 s. 6 d., Total 6 s. 2 d.
4. Noch eins in der Nähe. Zwei oben, zwei unten, und Kohleschütte. Wände gehen buchstäblich in Stücke, Wasser kommt in Mengen in die oberen Räume. Fußboden schief. Die unteren Fenster lassen sich nicht öffnen. Vermieter schlecht. Miete 6 s., Nebenkosten 3 s. 6 d., Total 9 s. 6 d.
5. Haus in Greenough's Row. Eins oben, zwei unten. Wohnzimmer dreizehn auf acht Fuß. Wände fallen auseinander, und Wasser kommt herein. Die hinteren Fenster lassen sich nicht öffnen, die vorderen schon. Zehnköpfige Familie, acht Kinder kurz nacheinander. Verwaltung ver-

sucht, sie wegen Überfülltheit auszuweisen, kann aber kein anderes Haus für sie finden. Vermieter schlecht. Miete 4 s., Nebenkosten 2 s. 3 d., Total 6 s. 3 d.

So viel zu Wigan. Ich habe noch seitenweise Notizen dieser Art. Hier eine aus Sheffield – ein typisches Muster für Sheffields Zehntausende von »Rücken-an-Rücken«-Häusern:

Haus in der Thomas Street. Rücken an Rücken, zwei oben, eins unten (d. h. ein dreistöckiges Haus mit einem Zimmer auf jedem Stockwerk.) Unterkellert. Wohnzimmer 14 auf 10 Fuß, obere Zimmer entsprechend. Ausguß im Wohnzimmer. Oberster Stock hat keine Tür, sondern ist zur Treppe hin offen. Wohnzimmerwände leicht feucht, Wände der oberen Zimmer fallen auseinander und lassen das Wasser auf allen Seiten durchsickern. Haus so dunkel, daß man den ganzen Tag Licht brennen lassen muß. Elektrisch wird auf 6 d. pro Tag geschätzt (wahrscheinlich eine Übertreibung). Sechs in der Familie, Eltern und vier Kinder. Mann (lebt vom P.A.C.) ist tuberkulös. Ein Kind im Krankenhaus, die andern scheinen gesund. Seit sieben Jahren Mieter in diesem Haus. Würden umziehen, aber kein anderes Haus zu haben. Miete 6 s. 6 d. inklusive Nebenkosten.

Hier noch eine oder zwei Notizen aus Barnsley:

1. Haus in der Wortley Street. Zwei oben, eins unten. Wohnzimmer 12 auf 10 Fuß. Ausguß und Waschkessel im Wohnzimmer, Kohleschütte unter der Treppe. Ausguß durch Abnutzung fast flach und dauernd überlaufend. Wände nicht gerade dicht. Gaslicht mit Penny-Automat. Haus sehr dunkel und Gaslicht pro Tag auf 4 d. geschätzt. Obere Zimmer eigentlich ein Raum, der in zwei geteilt ist. Wände sehr schlecht. Wand des hinteren Zimmers hat Riß

mitten durch. Fensterrahmen fallen auseinander und müssen mit Holz zugestopft werden. An mehreren Stellen kommt Regen herein. Abwasserkanal verläuft unter dem Haus und stinkt im Sommer, aber Verwaltung »sagt, sie können jetzt nichts machen«. Sechs Leute im Haus, zwei Erwachsene und vier Kinder, das älteste fünfzehn Jahre alt. Das zweitjüngste im Krankenhaus – Tuberkuloseverdacht. Haus von Wanzen verseucht. Miete 5 s. 3 d. inklusive Nebenkosten.

2. Haus in der Peel Street. Rücken an Rücken, zwei oben, zwei unten und großer Keller. Wohnzimmer 10 Fuß im Quadrat mit Waschkessel und Ausguß. Das andere untere Zimmer gleich groß, wahrscheinlich als Wohnzimmer gedacht, aber als Schlafzimmer benutzt. Die oberen Zimmer gleich groß wie die unteren. Wohnzimmer sehr dunkel. Gaslicht auf 4½ d. pro Tag geschätzt. Entfernung zum Waschraum 70 Yards. Vier Betten im Haus für acht Leute – zwei alte Eltern, zwei erwachsene Mädchen (die ältere ist 27), einen jungen Mann und drei Kinder. Die Eltern haben ein Bett, der älteste Sohn auch, die übrigen fünf teilen sich in die andern beiden Betten. Wanzen sehr schlimm – (»man kriegt sie nicht unter, wenn's heiß ist«). Unbeschreiblicher Schmutz in den unteren Zimmern, oben fast unerträglicher Gestank. Miete 5 s. 7½ d., Nebenkosten inklusive.

3. Haus in Maplewell (kleines Bergbaudorf bei Barnsley). Zwei oben, eins unten. Wohnzimmer 14 auf 12 Fuß. Ausguß im Wohnzimmer. Putz ist rissig und kommt von den Wänden. Keine Bleche im Ofen. Gas leicht undicht. Die oberen Zimmer je 10 auf 8 Fuß. Vier Betten (für sechs Personen, alle erwachsen), aber »ein Bett taugt nichts«, wahrscheinlich aus Mangel an Bettwäsche. Das Zimmer bei der Treppe hat keine Tür, und die Treppe hat kein Geländer; wenn man aufsteht, hängen die Füße im Leeren, und man kann 10 Fuß tief auf die Steine fallen. Trockenfäule so schlimm, daß man durch den Fußboden in das untere

Zimmer sehen kann. Wanzen. Die ungepflasterte Straße, die an den Hütten vorbeiführt, wie ein Misthaufen, soll im Winter fast unbegehbar sein. Steinerne Waschräume am Ende der Gärten in halbverfallenem Zustand. Die Mieter sind seit 22 Jahren in diesem Haus. Sie sind mit der Miete 11 Pfund im Rückstand und haben davon bisher 1 Shilling pro Woche abgezahlt. Vermieter lehnt das nun ab und hat ihnen gekündigt. Miete 5 s. inklusive Nebenkosten.

Und so weiter und so weiter und so weiter. Ich könnte die Beispiele verzwanzigfachen; man könnte sie verhunderttausendfachen, wenn jemand eine Untersuchung von Haus zu Haus in den ganzen Industriegebieten vornähme. Indessen müssen einige der Ausdrücke, die ich verwendet habe, erklärt werden. »Eins oben, eins unten« heißt: ein Zimmer auf jedem Stockwerk, also ein Zweizimmerhaus. »Rücken-an-Rücken«-Häuser sind zwei aneinandergebaute Häuser; jede Hausseite ist also jemandes Vordertür, so daß man, wenn man an einer Reihe von scheinbar zwölf Häusern vorbeigeht, in Wirklichkeit nicht zwölf Häuser sieht, sondern vierundzwanzig. Die Vorderhäuser schauen auf die Straße und die Hinterhäuser auf den Garten, und man kann nur auf einer Seite aus dem Haus gehen. Die Folge davon ist offensichtlich: Die Waschräume sind im Garten, und wenn man auf der Straßenseite wohnt, muß man, um zum Waschraum oder zur Mülltonne zu kommen, zur Vordertür hinaus und um die Häuserzeile herum gehen – eine Entfernung, die bis zu 200 Yards ausmachen kann; wenn man auf der hinteren Seite wohnt, schaut man dafür auf eine Reihe von Waschräumen. Es gibt auch Häuser vom sogenannten »Blinde-Rückseite«-Typ; das sind einzeln stehende Häuser, bei denen der Erbauer auf den Einbau einer Hintertür verzichtet hat – offenbar aus reiner Bosheit. Die Fenster, die sich nicht öffnen lassen, sind eine Besonderheit der alten Bergbaustädte. Einige dieser Städte sind durch alte Grabungen so unterhöhlt, daß sich der Boden dauernd senkt und die Häuser auf einer Seite absacken. In Wigan kommt man an ganzen

Häuserzeilen vorbei, die zu erstaunlichen Neigungswinkeln abgesackt sind: die Fenster sind um zehn oder zwanzig Grad aus der Horizontale verschoben. Manchmal wird die Vorderwand ausgebuchtet, bis es aussieht, als sei das Haus im siebten Monat schwanger. Es kann verblendet werden, aber die neue Verblendung beginnt sich schon bald wieder auszubuchten. Wenn ein Haus sehr rasch sinkt, werden die Fenster für immer verklemmt, und die Tür muß neu eingespannt werden. Das erstaunt dort aber niemanden. Die Geschichte vom Bergmann, der von der Arbeit heimkommt und sieht, daß er nur ins Haus kommen kann, wenn er mit einer Axt die Tür einschlägt, gilt als lustig. In manchen Fällen habe ich »Vermieter gut« oder »Vermieter schlecht« notiert, weil Slumbewohner ihre Vermieter sehr unterschiedlich beurteilen. Ich hatte – wie man vielleicht erwarten könnte – den Eindruck, daß im allgemeinen die kleinen Vermieter die schlimmsten sind. Diese Aussage geht gegen den Strich, aber man kann sie doch einsehen. Theoretisch ist der schlimmste Typ des Slumvermieters ein fetter, böser Mann, vorzugsweise ein Bischof, der aus erpresserischen Mieten ein ungeheures Einkommen bezieht. Tatsächlich ist es eine arme alte Frau, die die Ersparnisse ihres Lebens in drei Slumhäuser investiert hat, eines davon bewohnt und versucht, von der Miete für die beiden anderen zu leben, und deshalb nie Geld für irgendwelche Reparaturen hat.

Aber Notizen wie diese können nur als Erinnerungsstützen für mich selber dienen. Wenn ich sie lese, bringen sie mir das zurück, was ich gesehen habe, auf sich gestellt jedoch können sie keine rechte Vorstellung von den Lebensbedingungen in diesen schrecklichen Slums im Norden vermitteln. Wörter sind so schwache Wesen. Was heißt schon ein Ausdruck wie »Dach undicht« oder »vier Betten für acht Leute«? Über solche Eintragungen gleitet das Auge weg, ohne etwas festzuhalten. Aber was für eine Menge an Elend kann so ein Ausdruck in sich schließen! Nehmen Sie beispielsweise die Frage der »Überfüllung«. Ziemlich oft leben acht oder sogar zehn Leute in einem Dreizimmerhaus. Eines dieser Zimmer ist ein Wohnzimmer, und wahrscheinlich ist es ein Dutzend Fuß im Quadrat groß und enthält neben dem Küchenherd und dem Ausguß einen Tisch, ein paar Stühle und ein Buffet; es hat keinen Platz mehr für ein Bett. Das heißt also, daß acht oder zehn Leute in zwei kleinen Zimmern schlafen, wahrscheinlich in höchstens vier Betten. Wenn ein Teil dieser Leute Erwachsene sind, die arbeiten gehen müssen, verschlimmert sich die Sache noch. Ich erinnere mich an ein Haus, in dem sich drei erwachsene Mädchen in ein Bett teilten, und alle gingen zu verschiedenen Zeiten arbeiten: jede störte die andern, wenn sie aufstand oder heimkam. In einem andern Haus schlief ein junger Bergmann, der in der Nachtschicht arbeitete, tags in einem engen Bett, in dem nachts ein anderes Familienmitglied schlief. Eine zusätzliche Schwierigkeit entsteht durch herangewachsene Kinder, denn dann kann man Jungen und Mädchen nicht im gleichen Bett schlafen lassen. Eine Familie, die ich besuchte, bestand aus Vater, Mutter, Sohn und Tochter; die Kinder waren etwa siebzehn, und für alle zusammen waren nur zwei Betten da. Der Vater schlief beim Sohn und die Mutter bei der Tochter; das war die einzige Lösung, die die Gefahr des Inzests ausschloß. Dazu kommt das Elend mit den undichten Dächern und den feuchten Wänden, das im Winter manche Zimmer fast unbewohnbar macht. Dazu kommen die Wanzen. Wenn Wanzen einmal in einem Haus sind, bleiben sie darin bis zum Jüngsten Tag; es gibt keine sichere Methode, sie zu vertilgen. Dazu kommen die Fenster, die sich nicht öffnen lassen. Ich brauche nicht darauf hinzuweisen, was das bedeutet, etwa im Sommer, in einem engen, ungelüfteten Wohnzimmer, in dem das Feuer, auf dem die ganze Kocherei erledigt wird, mehr oder weniger den ganzen Tag über brennen muß. Dazu kommen schließlich noch die besonderen Schwierigkeiten bei den »Rükken-an-Rücken«-Häusern: fünfzig Yards Weg zum Waschraum oder zur Mülltonne sind nicht gerade ein Anreiz zur Sauberkeit. In den vorderen Häusern – und in den Seitenstraßen, wo die Behörde nicht einschreitet, ohnehin – bekommen die Frauen die

Angewohnheit, den Abfall zur Haustür hinauszuwerfen, so daß im Rinnstein immer Teeblätter und Brotkrusten liegen. Und es ist nachdenkenswert, was es für ein Kind bedeutet, in einem Hinterhof aufzuwachsen, wo eine Zeile von Waschräumen und eine Mauer seinen Horizont bilden.

An solchen Orten ist eine Frau nur ein armes Arbeitstier, das sich mit einer Unmenge von Dingen herumschlagen muß. Sie kann vielleicht ihren guten Mut behalten, nicht aber ihre Vorstellungen von Sauberkeit und Ordentlichkeit. Immer muß etwas erledigt werden, und es gibt keine Annehmlichkeiten und buchstäblich keinen Platz, sich umzudrehen. Bis sie das Gesicht des einen Kindes gewaschen hat, ist das des andern schmutzig; und bevor das Geschirr von einer Mahlzeit abgewaschen ist, muß die nächste gekocht werden. In den Häusern, die ich besuchte, fand ich große Unterschiede. Manche waren so ordentlich, wie man es unter den gegebenen Umständen nur erwarten konnte; andere waren so furchtbar, daß ich keinerlei Hoffnung habe, sie angemessen beschreiben zu können. Zunächst einmal ist der Gestank, der wesentliche und alles beherrschende Eindruck, unbeschreiblich. Aber der Schmutz und das Durcheinander! Ein Becken mit schmutzigem Wasser hier, eine Schüssel mit ungespültem Geschirr dort, noch mehr Geschirr aufgestapelt in einer Ecke, zerrissenes Zeitungspapier überall verstreut, und in der Mitte immer der gleiche schreckliche Tisch, bedeckt mit klebrigem Wachstuch und übersät mit Kochtöpfen und Bügeleisen, halbgestopften Strümpfen, vertrocknetem Brot und in fettiges Zeitungspapier eingewickelten Käsestücken. Und die Überfülltheit in einem engen Zimmer, wo der Weg von einer Seite zur andern eine umständliche Reise ist, zwischen den Möbelstücken und einer Leine feuchter Wäsche hindurch, die einem bei jeder Bewegung ins Gesicht gerät, und am Boden die Kinder so dicht wie giftige Pilze! Einige Szenen sind mir lebendig im Gedächtnis. Das fast kahle Wohnzimmer einer Hütte in einem kleinen Bergbaudorf, wo die ganze Familie arbeitslos war und alle unterernährt aussahen, und die große Familie erwachsener Söhne und Töchter, die ziellos herumhingen, alle seltsam ähnlich aussehend, mit rotem Haar, prächtigen Knochen und hageren Gesichtern, zerstört von Unterernährung und Untätigkeit, und ein großgewachsener Sohn, der am Herd sitzt, zu gleichgültig sogar, um das Eintreten eines Fremden zu bemerken, und langsam einen klebrigen Socken vom Fuß zieht. Ein schreckliches Zimmer in Wigan, in dem das ganze Mobiliar aus Kisten und Faßdauben gemacht schien und dementsprechend auseinanderfiel; und eine alte Frau mit schwarzem Hals und offenem Haar, die mit Lancashire-irischem Akzent über ihren Vermieter herzog; und ihre Mutter, weit über neunzig, die im Hintergrund auf einem Faß saß, das ihr als Kommode diente, und uns mit gelbem, schwachsinnigem Gesicht erstaunt ansah. Ich könnte Seiten füllen mit Erinnerungen an ähnliche Wohnungen.

Natürlich ist der Schmutz in den Häusern dieser Leute manchmal ihr eigener Fehler. Auch wenn man in einem Rücken-an-Rücken-Haus wohnt und vier Kinder hat und ein Einkommen vom P.A.C. von insgesamt 32 und Sixpence, ist es nicht *notwendig*, ungeleerte Nachttöpfe im Wohnzimmer herumstehen zu lassen. Aber ebenso gewiß ist, daß diese Lebensbedingungen die Selbstachtung nicht fördern. Das Entscheidende ist wahrscheinlich die Anzahl der Kinder. Die ordentlichsten Wohnungen sah ich immer in kinderlosen Haushalten oder solchen mit nur einem oder zwei Kindern; mit, sagen wir, sechs Kindern in einem Dreizimmerhaus ist es ziemlich unmöglich, irgend etwas in Ordnung zu halten. Es ist sehr bemerkenswert, daß der schlimmste Schmutz nie im unteren Stockwerk zu finden ist. Man könnte eine ganze Anzahl Häuser besuchen, sogar solche der ärmsten Arbeitslosen, und einen falschen Eindruck mitnehmen. Diesen Leuten, könnte man überlegen, kann es nicht so schlecht gehen, wenn sie noch einen beträchtlichen Bestand an Möbeln und Geschirr besitzen. Aber erst in den oberen Zimmern zeigt sich die Öde der Armut wirklich. Ob das so ist, weil die Leute aus Stolz bis zuletzt an ihrer Wohnzimmereinrichtung hängen, oder ob sich Bettzeug leichter verpfänden läßt, weiß ich nicht; aber viele Schlafzimmer, die ich sah, waren schrecklich. Ich würde sagen, daß es unter Leuten, die seit mehreren Jahren ununterbrochen arbeitslos sind, die Ausnahme ist, so etwas wie eine vollständige Garnitur Bettwäsche zu finden. Oft ist da gar nichts, was man wirklich als Bettwäsche bezeichnen kann – nur ein Berg alter Überkleider und mannigfaltige Lumpen auf einem rostigen eisernen Bettgestell. Dadurch wird die Überfülltheit noch verschlimmert. Eine vierköpfige Familie, die ich kannte, Vater, Mutter und zwei Kinder, besaß zwei Betten, konnte aber nur eins benutzen, weil sie für das andere kein Bettzeug hatte.

Wer die schlimmsten Folgen der Wohnungsnot sehen will, sollte die furchtbaren Wohnwagenunterkünfte besuchen, von denen es in den nördlichen Städten zahlreiche gibt. Schon seit dem Krieg haben Teile der Bevölkerung, da es völlig unmöglich war, Häuser zu bekommen, die feststehenden Wohnwagen, die sie als vorläufige Quartiere ansahen, überflutet. Wigan zum Beispiel hat bei einer Bevölkerung von 85 000 ungefähr 200 Wohnwagenunterkünfte, die von je einer Familie bewohnt werden – im ganzen also vielleicht von gegen 1000 Leuten. Wieviele solche Wohnwagenkolonien es in den Industriegebieten insgesamt gibt, wäre schwerlich mit irgendwelcher Genauigkeit festzustellen. Die Lokalbehörden schweigen sich darüber aus, und der Bericht über die Volkszählung von 1931 scheint beschlossen zu haben, sie zu ignorieren. Aber soviel ich durch Nachforschungen herausbekommen habe, sind sie in den meisten größeren Städten in Lancashire und Yorkshire und vielleicht auch noch weiter nördlich zu finden. Wahrscheinlich gibt es im ganzen Norden von England mehrere tausend, vielleicht mehrere zehntausend Familien (nicht Einzelpersonen), die kein anderes Zuhause haben als einen feststehenden Wohnwagen.

Aber das Wort »Wohnwagen« ist sehr irreführend. Es ruft das Bild eines gemütlichen Zigeunerlagers hervor (natürlich bei schönem Wetter), mit knisterndem Holzfeuer, mit Kindern, die Heidelbeeren suchen, und mit kunterbunter Wäsche, die an der Leine flattert. Die Wohnwagen-Kolonien in Wigan und Sheffield sehen nicht so aus. Ich schaute mir mehrere an und inspizierte die von Wigan mit einiger Sorgfalt; und ich habe, außer im Fernen Osten, niemals vergleichbare Schmutzigkeit gesehen. Tatsächlich fühlte ich mich bei ihrem Anblick an die dreckigen Löcher erinnert, in denen die indischen Kulis in Burma leben. Doch im Osten kann es nie ganz so schlimm sein, denn dort muß man nicht gegen unsere feuchte, durchdringende Kälte kämpfen, und die Sonne wirkt desinfizierend.

An den Ufern des stinkigen Kanals von Wigan gibt es Flecken von Brachland, auf das die Wohnwagen wie Abfall aus einem Kübel hingeschüttet worden sind. Einige von ihnen sind wirklich Zigeunerwohnwagen, aber sehr alt und in schlechtem Zustand. Die meisten sind alte Eindeckerbusse (die um einiges kleineren Busse von vor zehn Jahren), deren Räder abmontiert und die mit hölzernen Verstrebungen abgestützt sind. Manche sind einfach Güterwagen mit halbrunden Lamellen, über die Wagenplanen gespannt sind, so daß die Leute drinnen zwischen sich und der Luft draußen nichts als Segeltuch haben. Innen sind diese Wagen gewöhnlich etwa fünf Fuß breit, sechs Fuß hoch (ich konnte in keinem ganz aufrecht stehen) und zwischen sechs und fünfzehn Fuß lang. Einige werden vermutlich nur von einer Person bewohnt, aber ich sah keinen, in dem weniger als zwei Leute lebten, und in manchen waren große Familien. In einem, der vierzehn Fuß lang war, wohnten beispielsweise sieben Leute – sieben Leute in einem Raum von etwa 450 Kubikfuß; das heißt, daß der gesamte Wohnraum für jeden *ein ganzes Stück* kleiner war als ein Abteil in einem öffentlichen Waschraum. Den Schmutz und die Enge in diesen Wagen kann man sich kaum vorstellen, bevor man sie mit eigenen Augen und noch mehr mit eigener Nase erfahren hat. Jeder Wagen enthält einen schmalen Hütten-Kochherd und das Mobiliar, das eben hineingestopft werden kann – manchmal zwei Betten, öfter eins, in das sich die ganze Familie hineinzwängen muß, so gut es geht. Auf dem Boden zu schlafen ist fast unmöglich, weil die Feuchtigkeit von unten her durchdringt. Mir wurden Matratzen gezeigt, die noch um elf Uhr morgens zum Auswringen naß waren. Im Winter ist es so kalt, daß die Kochherde Tag und Nacht anbleiben müssen, und die Fenster werden selbstverständlich nie geöffnet. Wasser wird von einem für die ganze Kolonie gemeinsamen Hydranten geholt; manche Wagenbewohner müssen für jeden Eimer Wasser 150 oder 200 Yards weit gehen. Sanitäre Einrichtungen gibt es überhaupt keine. Die meisten Leute bauen auf dem schmalen Streifen Land um ihren Wagen eine kleine Hütte, die als Waschraum dient, und einmal in der Woche heben sie ein tiefes Loch aus, in dem sie die Abfälle vergraben. Alle Leute, die ich in diesen Siedlungen sah, besonders die Kinder, waren unsagbar schmutzig, und ich zweifle nicht daran, daß sie auch Läuse hatten. Während ich von Wagen zu Wagen ging, verfolgte mich ein Gedanke: Was kann in diesen engen Behausungen geschehen, wenn jemand stirbt? Aber das ist natürlich eine der Fragen, die man sich lieber nicht stellt.

Einige der Leute wohnen seit vielen Jahren in den Wohnwagen. Im Prinzip will die Stadtverwaltung die Wohnwagensiedlungen abschaffen und die Bewohner in Häusern unterbringen; aber da die Häuser nicht gebaut werden, bleiben die Wohnwagen stehen. Die meisten Leute, mit denen ich sprach, hatten den Gedanken, jemals zu einer anständigen Behausung zu kommen, aufgegeben. Sie waren alle arbeitslos, und eine Arbeit und ein Haus schienen ihnen gleich weit weg und gleich unmöglich. Einigen schien es kaum etwas auszumachen; anderen war ganz deutlich bewußt, in was für einem Elend sie lebten. Das Gesicht einer Frau läßt mich nicht los; ein abgezehrtes, wie ein Schädel aussehendes Gesicht mit einem Ausdruck unerträglicher Not und Erniedrigung. Mir wurde klar, daß sie sich in diesem furchtbaren Schweinestall, in dem sie sich abmühte, ihre große Kinderschar sauberzuhalten, fühlte, wie ich mich fühlen würde, wenn ich über und über mit Mist bedeckt wäre. Man muß bedenken, daß diese Leute keine Zigeuner sind, sondern ordentliche Engländer, die alle, außer den Kindern, die hier geboren wurden, zu ihrer Zeit eigene Häuser hatten; außerdem sind ihre

Wohnwagen viel minderwertiger als die der Zigeuner, und sie haben nicht den Vorteil, immer unterwegs zu sein. Zweifellos gibt es im Mittelstand noch Leute, die annehmen, daß diese Dinge den »Unteren Ständen« nichts ausmachen, und die, wenn sie im Zug an einer Wohnwagensiedlung vorbeifahren, sofort schließen, daß die Leute aus freien Stücken dort leben. Mit dieser Art Leute streite ich mich überhaupt nicht mehr. Aber es ist bemerkenswert, daß die Wagenbewohner durch ihr Leben dort kein Geld sparen, denn sie bezahlen etwa gleich viel Miete, wie sie für Häuser bezahlen würden. Ich hörte von keiner Miete unter 5 Shilling pro Woche (5 Shilling für 200 Kubikfuß Raum!), und es gibt sogar Fälle, in denen die Miete volle zehn Shilling kostet. Jemand muß mit diesen Wohnwagen ein gutes Geschäft machen! Offensichtlich ist ihre fortdauernde Existenz in der Wohnungsnot begründet und nicht in der Armut.

Als ich einmal mit einem Bergmann sprach, fragte ich ihn, wann die Wohnungsnot in seinem Distrikt zum erstenmal akut geworden sei; er antwortete: »Als man es uns gesagt hat.« Er meinte damit, die Ansprüche der Leute seien bis vor kurzem so niedrig gewesen, daß sie fast jedes Maß an Überfülltheit als selbstverständlich hinnahmen. Er fügte hinzu, daß sie, als er ein Kind war, in seiner Familie zu elft in einem Zimmer geschlafen und nichts Besonderes dabei gefunden hätten; später, als er erwachsen war, hätten seine Frau und er in einem »Rücken-an-Rücken«-Haus von der alten Sorte gewohnt, von dem aus man nicht nur mehrere hundert Yards zum Waschraum gehen, sondern, wenn man dort angekommen war, oft in einer Schlange warten mußte, da sechsunddreißig Leute sich in den Waschraum teilten. Auch als seine Frau an einer Krankheit litt, die sie umbringen sollte, mußte sie immer noch die 200-Yard-Reise zum Waschraum unternehmen. Derartiges nahmen die Leute noch als gegeben hin, »bis man es ihnen gesagt hat«.

Ich weiß nicht, ob das stimmt. Sicherlich jedoch findet es *heute* niemand mehr erträglich, zu elft in einem Zimmer zu schlafen, und sogar Leute mit ansehnlichen Einkommen sind vage beunruhigt vom Gedanken an »die Slums«. Deshalb das Geschwätz von »Neuüberbauungen« und »Slumsanierung«, das man seit dem Krieg in gewissen Abständen immer wieder hört. Bischöfe, Politiker, Philanthropen und wer sonst noch alles lieben es, fromm über »Slumsanierung« zu faseln, weil sie damit von den ernsteren Übeln ablenken und so tun können, als schaffe man mit den Slums die Armut ab. Aber all dieses Gerede hat zu erstaunlich geringfügigen Ergebnissen geführt. Soweit ich es überblicken kann, steht es mit der Wohnungsnot nicht besser als vor einem Dutzend Jahren, vielleicht auch etwas schlechter. Sicher gibt es große Unterschiede im Tempo, mit dem die verschiedenen Städte ihre Wohnungsprobleme angehen. In einigen Städten scheint der Wohnungsbau fast zum Stillstand gekommen zu sein, in anderen macht er sehr rasche Fortschritte, und die privaten Vermieter werden aus dem Geschäft ausgeschaltet. Liverpool zum Beispiel ist zu einem sehr großen Teil neu gebaut worden, hauptsächlich durch die Anstrengungen der Korporationen. Auch Sheffield wird abgerissen und ziemlich schnell – aber in Anbetracht der unvergleichlich scheußlichen Slums nicht schnell genug – wieder aufgebaut.*

Warum es mit den Neuüberbauungen im ganzen so langsam vorangeht und warum manche Städte für Bauzwecke Geld aufnehmen können und andere nicht, weiß ich nicht. Diese Fragen müßte jemand beantworten, der von den Mechanismen der lokalen Verwaltungen mehr versteht als ich. Ein Haus des sozialen Wohnungsbaus kostet normalerweise zwischen drei- und vierhundert Pfund; wenn es in »direkter Arbeit« gebaut wird, kostet es meist weniger, als wenn es im Vertrag gebaut wird. Die Miete solcher Häuser betrüge ohne Nebenkosten durchschnittlich etwas mehr als zwanzig Pfund im Jahr, so daß man annehmen könnte, es würde sich für jede Korporation lohnen, so viele Häuser zu bauen, wie vermietet werden können,

*In Sheffield betrug 1936 die Anzahl der im Bau befindlichen Häuser des sozialen Wohnungsbaus 1398. Man sagt, daß Sheffield 100 000 Häuser braucht, damit die Slumviertel ganz ersetzt werden können.

auch wenn man Unkosten und Zinsdarlehen einrechnet. In manchen Fällen müßten die Häuser natürlich von Leuten bewohnt werden, die vom P.A.C. leben, so daß die lokalen Behörden das Geld nur aus der einen Tasche nehmen und in die andere stecken würden – d. h. sie würden das Geld als Unterstützung auszahlen und als Miete wieder einnehmen. Aber die Unterstützung müssen sie ohnehin bezahlen, und gegenwärtig wird ein Teil ihrer Auszahlungen von privaten Vermietern verschluckt. Die Gründe, die für das langsame Fortschreiten der Bauprojekte angeführt werden, sind Geldmangel und Schwierigkeiten, Grundstücke zu bekommen – denn Häuser des sozialen Wohnungsbaus werden nicht Stück für Stück gebaut, sondern in Siedlungen, manchmal Hunderte von Häusern auf einmal. Etwas kommt mir immer wieder rätselhaft vor: viele Städte im Norden halten es für angemessen, riesige und luxuriöse öffentliche Gebäude zu errichten, während gleichzeitig ein dringender Bedarf an Wohnhäusern besteht. In Barnsley zum Beispiel gab die Stadt kürzlich gegen 150 000 Pfund für eine neue Stadthalle aus, obwohl sie zugegebenermaßen mindestens 2000 neue Arbeiterhäuser braucht, von öffentlichen Bädern ganz zu schweigen. (Die öffentlichen Bäder in Barnsley umfassen *neunzehn* Badewannen für Männer – und das in einer Stadt mit 70 000 Einwohnern, größtenteils Bergleuten, von denen kein einziger ein Bad zu Hause hat!) Für 150 000 Pfund hätte man 350 städtische Arbeiter-Häuser bauen können und hätte immer noch 10 000 Pfund für eine Stadthalle übrig gehabt. Aber ich sage ja, daß ich nicht behaupte, die Mysterien der Lokalverwaltungen zu begreifen. Ich halte lediglich fest, daß Häuser, die dringendst gebraucht werden, im allgemeinen mit lähmender Langsamkeit gebaut werden.

Immerhin *werden* Häuser gebaut, und die Siedlungen des sozialen Wohnungsbaus mit ihren Reihen hinter Reihen kleiner roter Häuser, die sich viel ähnlicher sehen als zwei Erbsen (woher kommt nur der Ausdruck? Erbsen haben eine beträchtliche Individualität), sind ein allgemeines Merkmal der Industrie-

Vorstädte. Zur Frage, wie sie aussehen und inwiefern sie sich mit den Slumhäusern vergleichen lassen, kann ich am besten eine Vorstellung vermitteln, indem ich noch zwei Auszüge aus meinem Tagebuch abschreibe. Die Ansichten der Mieter über ihre Häuser gehen weit auseinander; deshalb zitiere ich einen günstigen und einen ungünstigen Auszug. Beide beziehen sich auf Wigan und auf die billigeren Häuser vom Typ »Ohne Gastzimmer.«

1. Haus in der Beech-Hill-Siedlung.
Unten. Großes Wohnzimmer mit Küchenherd, Regalen, eingebautem Buffet. Kleiner Gang, recht große Küche. Moderner Kocher, der für etwa den gleichen Preis wie ein Gaskocher von der Korporation gemietet wird.
Oben. Zwei recht große Schlafzimmer, ein enges – nur als Abstellraum oder vorübergehend als Schlafzimmer geeignet. Badezimmer, W.C., warmes und kaltes Wasser. Ziemlich kleiner Garten. Gärten in der Siedlung von unterschiedlicher Größe, aber meist kleiner als eine Parzelle. Vier in der Familie, Eltern und zwei Kinder. Ehemann in guter Stellung. Häuser scheinen gut gebaut und sind ganz nett anzusehen. Verschiedene Einschränkungen, z. B. ist es verboten, Geflügel oder Tauben zu halten, Leute einzuquartieren, unterzuvermieten oder ohne Bewilligung der Korporation irgendeinen Handel zu treiben. (Das Einquartieren von Leuten wird ohne weiteres bewilligt, die andern Dinge aber nicht.) Mieter mit dem Haus sehr zufrieden und auch stolz. Häuser in dieser Siedlung alle gepflegt. Korporation ist großzügig mit Reparaturen, hält aber die Mieter dazu an, die Häuser in Ordnung zu halten etc.
Miete 11 s. 3 d. inklusive Nebenkosten. Busfahrkarten in die Stadt 2 d.
2. Haus in der Welly-Siedlung.
Unten. Wohnzimmer 14 auf 10 Fuß, Küche ein ganzes Stück kleiner, enge Speisekammer unter der Treppe; klei-

nes, aber recht gutes Badezimmer. Gaskocher, elektrisches Licht. W.C. draußen.
Oben. Ein Schlafzimmer 12 auf 10 Fuß mit schmalem Kamin, ein weiteres gleichgroß ohne Kamin, weiteres 7 auf 6 Fuß. Das beste Schlafzimmer hat einen kleinen Wandschrank. Garten etwa 20 auf 10 Yards.
Sechs in der Familie, Eltern und vier Kinder, ältester Sohn neunzehn, älteste Tochter zweiundzwanzig. Keiner außer dem ältesten Sohn hat Arbeit. Mieter sehr unzufrieden. Ihre Beschwerden: Das Haus ist kalt, zugig und feucht. Der Kamin im Wohnzimmer wärmt nicht und macht das Zimmer sehr rußig – das wird dem Umstand zugeschrieben, daß er zu tief gesetzt ist. Kamin im besten Schlafzimmer zu klein, um irgend etwas zu nützen. Wände oben rissig. Weil das kleine Schlafzimmer unbrauchbar ist, schlafen fünf in einem Schlafzimmer, einer (der älteste Sohn) im andern. Gärten in dieser Siedlung alle vernachlässigt.
Miete 10 s. 3 d. inklusive. Entfernung zur Stadt etwas mehr als eine Meile – es gibt hier keinen Bus.

Ich könnte die Beispiele vervielfachen, aber diese zwei genügen, weil die Häusertypen des sozialen Wohnungsbaus sich von einem Ort zum andern nicht groß unterscheiden. Zwei Dinge werden sofort klar: Zum einen: die schlechtesten Korporationshäuser sind besser als die Slums, die sie ersetzen. Allein der Besitz eines Badezimmers und eines Stücks Garten würde fast jeden Nachteil aufwiegen. Zum andern: das Wohnen ist hier viel teurer. Es ist nichts Besonderes, daß jemand, der aus einem für unbewohnbar erklärten Haus, in dem er sechs oder sieben Shilling pro Woche bezahlt hat, ausquartiert wird und ein städtisches Haus bekommt, wo er zehn Shilling bezahlen muß. Das berührt nur die, die Arbeit haben oder bis vor kurzem Arbeit hatten, denn bei jenen, die vom P.A.C. leben, wird die Miete auf ein Viertel der Unterstützung festgesetzt, und wenn sie mehr beträgt, erhalten sie eine Ermäßigung; es gibt jedoch auch bestimmte Klassen von städtischen Häusern, die nicht an Arbeitslose vermietet werden. Aber noch in anderer Hinsicht ist das Leben in einer Sozialsiedlung teuer, ob man nun Arbeit hat oder nicht. Zunächst einmal sind aufgrund der höheren Mieten die Geschäfte in der Siedlung viel teurer, und es gibt auch nicht so viele. Dann ist es in einem relativ großen, freistehenden Haus, weg vom muffigen Gewirr des Slums, viel kälter, und es muß mehr Brennmaterial verbraucht werden. Dazu kommen dann noch, besonders für einen, der Arbeit hat, die Fahrtkosten zur und von der Stadt. Dieser letzte Punkt ist eines der offensichtlichsten Probleme beim Siedlungsneubau. Slumsanierung bedeutet Verstreuung der Bevölkerung. Wenn man in großem Ausmaß Neuüberbauungen ausführt, schaufelt man im Effekt das Zentrum einer Stadt heraus und verteilt es über die Vorstädte. In gewissem Sinn ist das alles sehr gut: man bringt die Leute aus stinkenden Gassen an Orte, wo sie Platz zum Atmen haben; aber aus der Sicht der Leute selbst hat man sie abgeholt und fünf Meilen von ihrer Arbeit wieder abgeladen. Die einfachste Lösung sind Wohnungen. Wenn Leute in großen Städten wohnen wollen, müssen sie lernen, einer über dem andern zu leben. Aber die Arbeiter im Norden mögen Wohnungen nicht; sogar dort, wo es Wohnungen gibt, werden sie verächtlich »Mietskasernen« genannt. Fast jeder sagt einem, er wolle »ein Haus für sich«, und offenbar ist ein Haus, das mitten in einem ununterbrochenen Häuserblock von hundert Yards Länge steht, mehr »für sich« als eine Wohnung in freier Umgebung.

Um auf das zweite städtische Haus, das ich eben erwähnt habe, zurückzukommen: Der Mieter beklagte sich, das Haus sei kalt, feucht und so weiter. Vielleicht war das Haus unsolide gebaut, aber es ist ebensogut möglich, daß er übertrieb. Er war aus einer dreckigen Bruchbude in Wigan, die ich zufällig vorher inspiziert hatte, hierhin gekommen; als er noch dort gewesen war, hatte er nichts unversucht gelassen, um ein städtisches Haus zu bekommen; und sobald er drin war, wollte er zurück in den Slum. Das sieht nach Krittelei aus, aber es beschreibt auch einen durchaus echten Mißstand. In sehr vielen Fällen, vielleicht in der Hälfte von allen, bemerkte ich, daß die Leute in Sozialsiedlungen ihre Häuser nicht mögen. Sie sind froh, daß sie aus dem Gestank des Slums herauskommen, sie wissen, daß es für die Kinder besser ist, wenn sie Platz zum Spielen haben; aber sie fühlen sich nicht richtig zu Hause. Ausnahmen sind gewöhnlich Leute in guten Stellungen, die sich kleinere Mehrausgaben für Brennmaterial, Möbel und Fahrten leisten können und die sowieso »etwas Besseres« sind. Die andern, die typischen Slumbewohner, vermissen die muffige Wärme des Slums. Sie klagen, daß sie »draußen auf dem Land«, das heißt am Stadtrand, »darben« (frieren). Sicherlich sind die meisten Siedlungen im Winter ziemlich öde. Einige, in denen ich gewesen bin, hoch oben an baumlosen Lehmhügeln, umweht von eisigem Wind, müssen zum Wohnen scheußlich sein. Es stimmt nicht, daß Slumbewohner Schmutz und Enge um ihrer selbst willen haben wollen, wie die fettbäuchige Bourgeoisie gern glaubt. (Siehe zum Beispiel die Unterhaltung über Slumsanierung in Galsworthys *Swan Song*, wo die zärtlich gehegte Überzeugung des Privatiers, daß der Slumbewohner den Slum macht und nicht umgekehrt, einem philanthropischen Juden in den Mund gelegt wird.) Geben Sie den Leuten ein ordentliches Haus, und sie werden bald lernen, es in Ordnung zu halten. Außerdem bilden sich ihre Selbstachtung und ihre Sauberkeit aus, wenn sie ihrem hübschen Haus entsprechend leben können, und die Kinder beginnen das Leben mit besseren Chancen. Nichtsdestoweniger herrscht in einer Sozialsiedlung eine ungemütliche, fast gefängnisartige Atmosphäre, und die Bewohner spüren das genau.

Genau hier kommt man zur zentralen Schwierigkeit des Siedlungsproblems. Wenn man durch die rauchverdüsterten Slums von Manchester geht, denkt man, daß nichts weiter nötig sei, als diese Scheußlichkeiten abzureißen und an ihrer Stelle ordentliche Häuser zu bauen. Aber das Problem besteht darin, daß man mit dem Zerstören eines Slums auch andere Dinge zerstört. Häuser werden dringend benötigt und nicht schnell genug gebaut; aber soweit Sanierungen vorgenommen werden, geschehen sie – vielleicht ist das unvermeidlich – auf entsetzlich unmenschliche Art. Ich will nicht einfach darauf hinaus, daß die Häuser neu und häßlich sind. Alle Häuser müssen einmal neu sein, und tatsächlich ist der Typ des städtischen Hauses von heute überhaupt nicht unangenehm anzuschauen. In den Außenquartieren von Liverpool gibt es ganze Städte, die aus lauter Korporationshäusern bestehen, und sie sehen recht hübsch aus; auch die Häuserblocks mit Arbeiterwohnungen im Stadtzentrum, die, glaube ich, den Arbeiterwohnungen in Wien nachgebildet wurden, sind wirklich schöne Gebäude. Aber irgend etwas Grausames und Seelenloses ist doch an der ganzen Sache. Nehmen Sie zum Beispiel die Einschränkungen, denen man in einem städtischen Haus unterworfen ist. Man darf Haus und Garten nicht so gestalten, wie man möchte – in manchen Siedlungen gibt es sogar die Vorschrift, daß jeder Garten die gleiche Art Hecke haben muß. Man darf kein Geflügel und keine Tauben halten. Die Bergleute in Yorkshire halten gern Tauben; sie haben sie im Hinterhof und nehmen sie sonntags hinaus für Wettkämpfe. Aber Tauben sind schmutzige Vögel, und selbstverständlich verbietet die Verwaltung sie. Die Einschränkungen, die Geschäfte betreffen, sind schwerwiegender. Die Zahl von Geschäften in einer Sozialsiedlung ist streng begrenzt, und man sagt, daß dem Co-op und den Ladenketten der Vorzug gegeben wird; das stimmt vielleicht nicht ganz, aber sicher sind das die Geschäfte, die man gewöhnlich dort sieht. Für die Allgemeinheit ist das schon schlimm genug, aber aus der Sicht des selbständigen Ladenbesitzers ist es eine Katastrophe. Manch ein kleiner Ladenbesitzer wird völlig ruiniert durch irgendein Sanierungsschema, das von seiner Existenz keine Notiz nimmt. Ein ganzer Stadtteil wird *en bloc* für unbewohnbar erklärt; sogleich werden die Häuser abgerissen und die Leute in eine meilenweit weg gelegene Siedlung verfrachtet. So wird allen kleinen Ladenbesitzern dieses Quartiers mit einem Schlag die ganze Kundschaft weggenommen, und sie bekommen keinen Penny Entschädigung. Mit ihrem Geschäft in die Siedlung ziehen können sie nicht, denn auch wenn sie sich den Umzug und die viel höheren Mieten leisten könnten, bekämen sie wahrscheinlich keine Lizenz. Auch die Kneipen werden fast vollständig aus den Siedlungen verbannt, und die paar übriggebliebenen sind trübe, nachgemachte Tudor-Buden, die von den großen Brauereigesellschaften ausgestattet werden und sehr teuer sind. Für eine Mittelstandsbevölkerung wäre das eine Zumutung – es hieße, daß man für ein Glas Bier eine Meile oder noch weiter gehen müßte; für die Arbeiterbevölkerung, für die die Kneipe eine Art Club ist, ist es ein ernster Schlag gegen das Gemeinschaftsleben. Es ist eine große Leistung, Slumbewohner in ordentliche Häuser umzusiedeln, aber es ist eine unselige Sache, daß man es durch den merkwürdigen Geist unserer Zeit für notwendig hält, ihnen die letzten Reste ihrer Freiheit zu nehmen. Die Leute selber spüren das, und dieses Gefühl rationalisieren sie, wenn sie sich darüber beklagen, daß ihre neuen Häuser, die *als Häuser* so viel besser sind als die, aus denen sie gekommen sind, ungemütlich und »unheimatlich« sind.

Manchmal denke ich, der Preis der Freiheit sei weniger ewige Wachsamkeit als ewiger Dreck. Es gibt einige Sozialsiedlungen, in denen die neuen Mieter systematisch entlaust werden, bevor sie ihre Häuser betreten dürfen. Alle ihre Habe außer dem, was sie gerade anhaben, wird ihnen weggenommen, desinfiziert und ins neue Haus geschickt. Diese Prozedur hat ihren Sinn, denn es *ist* lästig, wenn Leute Wanzen in brandneue Häuser bringen (eine Wanze wird einen im Gepäck begleiten, wenn man ihr die kleinste Chance gibt), aber solche Dinge lassen einen auch wünschen, daß das Wort »Hygiene« aus dem Vokabular gestrichen würde. Wanzen sind schlimm, aber ein Zustand, in dem Menschen zulassen, daß sie wie Schafe gewaschen werden, ist schlimmer. Nun, vielleicht muß man im Fall von Slumsanierungen ein gewisses Maß an Einschränkungen und an Unmenschlichkeit hinnehmen. Unter dem Strich ist es das Wichtigste, daß die Leute in ordentlichen Häusern und nicht in Schweineställen leben sollen. Ich habe zuviel gesehen von den Slums, um in Chestertonisches Entzücken über sie auszubrechen. Ein Ort, wo die Kinder saubere Luft atmen können, wo ein paar Annehmlichkeiten den Frauen die Plackerei ersparen und wo ein Mann ein Stück Garten zum Umgraben hat, *muß* besser sein als die stinkenden Hinterhöfe von Leeds und Sheffield. Alles in allem sind die Sozialsiedlungen besser als die Slums, aber nur um eine kleine Spanne.

Als ich mich mit dem Siedlungsproblem befaßte, besuchte und inspizierte ich zahlreiche Häuser, vielleicht ein- bis zweihundert im ganzen, in verschiedenen Bergbaustädten und -dörfern. Ich kann dieses Kapitel nicht abschließen, ohne die außergewöhnliche Höflichkeit und Gefälligkeit zu erwähnen, mit der ich überall empfangen wurde. Ich war nicht allein unterwegs – ich hatte immer irgendeinen arbeitslosen Bekannten aus dem Ort dabei, der mich herumführte –, aber auch so ist es eine Unverschämtheit, in den Häusern fremder Leute herumzuschnüffeln und zu fragen, ob man die Risse in der Schlafzimmerwand ansehen dürfe. Trotzdem waren alle erstaunlich geduldig und verstanden fast ohne Erklärungen, warum ich sie ausfragte und was ich sehen wollte. Wenn jemand Unbefugter in *mein* Haus käme und mich zu fragen anfinge, ob das Dach undicht sei und ob ich von Wanzen arg belästigt würde und was ich von meinem Vermieter hielte, würde ich ihm wahrscheinlich sagen, er solle sich zum Teufel scheren. Mir ist das nur einmal passiert, und in dem Fall war die Frau schwerhörig und hielt mich für einen Schnüffler vom Means Test; aber sogar sie ließ sich nach einer Weile erweichen und gab mir die Auskünfte, die ich wollte.

Ich habe mir sagen lassen, daß es sich für einen Schriftsteller nicht gehöre, Rezensionen über sich selber zu zitieren, aber hier will ich einem Rezensenten des *Manchester Guardian* widersprechen, der anläßlich eines meiner Bücher sagt:

> Auch wenn Mr. Orwell sich in Wigan oder Whitechapel niedergelassen hätte, würde er immer noch mit unfehlbarer

Gewalt seine Augen vor allem Guten verschließen, um mit seinen rückhaltlosen Verunglimpfungen der Menschheit fortzufahren.

Falsch. Mr. Orwell hat sich eine ganze Weile in Wigan »niedergelassen«, und das erregte in ihm keinerlei Wunsch, die Menschheit zu verunglimpfen. Er mochte Wigan sehr gern – die Leute, nicht die Gegend. Tatsächlich hat er nur eines auszusetzen, und zwar hinsichtlich des berühmten Wigan Pier, welches zu sehen er so versessen war. Oh weh! Wigan Pier war abgerissen, und nicht einmal mehr über seinen Standort besteht Gewißheit.

V

Wenn man sieht, daß die Zahl der Arbeitslosen mit zwei Millionen angegeben wird, glaubt man allzu leicht, das heiße also, zwei Millionen Leute seien arbeitslos und der übrigen Bevölkerung gehe es relativ gut. Ich gebe zu, daß ich bis vor kurzem auch dieser Ansicht war. Ich machte jeweils die Rechnung, daß man, wenn man zu den registrierten Arbeitslosen noch die völlig Mittellosen und die aus diesem oder jenem Grund nicht Registrierten hinzurechnete, die Zahl der unterernährten Menschen in England (denn *jeder*, der von der Arbeitslosenunterstützung oder etwas ähnlichem leben muß, ist unterernährt) auf allerhöchstens fünf Millionen schätzen könnte.

Das ist eine enorme Unterschätzung, zunächst einmal, weil in den Angaben über Arbeitslose nur die Leute auftauchen, die wirklich Arbeitslosenunterstützung beziehen – im allgemeinen Familienväter. Die Leute, die von einem Arbeitslosen abhängen, erscheinen nicht auf der Liste, wenn sie nicht eine eigene Unterstützung beziehen. Ein Beamter vom Arbeitsamt sagte mir, um der wirklichen Zahl von Menschen, die von der Arbeitslosenunterstützung *leben* (nicht: sie beziehen) nahezukommen, müsse man die offiziellen Zahlen mit etwas mehr als drei multiplizieren. Das allein bringt die Zahl der Arbeitslosen auf etwas mehr als sechs Millionen. Dazu kommt aber noch eine große Zahl von Leuten, die arbeiten, aber finanziell betrachtet genausogut arbeitslos sein könnten, weil sie nichts verdienen, das irgendwie als Existenzminimum bezeichnet werden kann.* Wenn man diese Leute und die von ihnen Abhängigen einrechnet und wie oben die Rentner, die völlig Mittellosen und andere nicht näher Bezeichnete dazuzählt, kommt man auf eine *unterernährte* Bevölkerung von weit mehr als zehn Millionen. Sir John Orr nennt die Zahl von zwanzig Millionen.

Nehmen wir die Zahlen für Wigan, das für die Industrie- und Bergbaugebiete wohl typisch ist. Die Zahl der versicherten Arbeiter liegt bei etwa 36 000 (26 000 Männer und 10 000 Frauen). Davon waren Anfang 1936 etwa 10 000 arbeitslos. Aber das war im Winter, als alle Bergwerke voll arbeiteten; im Sommer wären es wahrscheinlich etwa 12 000. Multipliziert man diese Zahlen wie oben mit drei, so kommt man auf 30 000 oder 36 000. Die gesamte Bevölkerung von Wigan beläuft sich auf etwas weniger als 87 000 – so daß zu jedem beliebigen Zeitpunkt ein Drittel der gesamten Bevölkerung – nicht nur der registrierten Arbeiter – entweder Arbeitslosenunterstützung bezieht oder von ihr lebt. Von den zehn- oder zwölftausend Arbeitslosen ist ein harter Kern von vier- bis fünftausend Bergleuten seit sieben Jahren ununterbrochen arbeitslos. Und Wigan steht, wenn man die Entwicklung der Industriestädte betrachtet, nicht besonders schlecht da. Sogar in Sheffield, dem es seit ungefähr einem Jahr aufgrund von Kriegen und

* Beispielsweise deckte eine Erhebung in den Baumwollspinnereien von Lancashire die Tatsache auf, daß über 40 000 *ganztags* Angestellte weniger als 30 Shilling pro Woche erhalten. In Preston, um nur eine Stadt zu nennen, verdienten 640 Leute *über* 30 Shilling pro Woche und 3113 Leute *unter* 30 Shilling.

Kriegsgerüchten gut geht, ist der Anteil an Arbeitslosen ungefähr gleich hoch – ein Drittel der registrierten Arbeiter ist arbeitslos.

Wenn jemand zum erstenmal arbeitslos wird, bekommt er, bis seine Versicherungsmarken aufgebraucht sind, »volle Unterstützung«, bei der folgende Beträge ausgezahlt werden:

	pro Woche
Alleinstehender Mann	17 s.
Ehefrau	9 s.
Jedes Kind unter 14	3 s.

Das Einkommen einer typischen Familie, bestehend aus Eltern und drei Kindern, von denen eins über vierzehn wäre, betrüge also 32 s. pro Woche zuzüglich dessen, was das älteste Kind verdienen könnte. Wenn jemandes Marken aufgebraucht sind, bevor er an das P.A.C. weitergeleitet wurde, bekommt er sechsundzwanzig Wochen »Übergangs-Unterstützung« vom U.A.B. [Unemployment Assistance Board, Arbeitslosenbeihilfeamt], das folgende Beiträge auszahlt:

	pro Woche
Alleinstehender Mann	15 s.
Ehepaar	24 s.
Kinder von 14 bis 18 Jahren	6 s.
Kinder von 11 bis 14 Jahren	4 s. 6 d.
Kinder von 8 bis 11 Jahren	4 s.
Kinder von 5 bis 8 Jahren	3 s. 6 d.
Kinder von 3 bis 5 Jahren	3 s.

Für eine typische Familie von fünf Personen betrüge das Einkommen vom U.A.B. also 37 s. 6 d. pro Woche, wenn kein Kind arbeitete. Wenn jemand vom U.A.B. lebt, wird ein Viertel seiner Unterstützung, bei einem Minimum von 7 s. 6 d. pro Woche, als Miete betrachtet. Wenn die Miete mehr als ein Viertel seiner

Unterstützung ausmacht, erhält er eine zusätzliche Vergünstigung, aber wenn sie weniger als 7 s. 6 d. beträgt, wird ein entsprechender Betrag abgezogen. Die Zahlungen kommen theoretisch aus den lokalen Beiträgen, werden aber von einem zentralen Fonds gestützt. Die Unterstützungsbeiträge sind folgende:

	pro Woche
Alleinstehender Mann	12 s. 6 d.
Ehepaar	23 s.
Ältestes Kind	4 s.
Jedes andere Kind	3 s.

Die Beträge variieren leicht, weil sie vom Ermessen der lokalen Behörden abhängen, und ein alleinstehender Mann kann pro Woche zusätzliche 2 s. 6 d. bekommen (oder auch nicht), was seine Unterstützung auf 15 s. erhöhen würde. Beim U.A.B. wird ein Viertel der Unterstützung eines verheirateten Mannes als Miete angesehen. Das Gesamteinkommen der oben betrachteten Standardfamilie betrüge also 33 s. pro Woche, ein Viertel davon gälte als Miete. In den meisten Distrikten wird sechs Wochen vor und sechs Wochen nach Weihnachten ein Kohle-Beitrag von 1 s. 6 d. pro Woche (das entspricht etwa einem Zentner Kohle) gewährt.

Das Einkommen einer Familie, die von der Arbeitslosenunterstützung lebt, wird sich also durchschnittlich auf etwa 30 Shilling pro Woche belaufen. Davon kann man mindestens ein Viertel für die Miete abschreiben; d.h. also, daß eine Person, Kind oder Erwachsener, mit sechs oder sieben Shilling pro Woche ernährt, gekleidet, warmgehalten und sonst versorgt werden muß. Enorm viele Leute, wahrscheinlich mindestens ein Drittel der Bevölkerung in den Industriegebieten, leben auf dieser Stufe. Der Means Test wird sehr strikt durchgesetzt, und bei der leisesten Anspielung, daß man aus einer andern Quelle Geld erhält, läuft man Gefahr, daß die Unterstützung abgelehnt wird.

Dock-Arbeiter zum Beispiel, die gewöhnlich für einen halben Tag angestellt werden, müssen zweimal täglich beim Arbeitsamt unterschreiben; versäumen sie das, wird angenommen, daß sie gearbeitet haben, und ihre Unterstützung wird entsprechend gekürzt. Ich habe Fälle gesehen, in denen der Means Test umgangen wurde, aber ich würde sagen, daß das in den Industriestädten, wo es noch ein gewisses Maß an Gemeinschaftsleben gibt und jeder Nachbarn hat, die ihn kennen, viel schwieriger ist als in London. Die übliche Methode besteht darin, daß ein junger Mann, der in Wirklichkeit bei seinen Eltern wohnt, sich eine Wohnadresse verschafft, so daß er vorgeblich einen Wohnsitz hat und eine eigene Unterstützung bezieht. Aber es wird viel spioniert und zugetragen. Ein Mann, den ich kannte, wurde zum Beispiel gesehen, wie er die Hühner seines Nachbarn fütterte, während der Nachbar fort war. Den Behörden wurde gemeldet, er »hätte eine Arbeit als Hühnerfütterer«, und er hatte große Schwierigkeiten, das zu widerlegen. Der beliebteste Witz in Wigan drehte sich um einen Mann, dem die Unterstützung verweigert wurde, weil er »eine Arbeit als Brennholzführer« hatte. Man sagte, er sei nachts beim Brennholzführen gesehen worden. Er mußte erklären, daß er nicht Brennholz geführt hatte, sondern bei Nacht heimlich umgezogen war. Das Brennholz waren seine Möbel.

Die grausamste und böseste Folge des Means Test ist die Art und Weise, wie er Familien auseinanderreißt. Alte, manchmal bettlägerige Leute werden aus ihren Wohnungen getrieben. Ein Rentner zum Beispiel würde, wenn er verwitwet ist, normalerweise beim einen oder andern seiner Kinder wohnen; seine wöchentlichen zehn Shilling kämen in die Haushaltskasse, und wahrscheinlich würde nicht schlecht für ihn gesorgt. Unter dem Means Test jedoch zählt er als »Mieter«, und wenn er im Hause bleibt, wird die Arbeitslosenunterstützung seiner Kinder gekürzt. Also muß er mit vielleicht siebzig oder fünfundsiebzig Jahren in ein Zimmer ziehen, seine Rente dem Vermieter zahlen und am Rande des Hungers leben. Ich habe selbst mehrere solche

Fälle gesehen. Zur Zeit passieren sie dank dem Means Test in ganz England.

Aber trotz der erschreckenden Verbreitung der Arbeitslosigkeit ist Armut – äußerste Armut – im von der Industrie bestimmten Norden weniger spürbar als in London. Alles ist ärmer und schäbiger, es gibt weniger Autos und weniger gutangezogene Leute; aber es gibt auch weniger Leute, die offensichtlich Not leiden. Sogar in einer Stadt von der Größe Liverpools oder Manchesters ist man erstaunt, wie wenig Bettler es gibt. London ist eine Art Strudel, der heruntergekommene Leute anzieht, und es ist so riesig, daß das Leben einsam und anonym wird. Bis man gegen das Gesetz verstößt, wird man von niemandem beachtet, und man kann in einer Art kaputtgehen, die an einem Ort, wo die Nachbarn einen kennen, unvorstellbar wäre. In den Industriestädten dagegen ist das alte Gemeinschaftsleben noch nicht ganz auseinandergebrochen, die Tradition ist noch stark und jedermann hat eine Familie – und damit potentiell auch ein Zuhause. In einer Stadt von 50 000 oder 100 000 Einwohnern gibt es keine zufällige und gewissermaßen nicht zur Kenntnis genommene Bevölkerung; niemand schläft zum Beispiel auf der Straße. Ferner muß zu den Arbeitslosigkeitsbestimmungen immerhin das noch gesagt werden, daß sie die Leute nicht vom Heiraten abhalten. Ein Mann und eine Frau mit dreiundzwanzig Shilling pro Woche leben nicht weit über dem Existenzminimum, aber sie können sich irgendwie ein Nest bauen; sie sind weit besser dran als ein alleinstehender Mann mit fünfzehn Shilling. Das Leben eines alleinstehenden arbeitslosen Mannes ist furchtbar. Manchmal wohnt er in einer Herberge, öfter in einem »möblierten« Zimmer, für das er in der Regel sechs Shilling pro Woche bezahlt, und mit den restlichen neun Shilling versorgt er sich, so gut er kann (sagen wir sechs Shilling pro Woche für Lebensmittel und drei für Kleider, Tabak und Vergnügungen). Natürlich kann er sich nicht richtig verpflegen oder versorgen, und wer pro Woche sechs Shilling für sein Zimmer bezahlt, hat kaum Anlaß, mehr Zeit als nötig drinnen zu bleiben. So verbringt er seinen Tag damit, in der Öffentlichen Bibliothek oder sonstwo an der Wärme herumzulungern. Das – an der Wärme sein – ist im Winter fast die einzige Beschäftigung eines alleinstehenden arbeitslosen Mannes. In Wigan waren die Kinos, die dort unglaublich billig sind, der beliebteste Zufluchtsort. Für Fourpence ist fast immer ein Platz zu haben, und in manchen Häusern kann man bei Matinées sogar für Twopence einen bekommen. Sogar Leute, die auf dem Existenzminimum leben, bezahlen gern Twopence, um der schauderhaften Kälte eines Winternachmittags zu entrinnen. In Sheffield wurde ich in einen Gemeindesaal mitgenommen, um den Vortrag eines Geistlichen zu hören, und es war bei weitem der albernste und am schlechtesten gehaltene Vortrag, den ich je gehört habe oder je zu hören erwarte. Ich fand es physisch unmöglich, ihn auszuhalten, und tatsächlich trugen meine Füße mich hinaus, offenbar von selber, bevor der Vortrag zur Hälfte vorbei war. Aber der Saal war gedrängt voll mit arbeitslosen Männern; sie hätten ein noch viel schlimmeres Gefasel ausgehalten, wenn sie nur an einem warmen Ort Zuflucht fanden.

Gelegentlich habe ich unverheiratete arbeitslose Männer gesehen, die in äußerstem Elend lebten. Ich erinnere mich an eine ganze Kolonie von ihnen in einer Stadt; sie hockten mehr oder weniger unerlaubt in einem verlassenen Haus, das praktisch auseinanderfiel. Sie hatten ein paar Möbelwracks zusammengebracht, wahrscheinlich vom Sperrmüll; ich weiß noch, daß ihr einziger Tisch ein alter, mit einer Marmorplatte versehener Handwaschständer war. Aber solche Fälle sind die Ausnahme. Ein Arbeiter-Junggeselle ist eine Seltenheit, und solange ein Mann verheiratet ist, verändert die Arbeitslosigkeit verhältnismäßig wenig in seinem Leben. Sein Zuhause verarmt, ist aber immer noch ein Zuhause, und es fällt überall auf, daß der ungewöhnliche Zustand – der Mann ist ohne Arbeit, während die Arbeit der Frau weitergeht wie zuvor – das Verhältnis der Geschlechter zueinander nicht verändert hat. In einer Arbeiterfamilie ist der Mann der Herr im Haus und nicht, wie im

Mittelstand, die Frau oder das Baby. Beispielsweise sieht man im Haus einer Arbeiterfamilie praktisch nie, daß der Mann einen Handschlag im Haushalt macht. Die Arbeitslosigkeit hat diese Konvention nicht verändert, was auf den ersten Blick ein wenig ungerecht aussieht. Der Mann ist von morgens bis nachts untätig, aber die Frau ist so beschäftigt wie immer – sogar noch mehr, weil sie mit weniger Geld auskommen muß. Soweit jedoch meine Erfahrung geht, protestieren die Frauen nicht dagegen. Ich glaube, daß sie, so gut wie die Männer, das Gefühl haben, daß ein Mann seine Männlichkeit verlöre, wenn er sich, nur weil er arbeitslos wäre, zu einer »Mary Ann« entwickelte.

Aber es gibt keinen Zweifel über die abstumpfenden und schwächenden Wirkungen der Arbeitslosigkeit auf alle, Alleinstehende oder Verheiratete, und auf Männer mehr als auf Frauen. Auch die klügsten Köpfe können sich nicht dagegen wehren. Ein- oder zweimal ist es mir passiert, daß ich arbeitslosen Leuten mit echten literarischen Fähigkeiten begegnet bin; es gibt andere, die ich zwar nicht getroffen habe, deren Arbeiten ich aber gelegentlich in Zeitschriften sehe. Hin und wieder, in langen Abständen, schreiben diese Männer einen Artikel oder eine Kurzgeschichte, die ziemlich offensichtlich besser sind als das meiste Zeug, das von den Waschzettelrezensenten hochgejubelt wird. Warum machen sie denn so wenig Gebrauch von ihren Talenten? Sie haben alle Muße der Welt; warum setzen sie sich nicht hin und schreiben Bücher? Weil man zum Bücherschreiben nicht nur Bequemlichkeit und Abgeschiedenheit braucht – und Abgeschiedenheit ist in einer Arbeiterwohnung nicht leicht zu finden –, man braucht auch innere Ruhe. Man kann sich nicht auf etwas konzentrieren, man kann nicht dem Geist der *Hoffnung* gebieten, in dem alles hervorgebracht sein will, wenn die schwere, böse Wolke der Arbeitslosigkeit über einem hängt. Immerhin kann sich aber ein Arbeitsloser, der mit Büchern vertraut ist, mit Lesen beschäftigen. Aber was ist mit dem, der nicht ohne Mühe lesen kann? Nehmen Sie zum Beispiel einen Bergmann, der von Kindheit an in der Grube gearbeitet hat und darauf abgerichtet ist, ein Bergmann zu sein und sonst nichts. Wie zum Teufel soll er seine leeren Tage ausfüllen? Es ist absurd zu sagen, daß er Arbeit suchen soll. Es gibt keine Arbeit, nach der man suchen könnte, und jeder weiß es. Man kann nicht sieben Jahre lang jeden Tag Arbeit suchen gehen. Es gibt Schrebergärten, die Zeit in Anspruch nehmen und die Familie ernähren helfen, aber in den großen Städten gibt es sie nur für einen kleinen Prozentsatz der Leute. Dann gibt es die Beschäftigungszentren, mit denen vor ein paar Jahren begonnen wurde, um den Arbeitslosen zu helfen. Im ganzen ist diese Bewegung ein Fehlschlag gewesen, aber einige Zentren sind noch aktiv. Ein paar habe ich besucht. Es sind Herbergen, in denen man an der Wärme ist und wo es periodische Kurse im Zimmern, Schustern, in Lederarbeiten, Weben am Handwebstuhl, Korbflechten, Seegrasarbeiten etc. etc. gibt; die Idee ist die, daß die Männer dann Möbel machen können und so weiter, nicht zum Verkauf, aber fürs eigene Heim; Werkzeug bekommen sie umsonst und Material billig. Die meisten Sozialisten, mit denen ich gesprochen habe, verurteilen die Bewegung, wie sie auch den Plan verurteilen – man spricht immer darüber, aber es kommt zu nichts –, den Arbeitslosen kleine Grundstücke zu geben. Sie sagen, die Beschäftigungszentren seien nur eine Maßnahme, um die Arbeitslosen ruhig zu halten und ihnen die Illusion zu geben, es werde etwas für sie getan. Zweifellos *ist* das die grundlegende Absicht. Beschäftigen Sie einen Mann dauernd damit, Schuhe zu flicken, und er wird weniger im *Daily Worker* lesen. Außerdem spürt man an diesen Orten eine widerliche Y.M.C.A.*-Atmosphäre, sobald man hineinkommt. Die Arbeitslosen, die häufig hierhinkommen, gehören meist zum an die Mütze fassenden Typ – dem Typ, der einem salbungsvoll erklärt, er sei »enthaltsam« und wähle konservativ. Aber sogar hier fühlt man sich hin und her gerissen. Denn wahrscheinlich ist es besser, daß jemand seine Zeit selbst mit

* Y.M.C.A.: Young Men's Christian Association; entspricht dem »Christlichen Verein Junger Männer, C.V.J.M.

solchem Quatsch wie Seegras-Arbeiten vergeudet, als daß er auf Jahre hinaus absolut *nichts* tut.

Weitaus am sinnvollsten setzt sich die N.U.W.M. – National Unemployed Workers Movement [Nationale Bewegung stellungsloser Arbeiter] – ein. Es handelt sich dabei um eine revolutionäre Organisation mit der Absicht, die Arbeitslosen zusammenzuhalten, sie vom Streikbrechen abzubringen und ihnen juristischen Rat gegen den Means Test zu geben. Es ist eine Bewegung, die durch die Pennies und Anstrengungen der Arbeitslosen selbst entstanden ist. Ich habe eine ganze Menge vom N.U.W.M. gesehen, und ich bin voller Bewunderung für die Männer, die in Lumpen gekleidet und unterernährt sind wie die andern und die doch die Organisation am Leben erhalten. Noch mehr bewundere ich den Takt und die Geduld, mit der sie das tun; denn es ist nicht leicht, Leuten, die vom P.A.C. leben, auch nur einen Beitrag von einem Penny pro Woche abzuschwatzen. Wie ich früher schon gesagt habe, zeigen die englischen Arbeiter keine großen Führungsfähigkeiten, aber sie haben ein wunderbares Organisationstalent. Die ganze Gewerkschaftsbewegung bezeugt das, so gut wie die ausgezeichneten Arbeiter-Clubs – in Wirklichkeit eine Art aufgemöbelter kooperativer Kneipen, und glänzend organisiert –, die in Yorkshire so verbreitet sind. In manchen Städten hat die N.U.W.M. Herbergen und veranstaltet Vorträge von kommunistischen Rednern. Aber sogar in diesen Herbergen tun die Männer, die hingehen, nichts, als um den Ofen zu sitzen und gelegentlich eine Partie Domino zu spielen. Wenn diese Bewegung mit den Tätigkeiten der Beschäftigungszentren kombiniert werden könnte, käme man dem Notwendigen näher.

Es ist etwas Grauenhaftes, wenn man einen fähigen Mann Jahr für Jahr in völliger und hoffnungsloser Untätigkeit verkümmern sieht. Es sollte nicht unmöglich sein, ihm die Gelegenheit zu geben, seine Hände zu brauchen und Möbel für sein eigenes Heim zu verfertigen, ohne ihn zu einem Y.M.C.A.-Kakaosüchtigen zu machen. Vielleicht fassen wir auch einmal die Tatsache ins Auge, daß in England mehrere Millionen Männer – wenn nicht noch ein Krieg ausbricht – auf dieser Seite des Grabes nie eine richtige Arbeit haben werden. Was wahrscheinlich getan werden könnte und sicher getan werden sollte, ist selbstverständlich, daß man jedem arbeitslosen Mann einen Flecken Land gäbe und ihm Werkzeug zur Verfügung stellte, wenn er darum ersuchte. Es ist eine Schande, daß Männer, die sich vom P.A.C. am Leben halten sollen, noch nicht einmal die Gelegenheit bekommen, für ihre Familien Gemüse zu ziehen.

Um die Arbeitslosigkeit und ihre Auswirkungen zu untersuchen, muß man in die Industriegebiete gehen. Es gibt zwar auch im Süden Arbeitslosigkeit, aber dort ist sie verstreut und seltsam unaufdringlich. In vielen ländlichen Distrikten hat man von einem arbeitslosen Mann praktisch noch nie etwas gehört, und nirgends sieht man das Schauspiel, daß ganze Stadtteile von der Arbeitslosenunterstützung oder vom P.A.C. leben. Nur wenn man in Straßen wohnt, wo niemand Arbeit hat und wo Arbeit zu bekommen ungefähr so wahrscheinlich ist wie der Erwerb eines Flugzeugs und weit *weniger* wahrscheinlich als ein Gewinn von fünfzig Pfund beim Fußballtoto, bekommt man langsam eine Vorstellung von den Veränderungen in unserer Zivilisation. Denn eine Veränderung findet *tatsächlich* statt; darüber gibt es keinen Zweifel. Die Haltung der verelendeten Arbeiter ist grundlegend anders als vor sieben oder acht Jahren.

Das Problem der Arbeitslosigkeit wurde mir 1928 zum erstenmal bewußt. Ich war damals gerade von Burma zurückgekommen, wo Arbeitslosigkeit nur ein Wort war; und nach Burma war ich gegangen, als ich noch ein Junge und der Nachkriegsboom noch nicht ganz vorüber war. Als ich zum erstenmal Arbeitslose von nahem sah, stellte ich erschreckt und erstaunt fest, daß sich viele darüber schämten. Ich wußte wenig, aber nicht wenig genug, um mir einzubilden, daß zwei Millionen Leute, die der Verlust von Weltmärkten von ihren Arbeitsplätzen vertreibt, mehr daran schuld wären als die Leute, die aufs falsche Pferd setzen. Aber damals mochte niemand zugeben, daß die Arbeitslosigkeit unvermeidbar war, denn damit hätte man ihren wahrscheinlichen Fortbestand zugegeben. Der Mittelstand sprach noch von »faulen müßigen Taugenichtsen, die stempeln gehen«, und meinte, »diese Leute könnten alle Arbeit finden, wenn sie wollten«, und natürlich sickerten diese Ansichten auch in die Arbeiterklasse selber durch. Ich erinnere mich an meine Verblüffung, als ich zum erstenmal unter Landstreichern und Bettlern verkehrte und merkte, daß ein guter Teil von ihnen, vielleicht ein Viertel, die ich als zynische Schmarotzer anzusehen gelernt hatte, ordentliche junge Bergleute und Baumwollarbeiter waren, die ihrem Schicksal mit der gleichen stummen Verwunderung entgegensahen wie ein Tier in der Falle. Sie konnten schlichtweg nicht verstehen, was mit ihnen passierte. Sie waren zur Arbeit erzogen worden, und siehe da! nun sah es aus, als ob sie nie mehr eine Gelegenheit zum Arbeiten haben würden. Unter diesen Umständen war ein Gefühl persönlicher Erniedrigung zunächst unumgänglich. So sah damals die Haltung gegenüber der Arbeitslosigkeit aus: es war ein Unglück, das *dir* als Einzelperson passierte und an dem *du* schuld warst.

Wenn eine Viertelmillion Bergleute arbeitslos ist, gehört es zum Lauf der Dinge, daß Alf Smith, ein Bergmann, der an einer schäbigen Straße in Newcastle wohnt, keine Arbeit hat. Alf Smith ist nur einer in der Viertelmillion, eine statistische Einheit. Aber kein Mensch findet es leicht, sich als statistische Einheit zu betrachten. Solange Bert Jones von gegenüber noch Arbeit hat, muß Alf Smith sich beleidigt und als Versager fühlen. Daher kommt das schreckliche Gefühl der Unfähigkeit und Verzweiflung, das fast das Schlimmste ist – weit schlimmer als jede Mühsal, schlimmer als die Demoralisierung durch die erzwungene Untätigkeit, und nur weniger schlimm als die physische Degeneration von Alf Smiths Kindern, die geboren wurden, als die Familie schon vom P.A.C. lebte. Jeder, der Greenwoods Stück *Love on the dole* gesehen hat, wird sich an den schrecklichen Augenblick erinnern, als der arme, gute dumme Arbeiter auf den Tisch haut und schreit: »O Gott, schick mir Arbeit!« Das war keine dramatische Übertreibung, sondern ein Stück Leben. Dieser Schrei muß während der letzten fünfzehn Jahre in fast genau diesen Worten in Zehntausenden, vielleicht Hunderttausenden von englischen Wohnungen ausgestoßen worden sein.

Oder auch wieder nicht, denke ich, oder nicht so oft. Darum geht es wirklich: die Leute hören auf, sich zur Wehr zu setzen. Endlich dämmert es sogar dem Mittelstand – jawohl, sogar den Bridgeclubs in den Landstädtchen –, daß es so etwas wie Arbeitslosigkeit gibt. Das »Meine Liebe, ich *glaube* diesen ganzen Unsinn mit der Arbeitslosigkeit nicht. Warum? Gerade letzte Woche brauchten wir jemanden, um den Garten zu jäten, und wir konnten einfach niemanden bekommen. Die *wollen* nicht arbeiten, das ist alles!«, das man vor fünf Jahren an jedem gepflegten Teetisch hörte, wird spürbar seltener. Und die Arbeiter selber haben ungeheuer viel an ökonomischem Wissen gewonnen. Ich glaube, daß der *Daily Worker* da eine ganze Menge zustande gebracht hat: sein Einfluß ist unvergleichlich größer als seine Auflage. Aber ohnehin ist den Arbeitern ihre Lektion gut eingepaukt worden, nicht nur, weil die Arbeitslosigkeit so weit verbreitet ist, sondern auch, weil sie so lange andauert. Wenn die Leute jahrelang von der Arbeitslosenunterstützung leben, gewöhnen sie sich daran und schämen sich nicht mehr, Unterstützung zu beziehen, obwohl es unangenehm bleibt. So wird die alte, unabhängige, das Armenhaus fürchtende Tradition untergraben, genauso wie die herkömmliche Angst vor Schulden durch das Abzahlungssystem untergraben wird. In den hinteren Straßen von Wigan und Barnsley sah ich alle Arten von Not, aber ich sah wahrscheinlich viel weniger *bewußtes* Elend als noch vor zehn Jahren. Auf jeden Fall haben die Leute begriffen, daß sie nichts für die Arbeitslosigkeit können. Jetzt ist nicht nur Alf Smith ohne Arbeit; auch Bert Jones ist ohne Arbeit, und beide schon seit Jahren. Es macht einen Riesenunterschied, wenn etwas für alle gleich ist.

Wir haben also ganze Einwohnerschaften, die sich gewissermaßen auf lebenslängliche P.A.C.-Unterstützung einrichten.

Und ich finde es bewundernswert, vielleicht sogar zu Hoffnungen berechtigend, daß sie das fertigbringen, ohne psychisch kaputtzugehen. Ein Arbeiter verliert die Fassung unter dem Druck der Armut nicht so leicht wie ein Mann aus dem Mittelstand. Die Arbeiter zum Beispiel finden nichts dabei, zu heiraten, während sie stempeln gehen. Das ärgert die Damen in Brighton – aber es beweist das richtige Gefühl der Arbeiter; sie spüren, daß man mit seiner Arbeit nicht auch gleich die Menschlichkeit verliert. In einer Hinsicht stehen die Dinge in den Notstandsgebieten also nicht so schlecht, wie sie stehen könnten. Das Leben läuft recht normal ab, normaler als man eigentlich erwarten dürfte. Die Familien sind verarmt, aber das Familiensystem ist nicht zerbrochen. In der Tat leben die Leute eine reduzierte Form ihres früheren Lebens. Anstatt sich gegen ihr Schicksal aufzulehnen, haben sie durch Verminderung der Ansprüche ihr Leben erträglich gemacht.

Aber sie senken ihre Ansprüche nicht unbedingt in dem Sinn, daß sie auf Luxusartikel verzichten und sich auf Notwendigkeiten konzentrieren; öfter ist es umgekehrt – und natürlicher, wenn man es sich recht überlegt. So kommt es, daß in einem Jahrzehnt beispielloser wirtschaftlicher Krise der Konsum von billigen Luxusartikeln gestiegen ist. Wohl am größten ist der Unterschied beim Kino und der Massenproduktion billiger schicker Kleider seit dem Krieg. Ein Jugendlicher, der mit vierzehn aus der Schule und in einen Sackgassenjob kommt, ist mit zwanzig arbeitslos, wahrscheinlich lebenslänglich: aber für zwei Pfund zehn auf Abzahlung kann er sich einen Anzug kaufen, der – für kurze Zeit und aus einem gewissen Abstand – aussieht, als sei er in der Savile Row maßgeschneidert worden. Ein Mädchen kann für noch weniger Geld wie ein Modebild aussehen. Man hat vielleicht nur drei Halfpence in der Tasche, überhaupt keine Zukunftsaussichten und als Zuhause nur eine Ecke in einem undichten Schlafzimmer; aber man kann in seinen neuen Kleidern an der Straßenecke stehen und sich in einem privaten Tagtraum als Clark Gable oder Greta Garbo vorkommen, was einen für eine ganze Menge entschädigt. Und sogar zu Hause gibt es gewöhnlich eine Tasse Tee – »eine schöne Tasse Tee« – und Vater, seit 1929 arbeitslos geblieben, ist zeitweise glücklich, weil er einen sicheren Tip für das Derby hat.

Seit dem Krieg mußte sich der Handel an die Bedürfnisse der unterbezahlten, unterernährten Leute anpassen, mit dem Resultat, daß Luxusartikel heute fast immer billiger sind als Lebensnotwendigkeiten. Ein Paar einfache, solide Schuhe kostet soviel wie zwei Paar ultraschicke. Für den Preis einer richtigen Mahlzeit kann man zwei Pfund billige Süßigkeiten bekommen. Für Threepence bekommt man nicht viel Fleisch, aber eine Menge Fish-and-Chips. Milch kostet Threepence die Pinte, und sogar »leichtes« Bier kostet Fourpence, aber für einen Penny bekommt man sieben Aspirin, und aus einem Viertelpfundpaket kann man vierzig Tassen Tee wringen. Und über allem steht das Wetten, der wohlfeilste Luxus. Sogar Leute auf dem Existenzminimum können sich für ein paar Tage Hoffnung kaufen (»etwas, für das man lebt«, nennen sie es), indem sie einen Penny wetten. Organisierte Wetten sind schon fast zu einer größeren Industrie angewachsen. Betrachten Sie zum Beispiel ein Phänomen wie das Fußballtoto, dessen jährlicher Umsatz von nahezu sechs Millionen Pfund größtenteils aus den Taschen der Arbeiter kommt. Ich war gerade in Yorkshire, als Hitler ins Rheinland einmarschierte. Hitler, Locarno, der Faschismus und die Kriegsdrohung erregten hier kaum einen Funken Interesse, aber der Entscheid des Fußballverbands, die Wettspiele nicht mehr im voraus zu publizieren (das war ein Versuch, das Fußballtoto zu unterdrücken), brachte ganz Yorkshire in einen Sturm der Raserei. Dazu kommt noch das wunderliche Schauspiel der Elektrotechnik, die ihre Wunder über Leute mit leerem Magen ausgießt. Vielleicht friert man die ganze Nacht, weil man kein Bettzeug hat, aber morgens kann man in die Öffentliche Bibliothek gehen und die Nachrichten lesen, die zu unserm Wohle aus San Francisco und Singapur telegraphiert worden sind. Zwanzig Millionen Leute sind unterernährt, aber im Prinzip hat jedermann Zugang zum Radio. Was wir an Nahrung verloren haben, haben wir an Elektrizität gewonnen. Große Teile der Arbeiterklasse sind aller Dinge, die sie wirklich brauchen, beraubt und werden dafür mit billigen Luxusartikeln teilweise entschädigt, die an der Oberfläche des Lebens etwas Milderung bringen.

Finden Sie das alles wünschenswert? Nein, ich nicht. Aber vielleicht ist die sichtbare psychische Angleichung der Arbeiter noch das Beste, was sie unter diesen Umständen überhaupt machen können. Sie sind weder revolutionär geworden, noch haben sie ihre Selbstachtung verloren; sie haben sich zusammengenommen und sich damit abgefunden, auf einer Fish-and-Chips-Ebene das Beste draus zu machen. Die Alternative wären Gott weiß was für unaufhörliche Qualen der Verzweiflung; oder vielleicht Versuche zu Aufruhr, die in einem streng regierten Land wie England zu sinnlosen Massakern und zu einem Regime grausamer Repression führen würden.

Natürlich ist für unsere Herrscher die Nachkriegsentwicklung zu billigen Luxusartikeln äußerst glücklich verlaufen. Ziemlich wahrscheinlich haben Fish-and-Chips, kunstseidene Strümpfe, Salm in Dosen, Schokolade im Sonderangebot, Kino, Radio, starker Tee und Fußballtoto die Revolution abgewendet. Deshalb wird manchmal gesagt, daß die ganze Sache ein hinterhältiges Manöver der herrschenden Klasse ist – eine Art »Brot-und-Spiele«-Trick, um die Arbeitslosen unten zu halten. Nach dem, was ich von unserer herrschenden Klasse gesehen habe, bin ich nicht überzeugt, daß sie über so viel Intelligenz verfügt. Die Sache ist geschehen, aber durch einen unbewußten Vorgang – die ganz natürliche Wechselwirkung zwischen den Fabrikanten, die einen Markt, und den halbverhungerten Leuten, die billige Linderungsmittel brauchen.

VI

Als ich ein kleiner Junge war, kam in der Schule einmal pro Trimester ein Dozent zu uns, der ausgezeichnete Vorträge über die berühmten Schlachten der Vergangenheit wie Blenheim, Austerlitz, etc. hielt. Er zitierte gern Napoleons Maxime »Eine Armee marschiert auf ihrem Bauch«, und am Ende seines Vortrags wandte er sich jedesmal plötzlich an uns und fragte: »Was ist das Wichtigste auf der Welt?« Wir sollten »Essen« rufen, und er war sehr enttäuscht, wenn wir es nicht taten.

Natürlich hatte er in gewisser Hinsicht recht. Ein Mensch ist in erster Linie ein Sack zum Essenreinstopfen; seine anderen Funktionen und Fähigkeiten sind vielleicht göttlicher, aber zeitlich kommen sie erst hinterher. Ein Mann stirbt und wird begraben, und alle seine Worte und Taten werden vergessen, aber was er gegessen hat, lebt in den festen oder morschen Knochen seiner Kinder weiter. Ich glaube, man könnte überzeugend darstellen, daß Veränderungen in der Ernährung wichtiger sind als Dynastie- oder sogar Religionswechsel. Der Große Krieg zum Beispiel hätte nie stattfinden können, wenn nicht die Dosenkonserven erfunden worden wären. Und die letzten vierhundert Jahre englischer Geschichte sähen ganz anders aus, wenn nicht am Ende des Mittelalters Knollenfrüchte und andere Gemüse und etwas später alkoholfreie Getränke (Kaffee, Tee, Kakao) sowie gebrannte Schnäpse, welche den biertrinkenden Engländern nicht vertraut waren, eingeführt worden wären. Aber es ist eigenartig, wie selten die allumfassende Bedeutung des Essens erkannt wird. Überall sieht man Statuen von Politikern, Dichtern, Bischöfen, aber keine von Köchen, Speckpöklern oder Gemüsehändlern. Man sagt, daß Kaiser Karl V. dem Erfinder der Räucherheringe eine Statue errichten ließ, aber das ist der einzige Fall, der mir im Moment in den Sinn kommt.

Vielleicht ist das hauptsächliche und für die Zukunft wirklich grundlegende Problem in Zusammenhang mit den Arbeitslosen also die Frage der Ernährung. Die durchschnittliche arbeitslose Familie lebt, wie ich schon gesagt habe, von etwa 30 Shilling in der Woche, wovon mindestens ein Viertel für die Miete abgeht. Es lohnt sich, etwas genauer zu betrachten, wofür das restliche Geld ausgegeben wird. Vor mir habe ich einen Haushaltsplan, den ein arbeitsloser Bergmann und seine Frau für mich zusammengestellt haben. Ich bat sie, eine Aufstellung zu machen, die so genau wie möglich die Ausgaben einer typischen Woche zeigt. Das Wochengeld des Mannes belief sich auf 32 Shilling, und außer der Frau hatte er noch zwei Kinder, das eine zwei Jahre und fünf Monate, das andere zehn Monate alt. Hier die Liste.

	s.	d.
Miete	9	0½
Kleiderverein	3	0
Kohle	2	0
Gas	1	3
Milch	0	10½
Gewerkschaftsbeiträge	0	3
Versicherung (für die Kinder)	0	2
Fleisch	2	6
Mehl (14 engl. Pfund, 12, 7 kg)	3	4
Hefe	0	4
Kartoffeln	1	0
Schmalz	0	10
Speck	1	2
Zucker	1	9
Tee	1	0
Marmelade	0	7½
Erbsen und Kohl	0	6
Karotten und Zwiebeln	0	4
Haferflocken	0	4½
Seife, Waschpulver, Waschblau etc.	0	10
Total	£1 12	0

Hierzu kamen wöchentlich noch drei Pakete Milchpulver für das Baby, mit denen die Infants Welfare Clinic [Wohlfahrts-Kinderklinik] die Familie unterstützte. Ein oder zwei Anmerkungen sind hier nötig. Zunächst einmal führt die Liste eine ganze Menge Dinge nicht auf – Schuhwichse, Pfeffer, Salz, Essig, Streichhölzer, Kienspäne, Rasierklingen, Ersatz für zerbrochenes Geschirr, die Abnutzung von Möbeln und Bettzeug, um nur die ersten paar Sachen zu nennen, die mir einfallen. Solcherlei Ausgaben bedeuten eine Reduktion der anderen Beträge. Eine ernstere Belastung ist der Tabak. Der Mann, der die Liste zusammenstellte, war zufällig ein schwacher Raucher, aber sogar ihn kostete der Tabak kaum weniger als einen Shilling pro Woche, was eine weitere Kürzung bei den Lebensmitteln bedeutete. Die »Kleidervereine«, für die die Arbeitslosen jede Woche so viel bezahlen, werden von großen Tuchhändlern in allen Industriestädten betrieben. Ohne sie wäre es den Arbeitslosen unmöglich, überhaupt neue Kleider zu kaufen. Ich weiß nicht, ob sie auch ihr Bettzeug über diese Vereine beziehen. Die erwähnte Familie besaß, wie ich zufällig weiß, praktisch kein Bettzeug.

Wenn man bei der oben angeführten Liste einen Shilling für Tabak einrechnet und ihn zusammen mit den anderen Beträgen, die nicht für Lebensmittel ausgegeben werden, abzieht, bleiben einem sechzehn Shilling und fünfeinhalb Pence, sagen wir sechzehn Shilling, für das Baby nichts gerechnet – es bekam ja seine wöchentlichen Milchpakete von der Wohlfahrtsklinik. Diese sechzehn Shilling müssen die gesamte Ernährung von drei Personen, zwei davon Erwachsene, abdecken, *Brennmaterial inbegriffen*. Als erstes stellt sich die Frage, ob es nur schon theoretisch überhaupt möglich ist, daß sich drei Leute mit sechzehn Shilling pro Woche ordentlich ernähren. Während des Disputs um den Means Test gab es in der Öffentlichkeit ein widerliches Gezänk um die wöchentliche Minimalsumme, mit der ein Mensch sich am Leben halten kann. Soweit ich mich erinnere, fand eine Richtung von Diätetikern den Betrag von fünf Shilling und neun Pence heraus, während eine andere, großzügigere Richtung ihn bei fünf Shilling und neuneinhalb Pence ansetzte. Darauf schrieben eine Anzahl Leute an die Zeitungen, sie ernährten sich mit vier Shilling pro Woche. Das folgende Wochenbudget (es wurde im *New Statesman* und auch in den *News of the World* abgedruckt) habe ich aus einer Reihe anderer herausgepflückt.

	s.	d.
3 Laibe Vollkornbrot	1	0
1/2 Pfund Margarine	0	2½
1/2 Pfund Schmalz	0	3
1 Pfund Käse	0	7
1 Pfund Zwiebeln	0	1½
1 Pfund Karotten	0	1½
1 Pfund Bruchware vom Bäcker	0	4
2 Pfund Datteln	0	6
1 Dose Kondensmilch	0	5
10 Orangen	0	5
Total	3	11½

Bitte beachten Sie, daß das Budget *keinen Betrag für Brennmaterial* enthält. Tatsächlich stellte der Briefschreiber explizit fest, er könne es sich nicht leisten, Brennstoff zu kaufen, und esse deshalb alles roh. Ob der Brief echt war oder ein blöder Witz, spielt im Augenblick keine Rolle. Aber man muß wohl zugeben, daß die Liste den klügsten Ausgabenplan enthält, den einer ersinnen kann; wenn Sie von drei Shilling und elfeinhalb Pence pro Woche leben *müßten*, würden Sie daraus wohl kaum mehr Lebensmittel herausquetschen. Es ist also vielleicht möglich, sich von der P.A.C.-Unterstützung ausreichend zu ernähren, wenn man sich auf notwendige Nahrungsmittel beschränkt; anders jedoch nicht.

Vergleichen wir nun diese Liste mit dem Budget des arbeitslosen Bergmanns, das ich vorher angeführt habe. Die Bergmannsfamilie gab wöchentlich nur zehn Pence für frisches Gemüse und zehneinhalb Pence für Milch aus (bedenken Sie, daß ein Kind unter drei Jahren zur Familie gehört) und für Früchte überhaupt nichts. Für Zucker dagegen gaben sie einen Shilling und neun Pence aus (das ergibt etwa acht Pfund Zucker) und für Tee einen Shilling. Die halbe Krone, die für Fleisch ausgegeben wurde, *könnte* ein kleines Stück Fleisch und die Zutaten für ein Stew bedeuten; vier oder fünf Büchsen gepökeltes Rindfleisch bedeutet es so gut wie nie. Die Basis ihrer Ernährung bilden also Weißbrot und Margarine, Corned Beef, gezuckerter Tee und Kartoffeln – eine schreckliche Verpflegung. Wäre es nicht besser, wenn sie mehr Geld für gesunde Sachen wie Orangen und Vollkornbrot ausgäben oder sogar wie der Leserbriefschreiber des *New Statesman* Brennmaterial sparten und ihre Karotten roh äßen? Ja, es wäre besser, aber der Witz ist der, daß kein normaler Mensch so etwas je tun wird. Ein normaler Mensch würde eher hungern als von Schrotbrot und rohen Karotten leben. Und die besondere Tücke besteht darin, daß man, je weniger Geld man hat, desto weniger Lust hat, es für gesunde Nahrungsmittel auszugeben. Ein Millionär hat vielleicht Spaß an einem Frühstück aus Orangensaft und Rywita-Biskuits; ein Arbeitsloser nicht. Hier kommt die Tendenz ins Spiel, von der ich am Ende des letzten Kapitels gesprochen habe. Wenn man arbeitslos ist, also unterernährt, unruhig, gelangweilt und elend, *will* man keine langweiligen gesunden Nahrungsmittel. Man will etwas, das ein bißchen »schmeckt«. Und es gibt immer etwas, das nett ist und billig und das einen verführt. Essen wir doch für drei Pennies Chips! Geh rasch und kauf uns ein Zweipenny-Eis! Setz Wasser auf, wir trinken eine schöne Tasse Tee! *Daran* denkt man, wenn man vom P.A.C. lebt. Weißes Brot mit Margarine und gezuckerter Tee sind kaum nahrhaft, aber sie sind *netter* als Vollkornbrot mit Schmalz und kaltes Wasser. Die Arbeitslosigkeit ist ein endloses Elend, das dauernd gelindert werden muß, besonders mit Tee, dem Opium des Engländers. Eine Tasse Tee oder auch nur ein Aspirin sind als zeitweiliges Stimulans besser als eine Kruste Vollkornbrot.

Die Folgen von all dem sieht man in der physischen Degeneration, die man direkt erforschen kann, indem man seine Augen aufmacht, oder indirekt, indem man die Lebensstatistiken betrachtet. Die durchschnittliche körperliche Verfassung der Leute in den Industriestädten ist erschreckend niedrig, niedriger noch als in London. In Sheffield hat man das Gefühl, man laufe unter einem Volk von Troglodyten herum. Die Bergleute sind herrliche Männer, aber gewöhnlich sind sie klein, und die bloße Tatsache, daß ihre Muskeln durch die dauernde Arbeit gehärtet sind, heißt nicht, daß ihre Kinder mit einer besseren Konstitution auf die Welt kommen. Aber ohnehin sind die Bergleute physisch ja eine Auslese der Bevölkerung. Am offensichtlichsten zeigt sich die Unterernährung darin, daß jedermann schlechte Zähne hat. In Lancashire müßte man unter den Arbeitern lange suchen, bis man jemanden mit guten eigenen Zähnen sähe. Tatsächlich sieht man außer den Kindern überhaupt sehr wenige Leute mit eigenen Zähnen; und auch die Zähne der Kinder sehen leicht bläulich aus, was glaube ich auf Kalziummangel deutet. Mehrere Zahnärzte haben mir gesagt, daß in den Industriegebieten Leute über dreißig, die überhaupt noch eigene Zähne haben, die Ausnahme sind. In Wigan erzählten verschiedene Leute, sie fänden es am besten, die Zähne so früh wie möglich »loszuwerden«.

»Zähne sind einfach eine Plage«, sagte mir eine Frau. In einem Haus, wo ich wohnte, waren außer mir fünf Personen, die älteste dreiundvierzig Jahre alt und die jüngste ein Junge von fünfzehn. Dieser Junge war der einzige in der Familie, der überhaupt noch einen eigenen Zahn hatte, und offensichtlich sollten auch seine Zähne nicht mehr lange halten. Und was die Lebensstatistiken angeht, so braucht die Tatsache, daß in jeder großen Industriestadt die Sterblichkeitsziffer und die Kindersterblichkeit in den ärmsten Vierteln immer etwa doppelt so hoch und in manchen

Fällen noch weit höher als doppelt so hoch sind wie in den Villenvierteln, wohl kaum einen Kommentar.

Natürlich sollte man nicht glauben, die verbreitete schlechte Konstitution sei ausschließlich der Arbeitslosigkeit zuzuschreiben; denn wahrscheinlich sind die durchschnittlichen körperlichen Eigenschaften seit langem im Abnehmen begriffen, nicht nur bei den Arbeitslosen in den Industriegebieten. Das kann nicht statistisch bewiesen werden, aber wenn man seine Augen offenhält, kommt man unweigerlich zu diesem Schluß, sogar in ländlichen Gegenden und sogar in einer blühenden Stadt wie London. Am Tag, als King Georges Leichnam auf dem Weg zum Westminster durch London gefahren wurde, geriet ich für ein, zwei Stunden in die Menge am Trafalgar Square. Es war unmöglich, beim Herumschauen nicht von der Degeneration im modernen England betroffen zu sein. Die Leute um mich herum gehörten größtenteils *nicht* zur Arbeiterklasse; sie gehörten zum Typ des Ladenbesitzers oder Handlungsreisenden mit einer Spur von Wohlstand. Aber wie sahen sie aus! Kümmerliche Glieder und kränkliche Gesichter im Londoner Regen. Kaum einmal ein gutgebauter Mann oder eine nett aussehende Frau, und nirgends ein Gesicht von frischer Farbe. Als der königliche Sarg vorbeizog, nahmen die Männer ihre Hüte ab, und ein Freund, der in der Menge auf der anderen Straßenseite war, sagte später zu mir: »Die einzigen Farbtupfer überhaupt waren die kahlen Köpfe.« Sogar die Garde, kam mir vor – eine Truppe Gardesoldaten ging neben dem Sarg her –, war nicht mehr, was sie einmal gewesen war. Wo sind die riesigen Männer mit Brustkästen wie Fässer »und Schnauzbärten wie Adlerflügel«, die vor zwanzig oder dreißig Jahren an meinem Kinderblick vorbeizogen? Wahrscheinlich begraben im Schlamm von Flandern. An ihrer Stelle stehen nun diese bleichen Jungen, die aufgrund ihrer Größe ausgewählt worden sind und folglich wie Hopfenstangen in Überziehern aussehen – denn im heutigen England besteht ein Mann, der über sechs Fuß groß ist, gewöhnlich aus nicht viel mehr als Haut und Knochen. Wenn sich die Konstitution der

Engländer verschlechtert hat, liegt das zweifellos zum Teil daran, daß der Große Krieg die beste Million Männer in England sorgfältig ausgewählt und abgeschlachtet hat, größtenteils bevor sie dazu kamen, sich fortzupflanzen. Aber der Prozeß muß schon früher begonnen haben, und sicher ist er letztlich in ungesunden Lebensweisen, d. h. im Industrialismus, begründet. Ich meine nicht die Gewohnheit, in Städten zu leben – wahrscheinlich ist die Stadt in vieler Hinsicht gesünder als das Land –, sondern die moderne industrielle Technik, die einen für alles mit billigem Ersatz versieht. Vielleicht finden wir am Ende, daß Büchsennahrung eine tödlichere Waffe ist als Maschinengewehre.

Unglücklicherweise wissen die englischen Arbeiter – und, was das anbelangt, die englische Nation ganz allgemein – wenig über Nahrungsmittel und gehen verschwenderisch mit ihnen um. An anderer Stelle habe ich gezeigt, wie zivilisiert die Vorstellung, die ein französischer Erdarbeiter von einer Mahlzeit hat, im Vergleich mit der des Engländers ist, und ich kann mir nicht vorstellen, daß man in einem französischen Haushalt jemals so viel Verschwendung sähe wie gewöhnlich in den englischen. Natürlich trifft man in den allerärmsten Haushalten, wo alle arbeitslos sind, nicht viel tatsächliche Verschwendung, aber wer es sich leisten kann, Nahrung zu vergeuden, tut es oft auch. Ich könnte hierzu erstaunliche Beispiele anführen. Allein schon die im Norden herrschende Gewohnheit, selber Brot zu backen, ist leicht verschwenderisch: denn eine überarbeitete Frau kann nicht öfter als ein- oder allerhöchstens zweimal pro Woche backen, und es ist unmöglich, im voraus zu sagen, wieviel Brot übrigbleiben wird, so daß im allgemeinen eine gewisse Menge weggeworfen werden muß. Normalerweise werden jedesmal sechs große und zwölf kleine Laibe gebacken. All das gehört zu der alten, großzügigen englischen Lebenseinstellung, und es ist eine liebenswerte Eigenschaft; im Augenblick aber ist sie katastrophal.

Soweit ich weiß, lehnen in ganz England die Arbeiter das

Schrotbrot ab; in einem Arbeiterviertel ist es in der Regel unmöglich, Vollkornbrot zu kaufen. Manchmal wird als Begründung angegeben, Schrotbrot sei »schmutzig«. Vermutlich besteht der wirkliche Grund darin, daß Schrotbrot und Schwarzbrot früher durcheinandergebracht wurden, und Schwarzbrot wird traditionsgemäß mit Papisterei und Holzschuhen in Verbindung gebracht. (Es gibt eine Menge Papisterei und Holzschuhe in Lancashire. Schade, daß es nicht auch Schwarzbrot gibt!) Aber der englische Geschmack, besonders der Geschmack der Arbeiter, verschmäht inzwischen gute Nahrung fast automatisch. Die Anzahl der Leute, die Erbsen in Büchsen und Fisch in Büchsen richtigen Erbsen und richtigem Fisch *vorziehen*, muß jedes Jahr zunehmen, und zahlreiche Leute, die sich richtige Milch im Tee leisten könnten, haben lieber Büchsenmilch – sogar jene scheußliche Büchsenmilch, die aus Zucker und Stärkemehl gemacht ist und bei der FÜR BABIES UNGEEIGNET in riesigen Buchstaben auf der Packung steht. In manchen Distrikten werden nun Anstrengungen unternommen, den Arbeitslosen mehr über Nährwerte und darüber, wie man das Geld auf kluge Art ausgibt, beizubringen. Wenn man so etwas hört, fühlt man sich hin- und hergerissen. Ich habe gehört, wie sich ein kommunistischer Redner auf dem Podium sehr darüber aufregte. In London, sagte er, haben jetzt Scharen von Damen der Gesellschaft die Stirn, in Häuser am East End hineinzumarschieren und den Frauen von Arbeitslosen Unterricht im Einkaufen zu erteilen. Er gab uns das als Beispiel für die Mentalität der regierenden Klasse in England. Erst verdammen sie die Familien dazu, mit dreißig Shilling in der Woche zu leben, und dann haben sie noch die verfluchte Frechheit, den Leuten zu sagen, wie sie ihr Geld ausgeben sollen. Er hatte völlig recht – ich stimme ihm herzlich zu. Aber trotzdem *ist* es schade, daß die Leute, einfach weil eine richtige Tradition fehlt, solches Dreckszeug wie Büchsenmilch ihre Kehle hinunterschütten und dabei nicht einmal wissen, daß es minderwertiger ist als das Produkt der Kuh.

Gleichwohl bezweifle ich, daß die Arbeitslosen etwas davon

hätten, wenn sie lernten, ihr Geld haushälterischer auszugeben. Denn ausschließlich die Tatsache, daß sie *nicht* haushälterisch sind, hält ihre Unterstützung auf der bestehenden Höhe. Ein Engländer, der vom P.A.C. lebt, erhält fünfzehn Shilling pro Woche, weil fünfzehn Shilling die kleinste denkbare Summe ist, mit der er sich am Leben halten kann. Wenn er, sagen wir, ein indischer oder japanischer Kuli wäre, der von Reis und Zwiebeln leben kann, bekäme er keine fünfzehn Shilling pro Woche – er könnte froh sein, wenn er fünfzehn Shilling im Monat bekäme. Unsere Arbeitslosenunterstützungen sind zwar armselig, aber sie sind für eine Bevölkerung mit sehr hohem Lebensstandard und ohne viel Sinn für Sparsamkeit gedacht. Wenn die Arbeitslosen lernten, besser hauszuhalten, würde es ihnen sichtlich besser gehen, und ich kann mir vorstellen, daß es dann nicht lange ginge, bis die Unterstützung entsprechend gekürzt würde.

Eine bedeutende Erleichterung der Arbeitslosigkeit gibt es im Norden: das Brennmaterial ist billig. Überall in den Kohlegebieten liegt der Kleinhandelspreis von Kohle bei etwa einem Shilling und Sixpence pro Zentner; im Süden beträgt er etwa eine halbe Krone. Darüberhinaus können Bergleute, die Arbeit haben, die Kohle gewöhnlich für acht oder neun Shilling pro Tonne direkt in der Grube kaufen, und wer zu Hause einen Keller hat, lagert manchmal eine Tonne ein und verkauft sie (vermutlich schwarz) an die, die gerade keine Arbeit haben. Abgesehen davon jedoch gibt es bei den Arbeitslosen einen immensen, systematisch betriebenen Kohlediebstahl. Ich nenne es Diebstahl, weil es das im Grunde ist, obwohl es niemandem Schaden zufügt. Der »Dreck«, der aus den Gruben hochgeschafft wird, enthält noch eine gewisse Menge Bruchkohle, und die Arbeitslosen verbringen viel Zeit damit, sie aus den Schlackenbergen zu klauben. Den ganzen Tag sieht man Leute mit Säcken und Körben auf diesen seltsamen grauen Bergen im Schwefelrauch hin und her gehen (viele Schlackenberge brennen unter der Oberfläche) und die kleinen Kohlenuggets, die da und dort vergraben liegen, heraussuchen. Man sieht Männer weggehen, die eigenartige, herrliche selbergemachte Fahrräder schieben – Fahrräder, die aus rostigen Teilen vom Sperrmüll zusammengesetzt wurden, ohne Sattel, ohne Kette und fast immer ohne Reifen –, über die Säcke gehängt sind, die vielleicht einen halben Zentner Kohle enthalten, das Ergebnis von einem halben Tag Sucherei. In Zeiten von Streiks, wenn jeder knapp zu heizen hat, rücken die Bergleute mit Hacke und Schaufel aus und graben sich in die Schlackenberge hinein; daher sehen die meisten Schlackenberge hügelig aus. Während langer Streiks werden an Orten, wo die Kohle zutage liegt, von der Oberfläche her Stollen gegraben und Dutzende von Yards in die Erde getrieben.

In Wigan ist die Konkurrenz um die Abfallkohle unter den Arbeitslosen so heftig geworden, daß sie zu einem außergewöhnlichen Brauch geführt hat, der »Kohlegrapschen« genannt wird und überaus sehenswert ist. Ich wundere mich wirklich, daß er noch nicht gefilmt worden ist. An einem Nachmittag nahm mich ein arbeitsloser Bergmann mit, um es anzuschauen. Wir kamen hin: eine Kette von alten Schlackenbergen und ein Gleis in der Senkung. Ein paar hundert zerlumpte Männer, jeder mit einem Sack und einem Kohlehammer im Gürtel, warteten auf den Zug. Wenn der Dreck aus der Grube nach oben kommt, wird er auf offene Güterwagen geladen und von einer Lokomotive eine halbe Meile weit auf einen der Schlackenberge gezogen und dort stehengelassen. Das »Kohlegrapschen« besteht darin, auf den fahrenden Zug zu springen; jeder Wagen, den einer entern kann, während er fährt, gilt als »sein« Wagen. Eben kam der Zug in Sicht. Mit einem wilden Schrei rannten hundert Männer den Abhang hinunter, um ihn zu erwischen, wenn er um die Kurve kam. Selbst in der Kurve fuhr der Zug mit zwanzig Meilen pro Stunde. Die Männer stürzten sich auf ihn, faßten die Ringe hinten an den Wagen und zogen sich über die Puffer hoch, fünf bis zehn auf jeden Wagen. Der Lokomotivführer nahm keine Notiz von ihnen; er fuhr den Schlackenhügel hoch, hängte die Wagen ab und fuhr mit der Lokomotive zur Grube zurück, um bald darauf mit einer neuen Wagenkette zurückzukommen.

Derselbe Ansturm zerlumpter Figuren wie vorher ging los. Am Schluß war es nur etwa fünfzig Männern nicht gelungen, auf einen Zug zu kommen.

Wir gingen auf den Schlackenberg hinauf. Die Männer schaufelten den Dreck aus den Wagen, während die Frauen und Kinder unten knieten, eilig in dem feuchten Dreck scharrten und Kohlestücke von der Größe eines Eis oder kleiner heraussuchten. Ich sah, wie eine Frau sich auf ein winziges Stück stürzte, es prüfend an der Schürze rieb, um sicher zu sein, daß es Kohle war, und es argwöhnisch in ihren Sack stopfte. Natürlich weiß man, wenn man einen Wagen entert, nicht im voraus, was er enthält: vielleicht ist es tatsächlich »Dreck« von den Stollen, oder vielleicht ist es auch nur Kohleschiefer aus der Schicht über dem Kohlevorkommen. Wenn es ein Schieferwagen ist, enthält er keine Kohle, aber im Kohleschiefer gibt es ein anderes brennbares Material, das Kannel-Kohle genannt wird und dem gewöhnlichen Kohleschiefer sehr ähnlich sieht, aber etwas dunkler ist und das man daran erkennt, daß es sich in parallele Schichten spalten läßt wie Tafelschiefer. Es gibt einen mäßigen Brennstoff ab, der nicht gut genug ist zum Verkauf, aber gut genug, um von den Arbeitslosen eifrig gesucht zu werden. Die Bergleute auf den Schieferwagen suchten den Kannel heraus und spalteten ihn mit ihren Hämmern. Am Boden neben den Waggons lasen die Leute, denen es nicht gelungen war, auf einen der Züge zu kommen, die winzigen Kohlesplitter auf, die von oben hinabrollten – Bruchstücke, die nicht größer waren als Haselnüsse –, aber die Leute waren schon froh, wenigstens das zu bekommen.

Wir blieben, bis der Zug leer war. Innerhalb von ein paar Stunden hatten die Leute den Dreck bis auf das letzte Körnchen durchsucht. Sie nahmen ihre Säcke auf den Rücken oder die Fahrräder und machten sich auf den Zwei-Meilen-Weg zurück nach Wigan. Die meisten Familien hatten etwa einen halben Zentner Kohle oder Kannel zusammengebracht, so daß sie im ganzen wohl zwischen fünf und zehn Tonnen Brennstoff gestohlen hatten. Dieses Plündern der Dreckzüge findet in Wigan jeden

Tag statt; im Winter sowieso, und in mehr als einem Bergwerk. Natürlich ist es äußerst gefährlich. An dem Nachmittag, als ich dort war, wurde niemand verletzt, aber ein paar Wochen zuvor wurden einem Mann beide Beine abgetrennt, und eine Woche später verlor ein Mann mehrere Finger. Im Prinzip handelt es sich um Diebstahl, aber jeder weiß, daß die Kohle, wenn man sie nicht stähle, einfach weggeworfen würde. Hin und wieder zeigen die Bergbaugesellschaften der Form halber jemanden wegen Kohlesammelns an, und in der Morgenausgabe der Lokalzeitung stand in einem Artikel, zwei Männer seien mit zehn Shilling gebüßt worden. Aber die Anzeigen werden nicht beachtet – tatsächlich war einer der Männer, die in der Zeitung genannt wurden, am Nachmittag wieder da – und die Kohlesammler organisieren unter sich Geldsammlungen, um die Bußen zu bezahlen. Die ganze Sache ist ausgemacht. Jedermann weiß, daß die Arbeitslosen irgendwie zu Brennstoff kommen müssen. Und so riskieren jeden Nachmittag mehrere hundert Männer ihren Hals, und mehrere hundert Frauen scharren im Dreck – und alles für einen halben Zentner schlechter Kohle, Wert ninepence.

Diese Szene bleibt mir als eines meiner Bilder von Lancashire im Gedächtnis haften: die gedrungenen, in Umschlagtücher gehüllten Frauen mit ihren sackleinenen Schürzen und den schweren schwarzen Holzschuhen, die im Schlackendreck und bitterkalten Wind knien und emsig nach winzigen Kohlestücken suchen. Sie sind sogar noch froh darum. Im Winter haben sie Brennstoff dringend nötig; er ist fast noch wichtiger als Nahrung. Unterdessen sieht man rundherum, so weit das Auge reicht, die Schlackenberge und die Fördermaschinen der Bergwerke, und kein einziges dieser Bergwerke kann alle Kohle verkaufen, die es zu produzieren imstande ist. Das müßte Major Douglas* eigentlich gefallen.

* Major C.H. Douglas begründete eine sog. »Social Credit« Bewegung, nach der Wohlstand durch monetarische Reformen hergestellt werden konnte. Es scheint, daß Orwell zur Zeit die Bewegung über Gebühr mit faschistischen Strömungen zusammengebracht hatte.

VII

Wenn man nach Norden fährt, bemerkt das an den Süden oder Osten gewöhnte Auge keinen großen Unterschied, bis man über Birmingham hinaus ist. Genausogut wie in Coventry könnte man in Finsbury Park sein, und der »Bull Ring« in Birmingham sieht kaum anders aus als der Norwich Market. Zwischen den Städten des Mittellands dehnt sich eine Villenzivilisation aus, die man von der des Südens nicht unterscheiden kann. Erst wenn man etwas weiter nach Norden kommt, zu den Töpfereistädten und darüber hinaus, trifft man langsam auf die wirkliche Häßlichkeit des Industrialismus – eine Häßlichkeit, die so furchtbar ist und einen so gefangennimmt, daß man gewissermaßen gezwungen ist, mit ihr zurechtzukommen.

Ein Schlackenhügel ist bestenfalls etwas Scheußliches, weil er so ohne Plan und Funktion ist. Er ist etwas, das einfach auf die Erde geschüttet wird, wie wenn der Mülleimer eines Riesen geleert würde. In der Umgebung der Bergbaustädte gibt es schreckliche Landschaften, in denen das Gesichtsfeld vollständig von zackigen grauen Bergen eingekreist ist; unter einem ist Schlamm und Asche, und über einem die Stahlkabel, an denen Förderwagen mit Dreck langsam meilenweit durch die Gegend fahren. Oft brennen die Schlackenberge, und nachts kann man die roten Feuerbäche sehen, die sich dahin und dorthin schlängeln, und die sich langsam bewegenden Schwefelflammen, die immer aussehen, als ob sie im Augenblick verlöschen wollten, und immer wieder hervorkommen. Auch wenn ein Schlackenberg absinkt, und das tut er ja letztlich, wächst nur schlechtes braunes Gras auf ihm, und er behält seine hügelige Oberfläche. In den Slums von Wigan gibt es einen Schlackenberg, der als Spielfeld benutzt wird und aussieht wie eine plötzlich gefrorene kabbelige See; »Wollmatratze« wird er dort genannt. Auch noch in Hunderten von Jahren, wenn dort, wo einst Kohle abgebaut wurde, der Pflug geführt wird, wird man die Lage früherer Schlackenberge noch vom Flugzeug aus unterscheiden können.

Ich denke an einen Winternachmittag in der scheußlichen Umgebung von Wigan. Ich war umgeben von einer Mondlandschaft aus Schlackenbergen, und gegen Norden, zwischen den Schlackenbergen, über ihren Jochen sozusagen, konnte man die Fabrikschlote ihre Rauchfahnen ausstoßen sehen. Der Kanalweg war eine Mischung aus Schlacke und gefrorenem Schlamm, kreuz und quer gemustert von den Abdrücken zahlloser Holzschuhe, und überall, soweit die Schlackenhügel reichten, dehnten sich »Blitze« aus – Tümpel mit stillstehendem Wasser, das in die durch das Absinken alter Gruben entstandenen Hohlräume sickert. Es war furchtbar kalt. Die »Blitze« waren mit einer Eisschicht von der Farbe ungebrannter Umbraerde bedeckt, die Bootsleute waren bis an die Augen in Säcke gehüllt, an den Schleusentoren hingen Eiszapfen. Es sah aus wie eine Welt, aus der die Vegetation verbannt ist; es gab nichts als Rauch, Kohleschiefer, Eis, Schlamm, Asche und fauliges Wasser. Aber sogar Wigan ist schön, wenn man es mit Sheffield vergleicht. Sheffield könnte vermutlich mit Recht Anspruch darauf erheben, die häßlichste Stadt der Alten Welt genannt zu werden; seine Einwohner, die in allem etwas Besonderes sein wollen, erheben diesen Anspruch höchstwahrscheinlich auch. Sheffield hat eine Bevölkerung von einer halben Million und umfaßt weniger ordentliche Häuser als ein durchschnittliches ostengelländisches Dorf von fünfhundert Einwohnern. Und der Gestank! Wenn man in einem seltenen Augenblick den Schwefel nicht mehr riecht, dann nur deshalb, weil gerade der Geruch von Gas durchschlägt. Sogar der seichte Fluß, der durch die Stadt fließt, ist gewöhnlich von diesen oder jenen Chemikalien leuchtend gelb. Einmal blieb ich auf der Straße stehen und zählte die Fabrikschlote, die ich sah: es waren dreiunddreißig, aber es wären eit mehr gewesen, wenn nicht der Rauch die Luft verdüstert hätte. Eine Szene ist mir besonders im Gedächtnis geblieben. Ein schrecklicher Flecken Ödland (irgendwie erreicht hier oben ein Stück Ödland eine Schmutzigkeit, die nicht einmal in London möglich wäre), das Gras weggetrampelt, und überall Zeitungen und alte Kochtöpfe. Rechts eine Reihe trostloser Vierzimmerhäuser, dunkelrot, vom Rauch geschwärzt. Links eine endlos weite Aussicht auf Fabrikschlote, Kamine hinter Kaminen, die im trüben schwärzlichen Dunst verschwanden. Hinter mir ein Bahndamm aus Schlacke von den Schmelzöfen. Vor mir, hinter dem Flecken Ödland, ein würfelförmiges Gebäude aus roten und gelben Ziegelsteinen mit der Aufschrift »Thomas Grocock, Transportunternehmer«.

Nachts, wenn man die schrecklichen Formen der Häuser und die Scheußlichkeit von allem nicht sehen kann, bekommt eine Stadt wie Sheffield eine Art düstere Pracht. Manchmal sind die Rauchschwaden rötlich vom Schwefel, und unter den Schornsteinkappen der Eisengießereien drücken sich wie Kreissägen gezackte Flammen heraus. Durch die offenen Türen der Gießereien sieht man feurige Schlangen aus Stahl, die von rot beleuchteten Jungen hin und her transportiert werden, und man hört das Stampfen und Zucken von Dampfhämmern und den Schrei des Stahls unter dem Schlag. Die Töpfereistädte sind fast ebenso häßlich, aber auf unscheinbarere Art. Gleich zwischen den schmalen, geschwärzten Häuserzeilen, ein Teil der Straße sozusagen, sind die »Topfdämme«, konische Ziegelkamine wie riesige im Boden vergrabene Burgunderflaschen, die einem ihren Rauch fast ins Gesicht stoßen. Man trifft auf riesige Lehmspalten, Hunderte von Fuß lang und fast ebenso tief, mit kleinen rostigen Förderwagen, die an Kettenzügen auf der einen Seite hochkriechen, während auf der anderen Seite Arbeiter sich wie Meerdillsammler festklammern und mit ihren Hacken auf das Flöß der Klippen einhauen. Als ich dort vorbeikam, schneite es, und sogar der Schnee war schwarz. Das Beste, was man noch von den Töpfereistädten sagen kann, ist, daß sie ziemlich klein und klar begrenzt sind. Weniger als zehn Meilen entfernt kann man in der unberührten Natur stehen, auf den fast kahlen Hügeln, und die Töpfereistädte sind nur ein Flecken am Horizont.

Wenn man solche Häßlichkeit betrachtet, stellen sich einem sofort zwei Fragen. Erstens, ist sie vermeidbar? Zweitens, ist sie von Bedeutung?

Ich glaube nicht, daß der Industrialismus etwas an sich und unvermeidlich Häßliches an sich hat. Eine Fabrik oder selbst ein Gaswerk muß durch seine Natur nicht häßlicher sein als ein Palast, eine Hundehütte oder eine Kathedrale. Alles hängt von der architektonischen Tradition des Zeitalters ab. Die Industriestädte im Norden sind häßlich, weil sie zu einer Zeit gebaut wurden, in der moderne Methoden der Stahlkonstruktion und Rauchverminderung unbekannt waren und in der alle zu sehr mit Geldverdienen beschäftigt waren, um an sonst etwas zu denken. Weiterhin häßlich bleiben sie vor allem deshalb, weil sich die Leute im Norden an sie gewöhnt haben und sie nicht mehr bemerken. Viele Leute aus Sheffield oder Manchester würden, wenn sie die Luft an den kornischen Klippen atmeten, wahrscheinlich erklären, sie schmecke nach nichts. Aber seit dem Krieg verlagert sich die Industrie nach Süden und ist dadurch fast hübsch geworden. Die typische Nachkriegsfabrik ist nicht eine trostlose Baracke oder ein schreckliches Chaos aus Schwärze und rauchenden Schloten; sie ist ein glitzerndes weißes Gebäude aus Beton, Glas und Stahl, umgeben von grünem Rasen und Tulpenbeeten. Schauen Sie die Fabriken an, an denen man vorbeikommt, wenn man mit dem G.W.R.-Zug aus London hinausfährt: sie sind nicht gerade Triumphe der Ästhetik, aber sie sind sicher nicht in der gleichen Art häßlich wie die Gaswerke von Sheffield. Aber ohnehin bezweifle ich, daß die Häßlichkeit des Industrialismus, obwohl sie das Offensichtlichste an ihm ist und obwohl jeder Anfänger gegen sie loslegt, von zentraler Bedeutung ist. Und da wir den Industrialismus in seiner gegenwärtigen Form nun einmal haben, wäre es wohl gar nicht wünschenswert, daß er sich zu verkleiden beginnt. Eine dunkle teuflische Fabrik sollte, wie Mr. Aldous Huxley richtig bemerkt hat, wie eine dunkle teuflische Fabrik aussehen und nicht wie ein Tempel geheimnisvoller herrlicher Götter. Außerdem sieht man auch in den schlimmsten Industriestädten vieles, das nicht im engen ästhetischen Sinne häßlich ist. Ein rauchender Schlot oder ein stinkender Slum ist vor allem deshalb abstoßend, weil er gebeugte Leben und leidende Kinder impliziert. Wenn man es von einem rein ästhetischen Standpunkt aus betrachtet, hat es vielleicht sogar einen gewissen makabren Reiz. Ich glaube, daß alles, was übermäßig seltsam ist, mich letzten Endes fasziniert, auch wenn ich es verabscheue. Die Landschaften in Burma, die mich, solange ich dort war, dermaßen abstießen, daß sie zu Alpträumen wurden, spukten später so in meinen Gedanken herum, daß ich einen Roman über sie schreiben mußte, um sie loszuwerden. (In allen Romanen über den Osten ist die Landschaft das eigentliche Thema.) Wahrscheinlich wäre es ziemlich leicht, der Schwärze der Industriestädte eine Art Schönheit abzugewinnen, wie Arnold Bennett es ja getan hat; man kann sich beispielsweise leicht ein Gedicht von Baudelaire über einen Schlackenberg vorstellen. Aber es kommt kaum darauf an, ob der Industrialismus schön oder häßlich ist. Sein wirkliches Übel liegt viel tiefer und ist wohl nicht auszurotten. Es ist wichtig, das im Gedächtnis zu behalten, denn man ist immer versucht zu denken, der Industrialismus sei harmlos, solange er sauber und ordentlich daherkommt.

Aber wenn man in die Industriegebiete des Nordens geht, ist man sich, ganz abgesehen von der ungewohnten Umgebung, bewußt, daß man in ein fremdes Land kommt. Das liegt zum Teil an gewissen tatsächlichen Unterschieden, mehr aber noch an der Nord-Süd-Antithese, die uns seit so langer Zeit eingetrichtert worden ist. Es gibt in England einen wunderlichen Kult mit dem Norden, eine Art nördlichen Snobismus. Jemand aus Yorkshire, der im Süden ist, wird einen immer wissen lassen, daß er einen als minderwertig betrachtet. Fragt man ihn nach dem Grund, erklärt er, daß das Leben nur im Norden »richtiges« Leben ist und die im Norden verrichtete Arbeit die einzige »richtige« Arbeit ist und daß der Norden von den »richtigen« Leuten bewohnt wird, der Süden dagegen nur von Privatiers und ihren

Schmarotzern. Der Nordengländer hat »Grütze«, er ist grimmig, er »hat einen harten Kopf«, ist mutig, herzlich und demokratisch; der Südengländer ist versnobt, verweichlicht und faul – so sieht jedenfalls die Theorie aus. Deshalb geht der Südengländer, besonders, wenn es das erste Mal ist, mit dem vagen Minderwertigkeitskomplex des zivilisierten Mannes, der sich unter die Wilden wagt, nach Norden, während der Mann aus Yorkshire, wie der aus Schottland, mit der Haltung eines Barbaren, der auf Beute aus ist, nach London kommt. Solche Gefühle, die durch Tradition entstanden sind, werden durch sichtbare Tatsachen nicht beeinflußt. Genau wie ein Engländer, der fünf Fuß vier Zoll groß ist und einen Brustumfang von neunundzwanzig Zoll hat, sich als Engländer einem Carnera (der ein »Welscher« ist) überlegen fühlt, so ist es auch mit dem Nord- und dem Südengländer. Ich erinnere mich, daß ein kleiner klappriger Mann aus Yorkshire, der ziemlich sicher weggerannt wäre, wenn ein Foxterrier nach ihm geschnappt hätte, mir erzählte, in Südengland fühle er sich »wie ein wilder Angreifer«. Aber der Kult wird oft auch von Leuten übernommen, die selbst nicht aus dem Norden stammen. Vor ein, zwei Jahren fuhr mich ein Freund, der im Süden aufgewachsen ist, jetzt aber im Norden lebt, im Auto durch Suffolk. Wir kamen durch ein recht schönes Dorf. Er warf einen mißbilligenden Blick auf die Landhäuschen und sagte:

> »Natürlich sind die meisten Dörfer in Yorkshire scheußlich; aber die Leute dort sind prima Kerls. Hier unten ist es genau umgekehrt: schöne Dörfer und scheußliche Leute. Alle die Leute in diesen Landhäuschen sind nichtsnutzig, absolut nichtsnutzig.«

Ich konnte mir die Frage nicht verkneifen, ob er jemanden im Dorf kenne. Nein, er kannte niemanden, aber da es in Ost-Engelland war, taugten sie offensichtlich alle nichts. Ein anderer Freund, wiederum Südengländer von Geburt, läßt keine Gelegenheit aus, den Norden zum Nachteil des Südens zu loben. Hier ein Auszug aus einem seiner Briefe an mich:

> »Ich bin in Clitheroe, Lancs ... Ich glaube, fließendes Wasser ist in einem Heide- und Bergland viel anziehender als im fetten und trägen Süden.«

Hier haben wir ein interessantes Beispiel für den Kult mit dem Norden. Nicht nur werden Sie und ich und jedermann im Süden als »fett und träge« abgetan, sondern sogar das Wasser hört, wenn es über eine gewisse nördliche Breite hinauskommt, auf, H_2O zu sein, und wird zu etwas geheimnisvoll Höherem. Aber das Interessante an dieser Passage liegt darin, daß ihr Verfasser ein überaus intelligenter Mann mit »fortschrittlichen« Ansichten ist, der für den Nationalismus in seiner gewöhnlichen Form nichts als Verachtung übrig hätte. Wenn man ihm eine Behauptung wie »ein Brite ist soviel wert wie drei Fremde« unterstellte, würde er sie entsetzt zurückweisen. Wenn es sich jedoch um die Frage von Norden und Süden handelt, ist er gleich zu Verallgemeinerungen bereit. *Alle* nationalistischen Unterscheidungen – alle Ansprüche, besser zu sein als jemand anderer, weil man einen anders geformten Schädel hat oder einen anderen Dialekt spricht – sind völlig falsch, aber sie sind so lange wichtig, wie Leute an sie glauben. Zweifellos hat der Engländer die angeborene Überzeugung, daß jene, die südlich von ihm leben, weniger wert sind als er; sogar unsere Außenpolitik wird bis zu einem gewissen Grad davon bestimmt. Deshalb lohnt es sich meiner Meinung nach zu zeigen, wann und warum sie entstand.

Als der Nationalismus erstmals zur Religion wurde, schauten die Engländer auf die Landkarte und entwickelten, nachdem sie bemerkt hatten, daß ihre Insel hoch oben in der nördlichen Hemisphäre lag, die angenehme Theorie, daß man um so vorzüglicher wird, je nördlicher man lebt. Die Geschichten, die mir erzählt wurden, als ich ein kleiner Junge war, fingen im allgemeinen mit der auf die naivste Weise vorgebrachten Erklärung an, daß ein kaltes Klima die Leute tatkräftig, ein heißes sie aber faul mache; daher die Niederlage der spanischen Armada. Dieser Unsinn von der überlegenen Tatkraft der Engländer (in Wirklichkeit die faulsten Leute in Europa) ist seit mindestens hundert Jahren allgemein verbreitet. »Es ist besser für uns«, schreibt der Rezensent einer Vierteljahresschrift von 1827, »zur Arbeit zum Wohle unseres Landes verurteilt zu sein, als in Oliven, Wein und Lastern zu schwelgen«. »Oliven, Wein und Laster« – das faßt die normale Haltung der Engländer gegenüber den lateinischen Rassen zusammen. In der Mythologie von Carlyle, Creasey etc. ist der Mensch aus dem Norden (»teutonisch«, später »nordisch«) als ein strammer kräftiger Kerl mit blondem Schnauzbart und moralischer Lebensführung dargestellt, während der Südländer schlau, feig und ausschweifend ist. Diese Theorie ist nie bis zu ihrer logischen Konsequenz geführt worden, nämlich zu der Annahme, die Eskimos seien die vortrefflichsten Leute der Welt; aber tatsächlich räumte sie ein, daß uns die Leute, die nördlich von uns wohnen, überlegen sind. Daher kommt, zum Teil, der Kult um Schottland und alles Schottische, der das englische Leben während der letzten fünfzig Jahre so tief geprägt hat. Ihre besondere Richtung bekam die Nord-Süd-Antithese aber durch die Industrialisierung des Nordens. Bis vor relativ kurzer Zeit war der nördliche Teil Englands rückständig und feudal, und was es an Industrie gab, war in London und im Südosten konzentriert. Im Bürgerkrieg zum Beispiel, grob gesagt, einem Krieg zwischen Geld und Feudalismus, waren der Norden und der Westen für den König, der Süden und der Osten für das Parlament. Mit dem zunehmenden Kohleverbrauch verschob sich die Industrie jedoch nach Norden, und es entstand ein neuer Menschentyp: der Self-made-Geschäftsmann aus dem Norden, die Mr. Rouncewell und Mr. Bounderby bei Dickens. Der Geschäftsmann des Nordens mit seiner gehässigen »friß-oder-stirb«-Mentalität war die dominierende Figur im neunzehnten Jahrhundert, und er regiert uns immer noch als eine Art tyrannischer Leichnam. Es ist der Typ, den Arnold Bennett aufgebaut hat – der Typ, der mit einer halben Krone anfängt und mit fünfzigtausend Pfund aufhört und dessen Hauptstolz es ist, nachdem er sein Vermögen gemacht hat, noch der größere Flegel zu sein als vorher. Wenn man es nachprüft, besteht seine einzige Tugend in dem Talent, Geld zu machen. Wir wurden angehalten, ihn zu bewundern, denn obgleich er vielleicht engstirnig, ordinär, ungebildet, habgierig und grob war, hatte er »Grütze« im Kopf, mit andern Worten, er wußte, wie man es zu Geld bringt.

Solcherlei Phrasen sind heute reiner Anachronismus, denn der Geschäftsmann aus dem Norden macht keine guten Geschäfte mehr. Aber Traditionen werden durch Tatsachen nicht umgebracht, und die Tradition der nördlichen »Grütze« hält an. Man hat immer noch das undeutliche Gefühl, einer aus dem Norden werde »vorwärtskommen«, wo einer aus dem Süden scheitert. Jeder, der aus Schottland oder Yorkshire nach London kommt, sieht sich im Hinterkopf als eine Art Dick-Whittington-Junge, der als Zeitungsverkäufer anfängt und schließlich Oberbürgermeister wird. Das ist der eigentliche Kern seiner Aufgeblasenheit. Aber man macht einen großen Fehler, wenn man annimmt, dieses Gefühl gelte auch für die englische Arbeiterklasse. Als ich vor ein paar Jahren zum erstenmal nach Yorkshire fuhr, hatte ich die Vorstellung, in ein Land grober Lümmel zu kommen. Ich war die Yorkshirer in London mit ihren endlosen Ansprachen und dem Stolz auf die vermeintliche Rasse ihres Dialekts gewohnt, und ich rechnete damit, auf eine gute Portion Grobheit zu stoßen. Aber ich traf nichts von der Art an, am allerwenigsten unter den Bergleuten. Tatsächlich behandelten die Bergleute in Lancashire und Yorkshire mich mit einer Freundlichkeit und Höflichkeit, die mich sogar verlegen machte; denn wenn es einen Menschentyp gibt, dem ich mich unterlegen fühle, dann dem Bergmann. Jedenfalls ließ mich niemand irgendein Zeichen der Verachtung spüren, weil ich aus einem andern Teil des Landes kam. Das hat seine Wichtigkeit, wenn man bedenkt, daß die regionalen Snobismen in England Nationalismus im kleinen sind; denn es weist darauf hin, daß der Lokalsnobismus kein Charakteristikum der Arbeiterklasse ist.

Nichtsdestoweniger gibt es einen wirklichen Unterschied zwischen Nord und Süd, und in dem Bild von Südengland als einem riesengroßen, von Salonlöwen bewohnten Brighton liegt zumindest eine Spur Wahrheit. Die parasitäre, Dividenden beziehende Klasse neigt aus klimatischen Gründen dazu, sich im Süden niederzulassen. In einer Baumwollstadt in Lancashire könnte man wahrscheinlich monatelang herumlaufen, ohne ein einziges Mal einen »gebildeten« Akzent zu hören, während es in Südengland kaum eine Stadt gibt, wo man einen Stein irgendwohin werfen kann, ohne die Nichte eines Bischofs zu treffen. Folglich geht im Norden, wo der niedere Adel als Schrittmacher fehlt, die Verbürgerlichung der Arbeiter langsamer vor sich, obwohl sie auch hier stattfindet. Beispielsweise behaupten sich alle nördlichen Akzente hartnäckig, während die südlichen durch das Kino und die BBC zusammenfallen. Daher stempelt einen der »gebildete« Akzent eher zum Fremden als zu jemandem vom Holz des niederen Adels; und das ist ein immenser Vorteil, denn dadurch wird es viel leichter, mit den Arbeitern in Kontakt zu kommen.

Aber ist es überhaupt je möglich, mit den Arbeitern wirklich vertraut zu werden? Ich muß das später noch diskutieren; hier will ich nur sagen, daß ich es für möglich halte. Aber zweifellos ist es im Norden leichter als im Süden, Arbeitern auf ungefähr der gleichen Ebene zu begegnen. Es ist ziemlich leicht, im Haus eines Bergmanns zu leben und wie ein Familienmitglied akzeptiert zu werden; das wäre etwa bei einem Farmarbeiter in einem der südlichen Counties wohl nicht möglich. Ich habe von der Arbeiterklasse gerade genug gesehen, um Idealisierungen zu vermeiden, aber ich weiß auch, daß man in einer Arbeiterwohnung eine ganze Menge lernen kann, wenn man nur erst einmal hingekommen ist. Entscheidend ist, daß die Ideale und Vorurteile des Mittelstands, die man mitbringt, auf die Probe gestellt werden durch den Kontakt mit andern, die nicht unbedingt besser sind, aber sicherlich anders.

Nehmen Sie zum Beispiel die verschiedenen Einstellungen gegenüber der Familie. Eine Arbeiterfamilie hält genauso stark zusammen wie eine Mittelstandsfamilie, aber die Beziehung ist weit weniger tyrannisch. Einem Arbeiter hängt nicht das tödliche Gewicht des Familien-Prestiges wie ein Mühlstein um den Hals. Ich habe oben darauf hingewiesen, daß Leute aus dem Mittelstand unter dem Druck der Armut völlig kaputtgehen, und das liegt im allgemeinen am Verhalten der Familie – an der Tatsache, daß er Dutzende von Verwandten hat, die ihn Tag und Nacht quälen und an ihm herumnörgeln, weil er nicht »vorwärtskommt«. Daß die Arbeiter sich zusammentun können, der Mittelstand aber nicht, liegt wahrscheinlich an ihren verschiedenen Konzeptionen von Familienloyalität. Es kann keine wirksame Gewerkschaft von Arbeitern des Mittelstands geben, weil in Streikzeiten fast jede Mittelstandsehefrau ihren Mann aufhetzen würde, den Streik zu brechen und den Job des Kumpels zu bekommen. Ein anderes Charakteristikum, das einen am Anfang verlegen macht, ist ihre Unverblümtheit gegenüber jedem, den sie als ebenbürtig ansehen. Wenn man einem Arbeiter etwas anbietet, das er nicht will, sagt er einem das; jemand aus dem Mittelstand würde es annehmen, um keinen Anstoß zu erregen. Oder nehmen Sie die Haltung der Arbeiter gegenüber der »Bildung«. Wie verschieden ist sie von der unseren, und wie unvergleichlich gesünder! Arbeiter haben oft eine undeutliche Achtung vor dem Wissen anderer, aber wo die »Bildung« ihr eigenes Leben berührt, durchschauen sie sie und weisen sie mit sicherem Instinkt zurück. Es gab eine Zeit, da ich oft über wohl nur meiner Phantasie entstammende vierzehnjährige Burschen lamentierte, die unter Protesten von ihren Schulbänken gezerrt und an eine schreckliche Arbeit gestellt wurden. Es schien mir furchtbar, daß das Verhängnis einer »Arbeit« auf einen Vierzehnjährigen käme. Natürlich weiß ich jetzt, daß unter tausend Arbeiterjungen nicht einer ist, der sich nicht nach dem Tag sehnt, an dem er aus der Schule kommt. Er will richtig arbeiten und seine Zeit nicht mit lächerlichem Quatsch wie Geschichte und Erdkunde verlieren. Für Arbeiter ist die Vorstellung, daß einer in der Schule bleibt, bis er fast erwachsen ist, einfach verachtenswert und nicht männlich. Ein großer langer Junge von achtzehn Jahren, der seinen Eltern ein Pfund pro Woche heimbringen sollte und statt dessen in einer lächerlichen Uniform zur Schule geht und geprügelt wird, wenn er seine Hausaufgaben nicht gemacht hat! Stellen Sie sich nur einmal einen achtzehnjährigen Arbeiterjungen vor, der sich prügeln läßt! Er ist ein Mann, während der andere immer noch ein Baby ist. Ernst Pontifex in Samuel Butlers *Der Weg allen Fleisches* schaute nach den ersten flüchtigen Erfahrungen mit dem wirklichen Leben auf seine Zeit an der Privatschule zurück und nannte sie eine »kränkliche, schwächende Ausschweifung«. Im Leben des Mittelstands gibt es vieles, das von einem Arbeiterstandpunkt aus betrachtet kränklich und schwächend ist.

In einem Arbeiterhaus – im Moment denke ich nicht an die Häuser von Arbeitslosen, sondern von Leuten, denen es relativ gut geht – atmet man eine warme, angenehme, tief menschliche Atmosphäre, die man anderswo nicht so leicht findet. Ich würde sagen, daß ein manueller Arbeiter, wenn er eine feste Arbeit und einen guten Lohn hat – ein »Wenn«, das immer größer wird – eine größere Chance hat, glücklich zu sein, als ein »gebildeter« Mensch. Sein Leben zu Hause scheint auf natürlichere Weise eine gesunde und hübsche Form zu finden. Ich war oft berührt von der besonderen und leichten Vollkommenheit, der perfekten Symmetrie gewissermaßen, einer Arbeiterwohnung in ihrer besten Verfassung. Besonders an Winterabenden nach dem Tee, wenn das Feuer im offenen Herd glüht und tanzt und sich im eisernen Kaminvorsetzer spiegelt, wenn der Vater in Hemdsärmeln auf der einen Seite am Feuer im Schaukelstuhl sitzt und die Resultate der Finalrennen liest und die Mutter mit der Näharbeit auf der andern Seite sitzt und die Kinder sich mit Pfefferminzbonbons für einen Penny vergnügen und der Hund auf der

Flickelmatte liegt und sich rösten läßt – das ist ein schöner Ort, vorausgesetzt, daß man nicht nur dort ist, sondern auch ausreichend *von* dort, um dazuzugehören.

Diese Szene findet sich in einer Vielzahl von englischen Häusern, wenn auch nicht mehr in so vielen wie vor dem Krieg. Ihr Glück hängt hauptsächlich von einer Frage ab – ob der Vater Arbeit hat. Aber beachten Sie, daß das von mir zitierte Bild einer Arbeiterfamilie, die nach Rauchheringen und starkem Tee um das Kohlenfeuer sitzt, nur in unsere eigene Gegenwart gehört und weder in die Vergangenheit noch in die Zukunft gehören könnte. Springen Sie zweihundert Jahre vorwärts in eine utopische Zukunft, und die Szene sieht völlig anders aus. Kaum etwas von dem, was ich mir vorgestellt habe, wird noch da sein. In einem Zeitalter, in dem es keine manuelle Arbeit mehr gibt und jedermann »gebildet« ist, ist es kaum wahrscheinlich, daß der Vater immer noch ein derber Mann mit vergrößerten Händen ist, der gern in Hemdsärmeln dasitzt und »A wur coomin' oop street« [»I was coming up street«] sagt, und es wird kein Kohlefeuer im Herd geben, nur eine Art unsichtbare Heizung. Das Mobiliar wird aus Gummi, Glas und Stahl bestehen. Wenn es so etwas wie Abendzeitungen noch gibt, werden sie sicher keine Rennberichte enthalten, denn in einer Welt, in der es keine Armut gibt und die Pferde von der Erdoberfläche verschwunden sind, wird das Wetten sinnlos sein. Auch Hunde werden aus hygienischen Gründen verboten sein. Und es wird nicht so viele Kinder geben, wenn die Geburtenbeschränker ihren Willen bekommen. Aber gehen Sie zurück ins Mittelalter, und Sie sind in einer fast ebenso fremden Welt. Eine fensterlose Hütte, ein Holzfeuer, dessen Rauch einem ins Gesicht schlägt, weil es keinen Kamin gibt, schimmeliges Brot, Dörrfisch, Läuse, Skorbut, jährlich eine Geburt und ein Kindertod, und der Priester, der einem mit Geschichten von der Hölle das Gruseln beibringt.

Seltsam genug, daß es *nicht* die Triumphe der modernen Technik sind, nicht das Radio, nicht das Kino, nicht die fünftausend Romane, die jährlich publiziert werden, die Menschenmassen im Ascot und das Spiel zwischen Harrow und Eton – sondern die Erinnerung an Arbeiterwohnungen – besonders wie ich sie in meiner Kindheit sah, vor dem Krieg, als es England noch gut ging –, die mich daran erinnern, daß unser Zeitalter doch nicht *nur* schlecht war.

ZWEITER TEIL

VIII

Der Weg von Mandalay* nach Wigan ist weit, und die Gründe, ihn einzuschlagen, sind nicht ohne weiteres verständlich.

Im ersten Teil dieses Buches habe ich ziemlich fragmentarisch von dem berichtet, was ich in den Kohlegebieten von Lancashire und Yorkshire gesehen habe. Zum Teil ging ich dorthin, um festzustellen, wie die Massenarbeitslosigkeit da, wo sie am schlimmsten ist, aussieht, zum Teil, um die typischste Gruppe der englischen Arbeiterklasse aus nächster Nähe zu erleben. Das war für mich als Teil meiner Annäherung an den Sozialismus notwendig, denn bevor man sicher sein kann, ob man wirklich für den Sozialismus ist, muß man entscheiden, ob die gegenwärtigen Zustände erträglich oder unerträglich sind, und man muß in der entsetzlich schwierigen Klassenfrage eine deutliche Haltung annehmen. Hier muß ich abschweifen und erklären, wie sich meine eigene Haltung in der Klassenfrage entwickelt hat. Dazu ist freilich ein gewisses Maß an biographischen Aufzeichnungen nötig, die ich nicht unternehmen würde, wenn ich mich nicht für ausreichend typisch für meine Klasse – oder eher Unterkaste – hielte, um eine gewisse symptomatische Wichtigkeit zu haben.

Ich wurde in das hineingeboren, was man den unteren oberen Mittelstand nennen könnte. Der obere Mittelstand, der seine Blütezeit in den achtziger und neunziger Jahren hatte, mit Kipling als seinem Poeta laureatus, war eine Art Hügel aus dem Strandgut, das liegenblieb, als die Flut des Viktorianischen Wohlstands zurückwich. Oder vielleicht wäre es besser, die

* In Anspielung auf ein Gedicht von Rudyard Kipling

Metapher zu ändern und nicht von einem Hügel, sondern von einer Schicht zu reden – einer Gesellschaftsschicht, deren jährliches Einkommen zwischen 2000 und 300 Pfund liegt: meine Familie war nicht weit von der unteren Grenze entfernt. Sie bemerken, daß ich die Schicht in Geld ausdrücke, denn das ist immer die rascheste Art der Verständigung. Trotzdem ist der entscheidende Punkt beim englischen Klassensystem, daß es sich unter dem Aspekt des Verdienstes *nicht* ganz erklären läßt. Grob genommen ist es eine Geld-Schichtung, aber sie ist auch durchdrungen von einer Art undeutlichem Kastensystem; etwa wie ein leicht gebauter moderner Bungalow, in dem mittelalterliche Geister spuken. So kommt es, daß sich der obere Mittelstand bis zu Einkommen von lediglich 300 Pfund im Jahr erstreckt oder erstreckte – bis zu Einkommen also, die weit niedriger sind als jene des gewöhnlichen Mittelstands ohne gesellschaftliche Prätentionen. Wahrscheinlich ist es in manchen Ländern möglich, vom Einkommen eines Mannes auf seine Ansichten zu schließen, aber in England bleibt das immer unsicher; man muß stets auch die Traditionen berücksichtigen. Ein Marineoffizier hat wahrscheinlich ungefähr das gleiche Einkommen wie sein Lebensmittelhändler; aber sie sind nicht gleichwertige Personen, und nur bei sehr großen Streitfragen wie etwa einem Krieg oder einem Generalstreik ständen sie auf der gleichen Seite – vielleicht nicht einmal dann.

Natürlich ist es heute mit dem oberen Mittelstand offensichtlich vorbei. In jedem Landstädtchen in Südengland, von den traurigen Einöden von Kensington und Earls Court zu schweigen, sterben diejenigen, die ihn noch zu seiner Blütezeit gekannt haben, dahin, vage verbittert über eine Welt, die sich nicht so benommen hat, wie sie sollte. Ich schlage nie ein Buch von Kipling auf oder gehe in eines dieser riesigen abgeschmackten Geschäfte, die einmal der Lieblingsaufenthalt des oberen Mittelstands waren, ohne zu denken: »Wechsel und Verfall ist alles, was ich sehe.« Aber vor dem Krieg fühlte sich der obere Mittelstand, obwohl es schon niemandem mehr allzu gut ging, noch selbstsicher. Vor dem Krieg war man entweder ein Gentleman, oder man war keiner; und wenn man einer war, strengte man sich an, sich wie einer zu benehmen, egal, was für ein Einkommen man hatte. Zwischen denen mit 400 Pfund im Jahr und denen mit 2000 Pfund oder nur schon 1000 Pfund im Jahr bestand eine große Kluft, aber die mit 400 Pfund im Jahr ignorierten diese Kluft, so gut sie konnten. Wahrscheinlich bestand das Unterscheidungsmerkmal des oberen Mittelstands darin, daß seine Traditionen kaum im Handel lagen, sondern hauptsächlich im Militär, im Beamtentum und in den gelehrten Berufen. Leute, die zu dieser Schicht gehörten, besaßen kein Land, aber sie hatten das Gefühl, daß sie in Gottes Augen Landbesitzer seien, und erhielten aristokratische Anschauungen aufrecht, indem sie lieber in die gelehrten Berufe oder in den Armeedienst gingen als in den Handel. Kleine Jungen pflegten die Pflaumensteine auf ihren Tellern zu zählen und ihr Schicksal vorauszusagen, indem sie sangen: »Armee, Marine, Kirche, Medizin, Recht«; und selbst hierbei war »Medizin« den andern Gebieten leicht unterlegen und nur aus Gründen der Symmetrie eingefügt. Es war komisch, auf einem Niveau von 400 Pfund im Jahr zu dieser Gesellschaftsschicht zu gehören, denn es bedeutete, daß sich das Vornehme fast vollständig auf die Theorie beschränkte. Man lebte sozusagen gleichzeitig auf zwei Ebenen. Theoretisch wußte man alles über Bedienstete und wieviel Trinkgeld man ihnen geben sollte, obwohl man in der Praxis einen oder höchstens zwei feste Angestellte hatte. Theoretisch wußte man, wie man seine Kleider trägt und wie man ein Dinner bestellt, obwohl man es sich in der Praxis nie leisten konnte, zu einem ordentlichen Schneider oder in ein ordentliches Restaurant zu gehen. Theoretisch konnte man schießen und reiten, obwohl man in der Praxis keine Pferde zum Reiten und keinen Zoll Land für die Jagd hatte. Das alles erklärt die Anziehungskraft von Indien (später Kenya, Nigeria etc.) für den unteren oberen Mittelstand. Die Leute, die als Soldaten oder Beamte dorthin gingen, taten das nicht, um zu Geld zu kommen, denn ein Soldat oder Beamter ist nicht auf Geld aus; sie gingen dorthin, weil es in Indien – mit billigen Pferden, freier Jagd und Scharen von schwarzen Bediensteten – leichter war, den Gentleman zu spielen.

In dieser Art von schäbig-vornehmer Familie, von der ich spreche, ist das *Bewußtsein* der Armut viel größer als in jeder Arbeiterfamilie, die nicht gerade von der Arbeitslosenunterstützung lebt. Miete und Kleider und Schulrechnungen sind ein endloser Alptraum, und jeder Luxus, sogar ein Glas Bier, ist eine unverantwortliche Extravaganz. Praktisch das ganze Familieneinkommen geht drauf, um den Schein zu wahren. Es ist offensichtlich, daß Leute dieser Art in einer anomalen Position sind, und man könnte versucht sein, sie als bloße Ausnahmen und deshalb als unwichtig abzutun. In Wirklichkeit sind oder waren sie jedoch recht zahlreich. Die meisten Geistlichen und Lehrer zum Beispiel, fast alle angloindischen Beamten, ein kleiner Teil der Soldaten und Seeleute und eine recht große Anzahl von geistig Schaffenden und Künstlern fallen unter diese Kategorie. Aber die eigentliche Bedeutung dieser Schicht besteht darin, daß sie den Stoßdämpfer der Bourgeoisie bildet. Die eigentliche Bourgeoisie, die mit 2000 Pfund und mehr im Jahr, hat zwischen sich und der Klasse, die sie ausbeutet, ihr Geld als dicke Polsterschicht; wenn sie die Unteren Stände überhaupt wahrnimmt, dann als Angestellte, Bedienstete und Ladenhalter. Aber für die armen Teufel weiter unten, die sich abstrampeln, um im Grunde genommen mit einem Arbeitereinkommen ein vornehmes Leben zu führen, sieht die Sache anders aus. Sie sind zu einem engen und in gewissem Sinn vertraulichen Kontakt mit der Arbeiterklasse gezwungen, und ich vermute, daß die Haltung der traditionellen Oberschicht gegenüber den »gewöhnlichen« Leuten von ihnen herstammt.

Und worin besteht diese Haltung? Eine Haltung mokanter Überlegenheit, unterbrochen von heftigen Haßausbrüchen. Sehen Sie sich irgendeine Nummer des *Punch* aus den letzten dreißig Jahren an. Sie werden überall bemerken, daß vorausgesetzt wird, ein Arbeiter sei als solcher schon eine Witzfigur, ausgenommen in seltenen Momenten, wenn man ihm ansieht, daß es ihm zu gut geht: dann hört er auf, eine Witzfigur zu sein, und wird ein Teufel. Es hat keinen Zweck, mit der Verurteilung dieser Haltung Zeit zu verschwenden. Man überlegt sich besser, wie sie entstanden ist, und dazu muß man sich klarmachen, wie die Arbeiterklasse aussieht für die, die unter ihr leben, aber andere Gewohnheiten und Traditionen haben.

Eine schäbig-vornehme Familie ist in einer ganz ähnlichen Situation wie eine Familie von »poor whites« [»armen Weißen«] in einer Straße, wo alle andern Neger sind. Unter solchen Umständen muß man an seiner Vornehmheit festhalten, denn sie ist das einzige, was man hat, und gleichzeitig wird man wegen seiner Hochnäsigkeit und seinem Akzent und seinen Manieren, die einen als Mitglied der Herrenklasse abstempeln, gehaßt. Ich war sehr jung, kaum älter als sechs, als mir die Klassenunterschiede zum erstenmal bewußt wurden. Vorher waren meine großen Helden gewöhnlich Arbeiter gewesen, weil sie als Fischer, Hufschmiede und Maurer offenbar immer so interessante Dinge taten. Ich erinnere mich an die Knechte auf einem Bauernhof in Cornwall, die mich auf den Saatrillen reiten ließen, wenn sie Rüben säten, und manchmal fingen sie die Mutterschafe ein und melkten sie, um mir zu trinken zu geben; und ich erinnere mich an die Arbeiter, die das neue Haus nebenan bauten, die mich mit nassem Mörtel spielen ließen und von denen ich zum erstenmal das Wort »bugger« hörte; und an den Klempner weiter oben an der Straße, mit dessen Kindern ich Vogelnester ausnehmen ging. Aber kurz darauf wurde mir verboten, mit den Klempnerskindern zu spielen; sie waren »gewöhnlich«, und ich sollte mich von ihnen fernhalten. Das war versnobt, wenn Sie wollen, aber es war auch notwendig, denn Leute aus dem Mittelstand können es sich nicht leisten, ihre Kinder in der Umgebung von ordinären Akzenten aufwachsen zu lassen. So hörten die Arbeiter sehr früh auf, eine freundliche und erstaunliche Menschenrasse zu sein, und wurden zu einer feindlichen Art. Wir bemerkten, daß sie uns haßten, aber wir konnten nicht verstehen warum und führten es natürlich auf reine Bosheit zurück. Für mich und für fast alle Kinder aus Familien wie der unseren waren im frühen Knabenalter »gewöhnliche« Leute fast etwas Untermenschliches. Sie hatten grobe Gesichter, eine fürchterliche Redeweise und ungeschliffene Manieren, sie haßten jedermann, der nicht so war wie sie selber, und bei der ersten Gelegenheit würden sie einen auf die brutalste Art angreifen. Das war unser Bild von ihnen, und obwohl es falsch ist, war es verständlich. Denn man muß bedenken, daß es in England vor dem Krieg viel mehr *offenen* Klassenhaß gab als heute. Damals war die Wahrscheinlichkeit groß, daß man einfach deshalb beschimpft wurde, weil man wie ein Mitglied der Oberschicht aussah; heute dagegen ist es wahrscheinlicher, daß die Leute vor einem katzbuckeln. Jeder, der älter ist als dreißig, kann sich an die Zeit erinnern, als eine gutangezogene Person unmöglich durch eine Slumstraße gehen konnte, ohne ausgepfiffen zu werden. Ganze Quartiere in den Großstädten galten wegen der »Rowdies« (heute ein beinahe ausgestorbener Typ) als unsicher, und der allgegenwärtige Londoner Gassenjunge mit seiner lauten Stimme und seinem Mangel an intellektuellen Skrupeln konnte Leuten, die es unter ihrer Würde fanden zu antworten, das Leben sauer machen. Ein regelmäßiger Schrecken in den Ferien, als ich ein kleiner Junge war, waren die Banden von »Cads«, die zu fünft oder zu zehnt über einen herfallen konnten. Umgekehrt waren wir zu gewissen Zeiten in der Mehrzahl, und die »Cads« wurden niedergedrückt; ich erinnere mich an eine Reihe von wilden Massenschlachten im kalten Winter von 1916 auf 17. Und diese Tradition offener Feindschaft zwischen oberer und unterer Klasse hatte sich anscheinend seit mindestens einem Jahrhundert nicht verändert. Ein typischer Witz im *Punch* in den sechziger Jahren ist das Bild eines kleinen, nervös wirkenden Gentleman, der durch eine Slumstraße reitet, und einer Horde von Straßenjungen, die ihn mit den Rufen »Da kommt ein Nobler! Erschrecken wir sein

Pferd!« einkreisen. Stellen Sie sich vor, die Straßenjungen versuchten heute, sein Pferd zu erschrecken! Viel wahrscheinlicher würden sie in der vagen Hoffnung auf ein Trinkgeld um ihn herumlungern. In den letzten zwölf Jahren sind die englischen Arbeiter in ziemlich erschreckendem Tempo servil geworden. Das mußte so kommen, denn die furchtbare Waffe der Arbeitslosigkeit hat sie eingeschüchtert. Vor dem Krieg war ihre wirtschaftliche Position relativ stark, denn obwohl sie keine Arbeitslosenunterstützung im Rücken hatten, war die Arbeitslosigkeit gering und die Macht der Herrenklasse nicht so offensichtlich wie heute. Ein Mann sah sich nicht jedesmal, wenn er einen »Gecken« anpöbelte, dem Ruin gegenüber, und natürlich pöbelte er den »Gecken« an, sooft es ungefährlich schien. G. J. Renier zeigt in seinem Buch über Oscar Wilde, daß der eigenartige, obszöne Wutausbruch der Bevölkerung, der dem Wilde-Prozeß folgte, im wesentlichen sozialen Charakter hatte. Der Londoner Mob hatte ein Mitglied der Oberschicht auf frischer Tat ertappt, und nun ließ er es tappen. Das alles war natürlich und sogar in Ordnung. Wenn man Leute so behandelt, wie die englischen Arbeiter während der letzten zweihundert Jahre behandelt worden sind, muß man damit rechnen, daß sie es übelnehmen. Auf der andern Seite konnte man nicht den Kindern aus schäbig-vornehmen Familien die Schuld geben, wenn sie mit einem Haß auf die Arbeiterklasse, die für sie in umherstreifenden Banden von »Cads« typisiert war, groß wurden.

Aber es gibt noch eine andere und ernstere Schwierigkeit. Hier kommen wir zum wirklichen Geheimnis der Klassenunterschiede im Westen, zum wirklichen Grund, weshalb ein Europäer bürgerlicher Herkunft, sogar wenn er sich selbst als Kommunisten bezeichnet, ohne heftige Anstrengung einen Arbeiter nicht als ebenbürtig ansehen kann. Er ist in vier schrecklichen Worten zusammengefaßt, mit denen man heute vorsichtig ist, die jedoch in meiner Kindheit in aller Munde waren. Sie lauteten: *Die unteren Klassen stinken.*

Das wurde uns beigebracht – *die unteren Klassen stinken.* Und hier steht man offenbar vor einem unüberwindlichen Hindernis. Denn kein Gefühl des Gefallens oder Mißfallens ist so grundsätzlich wie ein physisches. Rassenhaß, religiöser Haß, Unterschiede in der Erziehung, im Temperament, im Geist, sogar im moralischen Gesetz können überwunden werden, aber physische Abstoßung nicht. Man kann Zuneigung empfinden gegenüber einem Mörder oder einem Sodomisten, nicht aber gegenüber einem Mann, dessen Atem stinkt – dauernd stinkt, meine ich. Wieviel Gutes man ihm auch wünscht, wie sehr man auch seinen Geist und seinen Charakter bewundern mag, wenn sein Atem stinkt, ist er furchtbar, und im Grunde des Herzens wird man ihn verabscheuen. Vielleicht spielt es keine große Rolle, wenn der Durchschnittsmensch aus dem Mittelstand mit dem Glauben groß wird, die Arbeiter seien unwissend, faul, versoffen, grob und unehrlich; erst wenn er mit dem Glauben groß wird, sie seien dreckig, ist das Unglück passiert. Und in meiner Kindheit wurden wir *tatsächlich* zu dem Glauben erzogen, daß sie dreckig sind. Sehr früh schon bekam man die Vorstellung, daß an einem Arbeiterkörper etwas unerklärlich Abstoßendes sei; man kam ihm nicht näher, als man mußte. Man sah einen großen verschwitzten Erdarbeiter mit der Hacke auf der Schulter die Straße hinabgehen; man sah sein verfärbtes Hemd und seine Cordhosen, die vom Dreck eines Jahrzehnts standen; man dachte an die Nester und Schichten schmieriger Lumpen, die er darunter trug, und, unter allem, an den über und über braunen, ungewaschenen Körper (so stellte ich es mir vor), mit seiner starken, schinkenähnlichen Ausdünstung. Man sah einem Landstreicher zu, der in einem Graben die Schuhe auszog – uff! Man dachte nicht im Ernst daran, daß der Landstreicher vielleicht nicht gern schwarze Füße hatte. Und sogar Leute der »unteren Klasse«, die man als recht sauber kannte – Bedienstete zum Beispiel waren ein bißchen unappetitlich. Der Geruch ihres Schweißes, sogar das Gewebe ihrer Haut, war auf unerklärliche Art anders als das eigene.

Jedermann, der mit dem korrekten Aussprechen der h's und in

einem Haus mit Badezimmer und einem Bediensteten aufgewachsen ist, ist wahrscheinlich mit diesem Gefühl groß geworden; daher sind die Klassenunterschiede im Westen so abgrundtief und unüberwindbar. Es ist seltsam, wie selten das erkannt wird. Im Moment fällt mir nur ein Buch ein, das die Sache ohne faulen Zauber aufzeigt, und zwar Somerset Maughams *On a Chinese Screen*. Maugham beschreibt einen hohen chinesischen Beamten, der in einen an der Landstraße gelegenen Gasthof kommt, sich groß aufspielt und jedermann beschimpft, um zu zeigen, daß er ein allerhöchster Würdenträger ist und sie nur Würmer. Fünf Minuten später, nachdem er seine Würde in der Weise, die er angemessen fand, klargestellt hat, nimmt er in bestem Einvernehmen mit den Gepäckkulis sein Abendessen ein. Als Beamter glaubt er seine Gegenwart fühlbar machen zu müssen, aber er hat nicht das Gefühl, daß die Kulis aus anderem Lehm sind als er selber. In Burma habe ich zahllose ähnliche Szenen beobachtet. Unter den Mongolen – unter allen Asiaten, soviel ich weiß – gibt es eine Art natürliche Gleichheit, eine einfache Vertrautheit von Mann zu Mann, die im Westen einfach undenkbar ist. Mr. Maugham fügt hinzu:

> »Im Westen sind wir durch den Geruchssinn von unseren Mitmenschen getrennt. Der Arbeiter ist unser Herr, geneigt, uns mit eiserner Hand zu regieren, aber es kann nicht geleugnet werden, daß er stinkt: niemand soll sich darüber wundern, denn ein Bad im Morgengrauen, wenn man zur Arbeit hetzen muß, bevor die Fabrikglocke läutet, ist kein Vergnügen, und Schwerarbeit trägt nicht zum Wohlgeruch bei. Man wechselt auch die Wäsche nicht öfter als nötig, wenn die wöchentliche Wäsche von einer scharfzüngigen Ehefrau besorgt werden muß. Ich tadle den Arbeiter nicht, weil er stinkt; aber stinken tut er. Das macht den sozialen Verkehr für Personen mit empfindlichem Geruchssinn schwierig. Das morgendliche Bad trennt die Klassen wirksamer als Geburt, Vermögen oder Erziehung.«

Und wie steht es nun damit: Stinken die »unteren Klassen« wirklich? Natürlich sind sie im ganzen schmutziger als die Oberschicht. Das ist gar nicht anders möglich, wenn man ihre Lebensumstände betrachtet; denn sogar heute noch hat weniger als die Hälfte der Häuser in England ein Badezimmer. Außerdem ist es in Europa erst seit kurzer Zeit üblich, sich jeden Tag ganz zu waschen, und die Arbeiter sind im allgemeinen konservativer als das Bürgertum. Aber die Engländer werden sichtlich sauberer, und wir dürfen hoffen, daß sie in hundert Jahren fast so sauber sind wie die Japaner. Es ist schade, daß diejenigen, die die Arbeiterklasse idealisieren, es so oft für nötig halten, alles Charakteristische an ihr zu loben, und deshalb so tun, als sei Schmutzigkeit selbst irgendwie etwas Verdienstvolles. Hier verbinden sich manchmal, seltsam genug, der Sozialist und der sentimentale demokratische Katholik vom Typ Chestertons; beide werden einem erzählen, Schmutz sei gesund und »natürlich«, und Sauberkeit sei eine bloße Schrulle oder bestenfalls ein Luxus.*

Sie sehen offenbar nicht, daß sie lediglich der Vorstellung, die Arbeiterklasse sei aus freier Wahl und nicht aus Notwendigkeit schmutzig, Vorschub leisten. Tatsächlich werden Leute, die die Möglichkeit zu einem Bad haben, im allgemeinen auch Gebrauch davon machen. Aber die entscheidende Sache ist, daß der Mittelstand *glaubt*, die Arbeiter seien dreckig – aus der oben zitierten Passage ersehen Sie, daß Mr. Maugham es selber glaubt – und, was noch schlimmer ist, sie seien irgendwie *von Natur aus* dreckig. Als Kind war etwas vom Schlimmsten, das ich mir vorstellen konnte, nach einem Erdarbeiter aus einer Flasche zu trinken. Einmal, als ich dreizehn war, kam ich im Zug aus einer Marktstadt, und der Drittklaßwagen war vollgepackt mit Schaf- und Schweinezüchtern, die ihre Tiere verkauft hatten. Jemand

* Laut Chesterton ist Schmutzigkeit lediglich eine Art »Unbehagen« und gilt deshalb als Selbstkasteiung. Unglücklicherweise wird bei der Schmutzigkeit das Unbehagen hauptsächlich von anderen Leuten empfunden. Es ist nicht eigentlich unangenehm, schmutzig zu sein – nicht halb so unangenehm wie ein kaltes Bad an einem Wintermorgen.

zog eine Quartflasche Bier hervor und reichte sie herum; sie ging von Mund zu Mund, und jeder nahm einen Zug. Ich kann das Entsetzen, das ich empfand, während die Flasche näherrückte, nicht beschreiben. Wenn ich nach all diesen Unter-Klassen-Männer-Mündern aus ihr trank, würde ich mich sicher erbrechen müssen; andererseits wagte ich, wenn sie sie mir anboten, nicht, abzulehnen, aus Angst, sie zu verletzen – hier sehen Sie, wie die Mittelstandszimperlichkeit nach beiden Seiten hin funktioniert. Heute habe ich Gott sei Dank keine solchen Gefühle mehr. Der Körper eines Arbeiters als solcher erscheint mir nicht abstoßender als der eines Millionärs. Ich trinke noch immer nicht gern nach jemand anderem aus einer Tasse oder einer Flasche – nach einem andern Mann, meine ich, bei Frauen macht es mir nichts aus –, aber wenigstens kommt die Klassenfrage nicht mehr ins Spiel. Davon hat mich der enge Kontakt mit Landstreichern geheilt. Landstreicher sind für englische Verhältnisse nicht gar so dreckig, aber es wird ihnen nachgesagt; und wenn man mit einem Landstreicher das Bett geteilt und aus der gleichen Schnupftabaksbüchse Tee getrunken hat, bekommt man das Gefühl, daß man das Schlimmste erlebt hat und daß es einen nicht entsetzt.

Ich habe mich bei diesen Themen aufgehalten, weil sie lebenswichtig sind. Um die Klassenunterschiede loszuwerden, muß man zuerst verstehen, wie die eine Klasse in den Augen der andern aussieht. Es hat keinen Zweck zu sagen, der Mittelstand sei »versnobt«, und es dabei zu belassen. Man kommt nicht weiter, wenn man nicht begreift, daß der Snobismus mit einer Art von Idealismus verbunden ist. Er kommt aus dem frühen Drill, in welchem dem Mittelstandskind fast gleichzeitig beigebracht wird, seinen Hals zu waschen, zum Tod fürs Vaterland bereit zu sein und die »unteren Klassen« zu verabscheuen.

Hier wird mir vorgeworfen werden, ich sei rückständig, denn meine Kindheit fiel in die Vorkriegs- und Kriegszeit, und man mag geltend machen, daß die Kinder heutzutage mit aufgeklärteren Vorstellungen erzogen werden. Wahrscheinlich trifft es zu, daß das Klassengefühl im Augenblick ein kleines bißchen weniger bitter ist als früher. Die Arbeiter sind unterwürfig, wo sie von offener Feindseligkeit waren, und die Nachkriegsfabrikation von billigen Kleidern und die allgemeine Milderung der Umgangsformen haben die oberflächlichen Verschiedenheiten der Klassen vermindert. Das eigentliche Gefühl jedoch ist zweifellos noch da. Im Mittelstand hat jedermann ein latentes Klassen-Vorurteil, das schon bei einem geringen Anlaß geweckt wird; wer aber über vierzig ist, ist wahrscheinlich fest überzeugt, daß seine eigene Klasse der Klasse darunter geopfert worden ist. Sagen Sie einem durchschnittlichen Menschen von besserer Herkunft, der sich keine Gedanken macht und sich abmüht, mit vier- oder fünfhundert Pfund im Jahr den Schein zu wahren, er gehöre zu einer ausbeuterischen Parasitenklasse, und er wird denken, Sie seien verrückt. In völliger Aufrichtigkeit wird er Ihnen ein Dutzend Belange aufzählen, in denen er schlechter dran ist als ein Arbeiter. In seinen Augen sind die Arbeiter nicht eine verdreckte Rotte von Sklaven, sondern eine trübe Flut, die aufwärtskriecht, um ihn und seine Freunde und seine Familie zu verschlingen und alle Kultur und Sittlichkeit wegzufegen. Daher rührt die eigenartige, wachsame Besorgnis, es könne den Arbeitern zu gut gehen. In einer Ausgabe des *Punch* kurz nach dem Krieg, als die Kohle noch hohe Preise erzielte, steht ein Bild von vier, fünf Bergleuten, die mit grimmigen, bösen Gesichtern in einem billigen Auto fahren. Ein Freund, an dem sie vorbeikommen, ruft hinter ihnen her und fragt, wo sie das Auto geliehen hätten. »Wir haben das Ding gekauft«, antworten sie. Sehen Sie, das ist »gut genug für den *Punch*«; daß Bergleute ein Auto kaufen, auch wenn sie es zu viert oder zu fünft tun, ist eine Ungeheuerlichkeit, eine Art Verstoß gegen die Natur. Das war die Haltung vor einem Dutzend Jahren, und ich sehe keine Anzeichen für eine grundlegende Wandlung. Daß die Arbeiter durch Arbeitslosenunterstützung, Altersrenten, kostenlose Ausbildung etc. sinnlos verhätschelt worden seien, ist immer noch eine weit verbreitete Ansicht; ein wenig verunsichert worden ist sie neuerdings vielleicht nur durch die Erkenntnis, daß die Arbeitslosigkeit tatsächlich existiert. Für große Teile des Mittelstands, wahrscheinlich für eine überwiegende Mehrheit der über Fünfzigjährigen, fährt der typische Arbeiter immer noch mit dem Motorrad zum Arbeitsamt und lagert Kohlen in der Badewanne: »Und, wenn Sie es glauben können, meine Liebe, die *heiraten* tatsächlich vom Stempelgeld.«

Der Grund, weshalb sich der Klassenhaß zu vermindern scheint, liegt darin, daß er heutzutage weniger häufig abgedruckt wird; zum Teil wegen der schönfärberischen Gewohnheiten unserer Zeit, zum Teil weil die Zeitungen und sogar die Bücher heute auch eine Arbeiter-Öffentlichkeit ansprechen müssen. In der Regel kann man ihn in privaten Unterhaltungen am besten studieren. Wenn Sie jedoch gedruckte Beispiele möchten, lohnt es sich, einen Blick auf die *obiter dicta* des verstorbenen Professors Saintsbury zu werfen. Saintsbury war ein sehr gebildeter Mann und auf gewissen Gebieten ein urteilsfähiger Literaturkritiker; wenn er jedoch von politischen oder ökonomischen Belangen sprach, unterschied er sich vom Rest seiner Klasse nur dadurch, daß er zu dickfellig und zu früh geboren war, um ein Interesse an der Verbesserung der allgemeinen Lebensbedingungen auch nur vorzugeben. Laut Saintsbury war die Arbeitslosenversicherung einfach »ein Beitrag zur Unterstützung fauler Tunichtgute«, und die ganze Gewerkschaftsbewegung war nichts anderes als eine Art organisierter Bettelei:

> »Arm« ist doch heute, als Wort gebraucht, schon fast klagbar, aber arm zu *sein*, in dem Sinn, daß man ganz oder teilweise auf Kosten anderer Leute lebt, ist das brennende und in beträchtlichem Ausmaß gelungene Bemühen eines großen Teils unserer Bevölkerung und einer ganzen politischen Partei.
>
> (*Zweites Notizbuch*)

Es soll festgehalten werden, daß Saintsbury immerhin anerkennt, daß es die Arbeitslosigkeit geben muß, und tatsächlich glaubt er, daß es sie geben soll, solange man nur die Arbeitslosen so viel wie möglich leiden läßt:

> Ist nicht »Gelegenheits«-Arbeit das wirkliche Geheimnis und Sicherheitsventil eines sicheren und gesunden Arbeitssystems im allgemeinen?
> ... In einem komplizierten Industrie- und Handelsstaat ist dauernde Beschäftigung zu geregelten Löhnen unmöglich; von der Wohlfahrt unterstützte Arbeitslosigkeit dagegen, die in allem den Löhnen für die Arbeitenden gleichkommt, ist zersetzend von allem Anfang an und ruinös an ihrem rascher oder weniger rasch kommenden Ende.
> (*Letztes Notizbuch*)

Was genau mit den »Gelegenheitsarbeitern« geschehen soll, wenn gerade keine Gelegenheitsarbeit zu haben ist, wird nicht erklärt. Vermutlich (Saintsbury spricht anerkennend von »guten Armengesetzen«) sollen sie ins Armenhaus gehen oder auf der Straße schlafen. Die Meinung, daß jedes menschliche Wesen selbstverständlich die Möglichkeit haben sollte, wenigstens einen ausreichenden Lebensunterhalt zu verdienen, weist Saintsbury voller Verachtung ab:

> Sogar das »Recht zu leben« geht nicht über das Recht auf Schutz vor Mord hinaus. Barmherzigkeit wird sicherlich, Sittlichkeit wird wahrscheinlich und Gemeinnützigkeit sollte vielleicht diesem Schutz eine überflüssige Fürsorge für Fortdauer des Lebens hinzufügen, aber es ist fraglich, ob strenges Recht das verlangt.
> Die verrückte Doktrin, durch die Geburt in einem Land erlange man ein Recht auf den Besitz der Erde dieses Landes, bedarf wohl kaum eines Kommentars.
> (*Letztes Notizbuch*)

Es lohnt sich, einen Augenblick über die herrlichen Implikationen dieser Passage nachzudenken. Das Interessante an solchen Passagen (und sie sind über das ganze Werk Saintsburys verstreut) liegt darin, daß sie überhaupt gedruckt worden sind. Die meisten Leute scheuen sich sonst ein bißchen, so etwas zu Papier zu bringen. Aber was Saintsbury hier sagt, *denkt* jeder kleine Wurm mit einigermaßen sicheren fünfhundert Pfund im Jahr; und deshalb muß man ihn in gewisser Hinsicht wegen seiner Aufrichtigkeit bewundern. Es braucht eine Menge Mut, *öffentlich* so ein Stinktier zu sein.

So weit der Standpunkt eines bekennenden Reaktionärs. Aber wie steht es mit dem Vertreter des Mittelstands, dessen Ansichten nicht reaktionär, sondern »fortschrittlich« sind? Ist er unter seiner revolutionären Maske wirklich so anders?

Er gibt sich dem Sozialismus hin und tritt vielleicht sogar der kommunistischen Partei bei. Wie groß ist der wirkliche Unterschied? Offensichtlich muß er, da er innerhalb einer kapitalistischen Gesellschaft lebt, weiterhin seinen Lebensunterhalt verdienen, und man kann ihn nicht tadeln, wenn er an seinem bürgerlichen ökonomischen Standpunkt festhält. Aber findet in seinem Geschmack, seinen Gewohnheiten, seinen Manieren, seinem geistigen Hintergrund – in kommunistischem Jargon in seiner »Ideologie« – irgendeine Veränderung statt? Verändert sich überhaupt etwas in ihm, abgesehen davon, daß er bei den Wahlen Labour oder, wenn möglich, kommunistisch wählt? Es ist bemerkenswert, daß er gewohnheitsmäßig immer noch mit seiner eigenen Schicht Umgang pflegt; und er fühlt sich bei einem Vertreter seiner eigenen Schicht, der ihn für einen gefährlichen Bolschewiken hält, weit mehr zu Hause als bei einem Arbeiter, der vermutlich seiner Meinung ist. Sein Geschmack in Sachen Essen, Wein, Kleider, Bücher, Bilder, Musik, Ballett ist immer noch ein sichtlich bürgerlicher; das sicherste Zeichen aber liegt darin, daß er beständig in seine eigene Schicht heiratet. Sehen Sie sich irgendeinen bürgerlichen Sozialisten an. Nehmen Sie den Genossen X von der C.P.G.P. (Communist Party of Great Britain), Autor von *Marxismus für Minderjährige*. Genosse X ist, wie es der Zufall will, ein alter Eton-Schüler. Er wäre bereit, auf den Barrikaden zu sterben, in der Theorie sowieso, aber Sie bemerken, daß er immer noch den untersten Westenknopf offenläßt. Er idealisiert das Proletariat, aber es ist auffällig, wie wenig seine Gewohnheiten den ihren entsprechen. Vielleicht hat er einmal – aus reiner Angeberei – eine Zigarre mit der Binde drum geraucht, aber es wäre ihm fast physisch unmöglich, Käsestücke mit dem Messer aufzuspießen und in den Mund zu schieben, oder im Haus die Mütze aufzubehalten, oder gar den Tee aus der Untertasse zu trinken. Ich habe zahlreiche bürgerliche Sozialisten gekannt, ich habe ihre Tiraden gegen die eigene Klasse Stunde um Stunde angehört, aber nie, nicht ein einziges Mal, habe ich einen getroffen, der proletarische Tischmanieren angenommen hätte. Aber warum eigentlich nicht? Warum sollte jemand, der alle Tugenden im Proletariat findet, sich immer noch dermaßen abmühen, seine Suppe geräuschlos zu essen? Das ist nur möglich, weil er in seinem Innersten das Gefühl hat, daß die proletarischen Manieren abstoßend sind. Und so sehen Sie, daß er immer noch der Erziehung seiner Jugendzeit gehorcht, als ihm beigebracht wurde, die Arbeiter zu hassen, zu fürchten und zu verachten.

IX

Mit vierzehn oder fünfzehn Jahren war ich ein widerlicher kleiner Snob, aber kein bißchen schlimmer als andere Jungen meines Alters und meiner Gesellschaftsschicht. Vermutlich gibt es keinen Ort auf der Welt, an dem der Snobismus so allgegenwärtig ist oder an dem er in so raffinierter und subtiler Form kultiviert wird wie in den englischen Privatschulen. Hier zumindest kann man nicht sagen, die englische Erziehung erfülle ihre Aufgabe nicht. Man vergißt sein Latein und Griechisch in den ersten paar Monaten nach der Schulzeit – ich lernte acht oder zehn Jahre Griechisch, und jetzt, mit dreiunddreißig Jahren, kann ich nicht einmal mehr das griechische Alphabet hersagen –, aber der Snobismus haftet an einem bis ans Grab, wenn man ihn nicht hartnäckig ausrottet wie das Unkraut, das er ist.

In der Schule war ich in einer schwierigen Position, unter Jungen, die größtenteils viel reicher waren als ich, und in die teure Knabenschule ging ich nur, weil ich zufällig ein Stipendium gewonnen hatte. Das ist die übliche Erfahrung von Jungen aus dem unteren oberen Mittelstand, der Söhne von Pfarrern, anglo-indischen Beamten etc.; und die Auswirkungen auf mich waren wahrscheinlich auch die üblichen. Einerseits ließ sie mich fester denn je an meiner Vornehmheit festhalten, andererseits erfüllte sie mich mit einem Ressentiment gegenüber den Jungen, deren Eltern reicher waren als meine und die sich Mühe gaben, es mich wissen zu lassen. Ich verachtete jeden, der nicht als »Gentleman« bezeichnet werden konnte, aber ich haßte auch die raffgierig Reichen, besonders die, die erst vor zu kurzer Zeit reich geworden waren. Ich hatte das Gefühl, die richtige und elegante Lösung bestehe darin, von hoher Geburt zu sein, aber kein Geld zu haben. Das gehört zum *Credo* der unteren oberen Mittelklasse. Es hat etwas von einem Jakobit-im-Exil-Gefühl an sich, das sehr tröstlich ist.

Aber diese Jahre während oder kurz nach dem Krieg waren eine eigenartige Zeit, in die Schule zu gehen, denn England war näher an einer Revolution als je während des ganzen letzten Jahrhunderts. Eine Welle revolutionären Gefühls, die inzwischen umgekehrt und vergessen ist, aber verschiedene Ablagerungen zurückgelassen hat, ging durch fast die ganze Nation. Im Grunde war es, obwohl man es damals natürlich nicht in der richtigen Perspektive sehen konnte, eine Revolte der Jugend gegen das Alter, eine direkte Folge des Kriegs. Im Krieg waren die Jungen geopfert worden, und die Alten hatten sich in einer Weise verhalten, die sich auch noch aus heutiger Distanz schrecklich ausnimmt; sie waren feste Patrioten an sicheren

Orten gewesen, während ihre Söhne vor den deutschen Maschinengewehren wie Heuschwaden fielen. Außerdem war der Krieg hauptsächlich von alten Männern angeführt worden, und zwar mit erhabenster Unfähigkeit. 1918 war jedermann unter vierzig schlecht auf die Älteren zu sprechen, und die antimilitaristische Stimmung, die natürlicherweise den Kämpfen folgte, weitete sich zu einer allgemeinen Revolte gegen Orthodoxie und Autorität aus. Zu dieser Zeit gab es unter den jungen Leuten einen seltsamen Kult des Hasses auf »alte Männer«. Die Dominanz »alter Männer« wurde für jedes der Menschheit bekannte Übel verantwortlich gemacht, und jede anerkannte Institution, von Scotts Romanen bis zum Oberhaus, wurde verspottet, nur weil sie bei »alten Männern« in Gunst stand. Für mehrere Jahre war es große Mode, ein »Bolshie« zu sein, wie die Leute es damals nannten. England war voll von unausgegorenen antinomistischen Meinungen. Pazifismus, Internationalismus, Humanitarismen jeglicher Sorte, Feminismus, freie Liebe, Scheidungsreform, Atheismus, Geburtenkontrolle – derartiges fand mehr Beachtung als zu üblichen Zeiten. Und natürlich dehnte sich die revolutionäre Stimmung auf jene aus, die zu jung zum Kämpfen gewesen waren, sogar auf die Jungen in den Privatschulen. Damals sahen wir alle uns selbst als aufgeklärte Kreaturen eines neuen Zeitalters, und wir warfen die Orthodoxie ab, die uns von diesen verhaßten »alten Männern« aufgezwungen worden war. Grundsätzlich behielten wir den snobistischen Standpunkt unserer Gesellschaftsschicht bei, wir nahmen als selbstverständlich an, daß wir weiterhin unsere Dividenden beziehen oder in einen bequemen Job stolpern würden; aber es schien uns auch natürlich, »gegen die Regierung« zu sein. Wir verspotteten das O.T.C. [Officers Training Corps], die christliche Religion und vielleicht sogar die Pflichtspiele und die Königliche Familie; und uns war nicht bewußt, daß wir lediglich an einer weltweiten Bewegung des Abscheus vor dem Krieg teilnahmen. Zwei Zwischenfälle sind mir als Beispiele des seltsamen revolutionären Gefühls jener Zeit im Gedächtnis geblieben. Eines Tages teilte uns der Lehrer, der uns Englisch gab, eine Art Fragebogen zur Allgemeinbildung aus, auf dem eine der Fragen lautete: »Wen betrachten Sie als die zehn bedeutendsten lebenden Männer?« Von den sechzehn Jungen in unserer Klasse (das Durchschnittsalter lag bei etwa siebzehn Jahren) hatten fünfzehn Lenin auf ihrer Liste stehen. Das geschah in einer versnobten teuren Privatschule und im Jahr 1920, als die Schrecken der Russischen Revolution noch jedem frisch im Gedächtnis waren. Außerdem waren da noch die sogenannten Friedensfeiern von 1919. Unsere Eltern hatten für uns entschieden, daß wir den Frieden auf die traditionelle Art feiern sollten, indem wir über den gefallenen Feind jubelten. Wir sollten mit Fackeln auf den Schulhof marschieren und hurrapatriotische Lieder in der Art von »Rule Britannia« singen. Die Jungen – zu ihrer Ehre, finde ich – veralberten die ganze Prozedur und sangen blasphemische und aufrührerische Texte zu den vorgeschriebenen Melodien. Ich bezweifle, daß so etwas heute möglich wäre. Jedenfalls stehen die Jungen aus Privatschulen, die ich heute treffe, sogar die Intelligentesten unter ihnen, viel weiter rechts als meine Zeitgenossen und ich vor fünfzehn Jahren.

Ich war also mit siebzehn oder achtzehn Jahren sowohl ein Snob als auch ein Revolutionär. Ich war gegen jede Autorität. Ich hatte das ganze publizierte Werk von Shaw, Wells und Galsworthy (die damals noch als gefährlich »fortschrittliche« Schriftsteller galten) gelesen und wieder gelesen, und ich bezeichnete mich locker als Sozialisten. Aber ich hatte keine große Ahnung, was Sozialismus hieß, und keine Vorstellung davon, daß die Arbeiter menschliche Wesen waren. Aus der Entfernung und durch die Vermittlung von Büchern – Jack Londons *The People of the Abyss* zum Beispiel – konnte ich mich mit ihren Leiden quälen, aber wenn ich irgendwo in ihre Nähe kam, verabscheute ich sie wie eh und je. Ich war immer noch empört über ihre Redeweise und aufgebracht über ihre gewohnheitsmäßige Grobheit. Man muß bedenken, daß die englische Arbeiterklasse, gerade damals, unmittelbar nach dem Krieg, in einer kämpferischen Stimmung war. Es war die Zeit der großen Kohlestreiks, in denen ein Bergmann als leibhaftiger Teufel betrachtet wurde und die alten Damen jede Nacht unter ihr Bett schauten, ob nicht Robert Smillie sich dort verborgen hätte. Während des ganzen Krieges und kurze Zeit danach hatte es hohe Löhne und ein Überangebot an Stellen gegeben; jetzt aber standen die Dinge wieder etwas schlechter, und natürlich wehrten sich die Arbeiter. Die Männer, die gekämpft hatten, waren mit großartigen Versprechungen angeworben worden, und jetzt kamen sie heim in eine Welt, in der es keine Arbeit und nicht einmal irgendwelche Häuser gab. Außerdem waren sie im Krieg gewesen und kehrten jetzt mit der Lebenseinstellung des Soldaten zurück, die im Grunde, trotz der Disziplin, eine gesetzlose Haltung ist. Es lag ein Gefühl von Unruhe in der Luft. In diese Zeit gehört das Lied mit dem denkwürdigen Refrain:

> There's nothing sure but
> The rich get richer and the poor get children;
> In the mean time
> In between time
> Ain't we got fun?

[Nichts ist sicher, außer/daß die Reichen reicher werden und die Armen kinderreicher;/unterdessen,/in der Zwischenzeit,/haben wir da etwa keinen Spaß?]

Die Leute hatten sich noch nicht auf ein Leben in Arbeitslosigkeit, die nur durch zahllose Tassen Tee gemildert wird, eingerichtet. Vage erwarteten sie noch das Utopia, für das sie gekämpft hatten, und gegenüber der Gesellschaftsschicht, die ihre h's säuberlich aussprach, waren sie von unverhohlenerer Feindseligkeit als zuvor. Deshalb erschienen den Stoßdämpfern der Bourgeoisie, mir zum Beispiel, die gewöhnlichen Leute immer noch als brutal und abstoßend. Wenn ich auf jene Periode zurückschaue, kommt es mir vor, als hätte ich die Hälfte der Zeit damit verbracht, das kapitalistische System anzuklagen, und die andere Hälfte, mich über die Unverschämtheit der Busfahrer aufzuregen.

Ich war noch nicht zwanzig, als ich in die Indian Imperial Police [Indische Reichspolizei] nach Burma ging. Auf einem »Außenposten des Reichs« wie Burma schien die Klassenfrage auf den ersten Blick beiseitegelegt zu sein. Es gab hier keine offensichtlichen Klassenspannungen; die einzige wichtige Frage war nicht, ob man an einer der richtigen Schulen gewesen, sondern ob man prinzipiell von weißer Hautfarbe war. Tatsächlich waren die meisten Weißen in Burma nicht von dem Typ, den man in England als »Gentleman« bezeichnen könnte, aber mit Ausnahme der gemeinen Soldaten und ein paar Sonderfällen führten sie ein Leben, das einem »Gentleman« angemessen wäre – das heißt, sie hatten Bedienstete und nannten ihr Abendessen »Dinner« –, und offiziell betrachtete man sie alle als zur gleichen Klasse gehörig. Sie waren »weiße Männer« im Gegensatz zur andern, minderwertigen Klasse, den »Eingeborenen«. Aber man hatte gegenüber den »Eingeborenen« ein anderes Gefühl als gegenüber den »unteren Klassen« zu Hause. Entscheidend war, daß die »Eingeborenen«, jedenfalls die Burmesen, nicht als physisch abstoßend empfunden wurden. Man sah auf sie als »Eingeborene« herab, aber man war ohne weiteres zu physischer Intimität bereit; das traf, wie ich bemerkte, sogar bei Männern mit heftigsten Rassenvorurteilen zu. Wenn man eine Menge Bedienstete hat, nimmt man bald träge Gewohnheiten an; ich selber erlaubte mir zum Beispiel gewöhnlich, mich von meinem burmesischen Boy an- und auskleiden zu lassen. Das war nur möglich, weil er Burmese und nicht abstoßend war; ich hätte es nicht ertragen, mich von einem englischen männlichen Bediensteten in dieser vertraulichen Weise behandeln zu lassen. Gegenüber einem Burmesen hatte ich fast die gleichen Gefühle wie gegenüber einer Frau. Wie die meisten anderen Rassen haben die Burmesen einen eigenen Geruch – ich kann ihn nicht beschreiben: es ist ein Geruch, der einem in den Zähnen prikkelt –, aber dieser Geruch war mir nie widerwärtig. (Übrigens sagen die Orientalen, daß *wir* riechen. Die Chinesen sagen, glaube ich, daß ein Weißer wie eine Leiche rieche. Die Burmesen sagen dasselbe – obwohl kein Burmese je so grob war, es mir zu sagen.) Und in gewisser Hinsicht war meine Haltung vertretbar, denn man muß zugeben, daß die meisten Mongolen weit hübschere Körper haben als die meisten Weißen. Vergleichen Sie die straff gespannte, seidene Haut des Burmesen, die bis zu seinem vierzigsten Altersjahr überhaupt nicht faltig wird und auch dann lediglich hart wie ein Stück trockenes Leder, mit der grobfaserigen, schlaffen, hängenden Haut des Weißen. Der Weiße hat dünne häßliche Haare an den Beinen, an den Außenseiten der Arme und in einem häßlichen Flecken auf der Brust. Der Burmese hat nur ein oder zwei Büschel festes schwarzes Haar an den richtigen Stellen; im übrigen ist er völlig unbehaart und gewöhnlich auch bartlos. Der Weiße bekommt fast immer eine Glatze, der Burmese selten oder nie. Die Zähne des Burmesen sind tadellos, obwohl gewöhnlich vom Betelsaft verfärbt; die Zähne des Weißen verfaulen unausweichlich. Der weiße Mann hat im allgemeinen eine schlechte Figur, und wenn er dick wird, buchtet er an den unwahrscheinlichsten Stellen aus; der Mongole hat prächtige Knochen und ist im Alter noch fast so wohlgeformt wie in der Jugend. Freilich bringen die weißen Rassen ein paar Individuen hervor, die während einiger Jahre von allerhöchster Schönheit sind, aber im ganzen sind sie, sagen Sie was Sie wollen, weit weniger hübsch als Orientalen. Aber nicht daran dachte ich, wenn ich die englischen »unteren Klassen« so viel abstoßender fand als die burmesischen »Eingeborenen«. Ich dachte immer noch in den Begriffen meines früherlernten Klassenvorurteils. Als ich nicht viel älter war als zwanzig, war ich kurze Zeit einem britischen Regiment zugeteilt. Natürlich bewunderte und mochte ich die einfachen Soldaten, wie jeder junge Mann von zwanzig Jahren fünf Jahre ältere, fröhliche, stramme junge Männer mit Orden vom Großen Krieg auf der Brust bewundern und mögen würde. Aber trotzdem stießen sie mich irgendwie ab; sie waren

»gewöhnliche Leute«, und ich mochte ihnen nicht allzu nahe kommen. An den heißen Morgen, wenn die Kompanie die Straße hinuntermarschierte, ich selber mit einem jüngeren Unteroffizier zuhinterst, drehte mir der Dampf der hundert schwitzenden Körper vor mir den Magen um. Und das war, wie Sie bemerken, ein reines Vorurteil. Denn ein Soldat ist physisch wahrscheinlich so wenig unangenehm, wie es für einen Weißen überhaupt möglich ist. Im allgemeinen ist er jung, er ist durch die frische Luft und das Training fast immer gesund, und eine strenge Disziplin zwingt ihn zur Sauberkeit. Aber ich konnte es nicht so sehen. Ich wußte nur, daß ich den Schweiß der *unteren Klassen* roch, und schon beim Gedanken daran wurde mir übel.

Als ich später mein Klassenvorurteil oder einen Teil davon loswurde, geschah das durch einen umständlichen Prozeß von mehreren Jahren. Was meine Haltung gegenüber der Klassenfrage veränderte, war etwas nur indirekt mit ihr Verbundenes – etwas beinahe Bedeutungsloses.

Ich war fünf Jahre lang in der indischen Polizei, und am Ende dieser Zeit haßte ich den Imperialismus, dem ich diente, mit einer Bitterkeit, die ich wahrscheinlich nicht zum Ausdruck bringen kann. In der freien Luft von England ist so etwas nicht ganz verständlich. Um den Imperialismus hassen zu können, muß man ein Teil von ihm sein. Von außen gesehen erscheint die britische Herrschaft in Indien – und sie ist es tatsächlich – wohlwollend und sogar notwendig. Mit der französischen Herrschaft in Marokko und der holländischen Herrschaft in Borneo verhält es sich wahrscheinlich genauso, denn die Menschen regieren Fremde gewöhnlich besser als sich selbst. Aber es ist nicht möglich, ein Teil eines solchen Systems zu sein, ohne zu erkennen, daß es eine unverantwortliche Tyrannei ist. Sogar der dickfelligste Anglo-Inder ist sich dessen bewußt. Jedes »eingeborene« Gesicht, das er auf der Straße sieht, macht ihm seine ungeheure Aufdringlichkeit klar. Und die Mehrheit der Anglo-Inder ist – mindestens zeitweise – nicht halb so selbstzufrieden mit ihrer Position, wie die Leute in England glauben. Von

Leuten, bei denen ich es am wenigsten erwartet hätte, von in Gin eingelegten alten Halunken hoch oben im Regierungsdienst, habe ich Bemerkungen wie die folgende gehört: »Natürlich haben wir überhaupt kein Recht, in diesem verfluchten Land zu sein. Aber da wir nun schon einmal hier sind, bleiben wir um Gottes willen hier.« In Wahrheit glaubt kein moderner Mensch im Grunde seines Herzens, es sei recht, in ein fremdes Land einzudringen und die Bevölkerung mit Gewalt niederzuhalten. Fremde Unterdrückung ist viel offensichtlicher und viel leichter als böse begreiflich als wirtschaftliche Unterdrückung. Daher lassen wir es in England brav zu, daß wir ausgenommen werden, damit eine halbe Million nichtsnutziger Faulenzer in Luxus leben kann; aber wir würden eher bis zum letzten Mann kämpfen, als von Chinesen regiert zu werden. Genauso sehen Leute, die ohne einen einzigen Gewissensbiß von unverdienten Dividenden leben, ganz das Unrecht, in ein fremdes Land einzudringen, wo man nicht erwünscht ist, und dort den Herrn zu spielen. Als Folge davon ist jeder Anglo-Inder von einem Schuldgefühl besessen, das er gewöhnlich so gut wie möglich verbirgt, denn es gibt keine Redefreiheit, und seine Karriere kann schon durch eine aufrührerische Bemerkung zerstört werden. Überall in Indien gibt es Engländer, die im geheimen das System, zu dem sie gehören, verabscheuen; und nur gelegentlich, wenn sie ganz sicher sind, mit den richtigen Leuten zusammenzusein, fließt ihre verborgene Bitterkeit über. Ich erinnere mich an eine Nacht, die ich mit einem Mann vom Educational Service [Erziehungsdienst], einem Unbekannten, dessen Namen ich nie erfuhr, im Zug verbrachte. Es war zu heiß zum Schlafen, und wir verbrachten die Nacht mit Gesprächen. Eine halbe Stunde vorsichtiger Ausfragerei überzeugte uns beide, daß der andere »dicht« war; und dann verdammten wir stundenlang, während der Zug langsam durch die pechschwarze Nacht holperte, in unsern Kojen sitzend, Bierflaschen in der Hand, das britische Imperium – wir verdammten es von innen her, verständnisvoll und gründlich. Es tat uns beiden gut. Aber wir hatten verbotene Dinge gesagt, und im fahlen Morgenlicht, als der Zug in Mandalay einfuhr, gingen wir so schuldbewußt auseinander wie ein ehebrecherisches Paar.

Soweit ich es beobachten konnte, gibt es bei fast allen anglo-indischen Beamten Augenblicke, in denen ihr Gewissen sie beunruhigt. Ausnahmen sind Männer, die etwas nachweislich Nützliches tun, das getan werden müßte, ob die Briten nun in Indien sind oder nicht: Forstbeamte zum Beispiel, und Ärzte und Ingenieure. Aber ich war bei der Polizei, das heißt ich war ein Teil der eigentlichen Maschinerie des Despotismus. Außerdem sieht man in der Polizei die dreckige Arbeit des Weltreichs aus nächster Nähe, und ob man die dreckige Arbeit besorgt oder lediglich von ihr profitiert, ist ein merklicher Unterschied. Die meisten Leute sind für die Todesstrafe, aber die wenigsten würden die Arbeit des Henkers tun. Selbst die andern Europäer in Burma sahen wegen der brutalen Arbeit, die sie tun mußte, etwas auf die Polizei herab. Ich erinnere mich, daß einmal, als ich eine Polizeistation inspizierte, ein amerikanischer Missionar, den ich recht gut kannte, wegen irgend etwas hereinkam. Wie die meisten nonkonformistischen* Missionare war er ein vollendeter Esel, aber ein ganz guter Kerl. Einer meiner eingeborenen Unterinspektoren war gerade dabei, einen Verdächtigen zusammenzustauchen (ich habe die Szene in *Tage in Burma* beschrieben). Der Amerikaner schaute zu, wandte sich dann zu mir und sagte nachdenklich: »Ihre Arbeit würde ich nicht haben wollen.« Es beschämte mich furchtbar. *Das* war also die Art Arbeit, die ich hatte. Sogar ein Esel von einem amerikanischen Missionar, eine abstinente männliche Jungfer aus dem Mittleren Westen, hatte das Recht, auf mich hinabzusehen und mich zu bemitleiden. Aber ich hätte die gleiche Scham empfunden, auch wenn mich niemand darauf gestoßen hätte. Nach und nach war ich zu einem unbeschreiblichen Ekel vor der sogenannten Gerechtigkeit gekommen. Sagen Sie was Sie wollen, unser Strafrecht (in

* d. h. nicht zur englischen Staatskirche gehörig

Indien ist es übrigens viel humaner als in England) ist etwas Schreckliches. Nur gefühllose Leute können es anwenden. Die elenden Gefangenen, die in den stinkenden Käfigen der Gefängnisse kauern, die grauen bangen Gesichter der Gefangenen mit langen Haftstrafen, die mit Narben bedeckten Hintern von Männern, die mit Bambusstäben geprügelt worden sind, die Frauen und Kinder, die heulen, weil ihre Mannsleute abgeführt werden – solche Dinge sind unerträglich, wenn man in irgendeiner Weise direkt für sie verantwortlich ist. Ich sah einmal, wie ein Mann gehängt wurde; es kam mir schlimmer vor als tausend Morde. Ich ging nie ins Gefängnis ohne das Gefühl (und den meisten Gefängnisbesuchern geht es genauso), daß mein Platz auf der anderen Seite des Gitters wäre. Damals dachte ich – und ich denke es übrigens noch heute –, daß der schlimmste Verbrecher, der je herumlief, einem Henker moralisch überlegen ist. Aber natürlich mußte ich diese Ansichten aufgrund des beinahe völligen Stillschweigens, das dem Engländer im Osten auferlegt ist, für mich behalten. Schließlich arbeitete ich eine anarchistische Theorie aus, nach der alle Herrschaft böse ist, Strafen immer mehr Schaden anrichten als Verbrechen und man darauf vertrauen kann, daß die Leute sich anständig benehmen, wenn man sie in Ruhe läßt. Das war natürlich sentimentaler Unsinn. Heute sehe ich im Gegensatz zu damals ein, daß es immer notwendig ist, friedliche Leute vor Gewalt zu schützen. In jedem Zustand der Gesellschaft, in dem Verbrechen sich lohnen können, muß man ein strenges Strafgesetz haben und es erbarmungslos anwenden; die Alternative ist Al Capone. Aber das Gefühl, Bestrafung sei böse, tritt unausweichlich zutage bei jenen, die sie auszuführen haben. Ich würde erwarten, daß sogar in England viele Polizisten, Richter, Gefängniswärter und ähnliche Leute von einem heimlichen Entsetzen vor dem, was sie tun, gequält werden. Aber in Burma übten wir eine doppelte Unterdrückung aus. Wir hängten nicht nur Leute auf und warfen sie ins Gefängnis und so weiter: wir taten das als unerwünschte fremde Eindringlinge. Die Burmesen selber erkannten unsere Rechtsprechung nie wirklich an. Ein Dieb, den wir ins Gefängnis steckten, sah sich selbst nicht als zu Recht bestraften Kriminellen; er sah sich als Opfer eines fremden Eroberers. Was ihm angetan wurde, war lediglich eine willkürliche, sinnlose Grausamkeit. Sein Gesicht hinter den starken Teakholz-Stäben des Gefängnisses sagte es ganz deutlich. Und unglücklicherweise hatte ich mich nicht darin geübt, dem Ausdruck des menschlichen Gesichts gegenüber gleichgültig zu sein.

Als ich 1927 auf Urlaub nach Hause kam, hatte ich mich schon halb entschieden, meine Arbeit hinzuschmeißen, und die erste Nase voll englischer Luft brachte mich zum Entschluß. Ich würde nicht zurückgehen, um weiterhin ein Teil dieser bösen Despotie zu sein. Aber ich wollte viel mehr als einfach meiner Arbeit entkommen. Fünf Jahre lang war ich ein Teil eines Unterdrückungssystems gewesen, und das hatte ein schlechtes Gewissen in mir hinterlassen. Zahllose Gesichter, an die ich mich erinnerte – Gesichter von Gefangenen auf der Anklagebank, von Männern, die in den Todeszellen warteten, von Untergebenen, die ich angeschnauzt, und von alten Bauern, die ich abgewiesen hatte, von Bediensteten und Kulis, denen ich in Augenblicken des Zorns einen Faustschlag versetzt hatte (fast jeder tut solche Dinge im Osten, zumindest gelegentlich: Orientalen können sehr provozierend sein) –, verfolgten mich unbarmherzig. Ich war mir eines riesigen Gewichtes von Schuld bewußt, die ich sühnen mußte. Das tönt vermutlich übertrieben, aber wenn Sie fünf Jahre lang eine Arbeit tun, die Sie durch und durch mißbilligen, haben Sie wahrscheinlich das gleiche Gefühl. Ich hatte alles auf die simple Theorie reduziert, daß die Unterdrückten immer im Recht sind und die Unterdrücker immer im Unrecht: eine irrige Theorie, aber die natürliche Folge davon, daß man selbst einer der Unterdrücker ist. Ich fühlte, daß ich nicht nur dem Imperialismus entrinnen mußte, sondern jeder Form von Herrschaft des Menschen über den Menschen. Ich wollte untertauchen, um geradewegs zu den Unterdrückten zu gelangen, um einer von ihnen zu sein und auf ihrer Seite zu stehen gegen die Tyrannen. Und ich hatte meinen Haß gegen die Unterdrückung, vor allem, weil ich alles in der Einsamkeit ausdenken mußte, auf ungewöhnliche Höhen gebracht. Damals erschien mir das Scheitern als einzige Tugend. Jeder Verdacht der Selbstbeförderung, selbst der Verdacht, »Erfolg zu haben« im Rahmen von ein paar hundert Pfund Verdienst im Jahr, erschien mir als geistig häßlich, als eine Art der Tyrannei.

Auf diesem Weg wandten sich meine Gedanken der englischen Arbeiterklasse zu. Es war das erste Mal, daß mir die Arbeiter wirklich bewußt wurden, und das geschah zunächst nur, weil sie in eine Analogie paßten. Sie waren die symbolischen Opfer der Ungerechtigkeit, sie spielten die gleiche Rolle in England wie die Burmesen in Burma. In Burma war die Sachlage ziemlich einfach gewesen: die Weißen waren oben und die Schwarzen waren unten, und deshalb fühlte man selbstverständlich mit den Schwarzen. Nun wurde mir klar, daß man nicht bis Burma gehen mußte, um Tyrannei und Ausbeutung zu finden. Hier in England, unter den eigenen Füßen, litten die verelendeten Arbeiter eine Not, die in ihrer eigenen Art so schlimm war wie alles, was ein Orientale je erfährt. Das Wort »Arbeitslosigkeit« war in aller Munde. Es war mir nach Burma mehr oder weniger neu, aber der Quatsch, den der Mittelstand immer noch erzählte (»Diese Arbeitslosen sind alle arbeitsscheu«, etc. etc.) vermochte mich nicht zu täuschen. Ich frage mich oft, ob dieses Zeug wenigstens die Narren, die es in die Welt setzen, überzeugt. Andererseits interessierte ich mich damals nicht für den Sozialismus oder irgendeine andere ökonomische Theorie. Damals schien mir – und manchmal scheint es mir übrigens heute noch so –, daß die wirtschaftliche Ungerechtigkeit in dem Moment aufhören wird, wo wir mit ihr aufhören wollen, und keinen Augenblick früher, und wenn wir wirklich mit ihr aufhören wollen, spielt die anzuwendende Methode kaum eine Rolle.

Aber ich wußte nichts über die Lebensbedingungen der Arbeiter. Ich hatte die Arbeitslosenstatistiken gesehen, aber keine Vorstellung davon, was sie bedeuteten; und vor allem war mir die entscheidende Tatsache, daß »respektable« Armut die schlimmste ist, unbekannt. Das schreckliche Los eines ordentlichen Arbeiters, der nach einem Leben ununterbrochener Arbeit plötzlich auf der Straße steht, sein verzweifelter Kampf gegen ökonomische Gesetze, die er nicht versteht, die Auflösung von Familien, das nagende Schamgefühl – das alles lag außerhalb meines Erfahrungsbereichs. Wenn ich an Armut dachte, dachte ich an sie in Begriffen bloßen Verhungerns. Deshalb wandte sich mein Interesse sofort den extremen Fällen zu, den Ausgestoßenen der Gesellschaft: Landstreichern, Bettlern, Kriminellen, Prostituierten. Sie waren die Untersten der Unteren, und sie waren die Leute, mit denen ich in Kontakt kommen wollte. Damals wollte ich ganz grundsätzlich eine Möglichkeit finden, aus der ehrbaren Welt überhaupt herauszukommen. Ich dachte viel darüber nach und plante Teile meines Vorhabens bis in die Einzelheiten; wie man alles verkaufen konnte, alles weggeben, seinen Namen ändern und ohne Geld und mit nichts als den Kleidern, die man anhatte, aufbrechen. Aber im wirklichen Leben tut niemand je so etwas; abgesehen von den Verwandten und Freunden, auf die man Rücksicht nehmen muß, ist es zweifelhaft, ob ein gebildeter Mensch das je tun *könnte*, wenn ihm noch ein anderer Weg offenstünde. Aber wenigstens konnte ich mich zu diesen Leuten gesellen, sehen, wie sie lebten, und mich vorübergehend als Teil ihrer Welt fühlen. Einmal, wenn ich unter ihnen gewesen und von ihnen akzeptiert worden wäre, hätte ich das untere Ende erreicht, und – genau das fühlte ich: es war mir auch damals bewußt, daß es irrational war – ein Teil meiner Schuld würde von mir fallen.

Ich dachte nach und beschloß, was ich tun wollte. Ich würde in geeigneter Verkleidung nach Limehouse und Whitechapel und ähnlichen Orten gehen, in Herbergen übernachten und mich mit Dockarbeitern, Hausierern, heruntergekommenen Leuten, Bettlern und, wenn möglich, mit Kriminellen anfreunden. Ich würde herausfinden, was Landstreicher für Leute sind und wie man mit ihnen in Berührung kommt und welches das korrekte

Vorgehen ist, um ins Obdachlosenheim zu kommen; und dann, wenn ich das Gefühl hatte, ich kenne die Schliche gut genug, würde ich mich selber auf den Weg machen.

Am Anfang war es nicht leicht. Ich mußte mich verstellen, und ich habe kein Talent zum Schauspielern. Ich kann zum Beispiel meinen Akzent nicht verbergen, für länger als ein paar Minuten ohnehin nicht. Ich stellte mir vor – beachten Sie das schreckliche Klassenbewußtsein des Engländers –, daß ich in dem Moment, da ich den Mund öffnete, als »Gentleman« erkannt würde; deshalb hielt ich für den Fall, daß ich ausgefragt würde, eine Unglücksgeschichte bereit. Ich verschaffte mir die richtige Art Kleider und beschmutzte sie an geeigneten Stellen. Da ich abnormal groß bin, bin ich schwer zu verkleiden, aber wenigstens wußte ich, wie ein Landstreicher aussieht. (Wie wenige Leute wissen das übrigens! Schauen Sie sich irgendein Bild eines Landstreichers im *Punch* an. Sie sind immer zwanzig Jahre hinterher.) Eines Abends, nachdem ich mich im Haus eines Freundes fertiggemacht hatte, brach ich auf und wanderte ostwärts, bis ich bei einer Herberge in Limehouse Causeway landete. Es war ein dunkles, schmutzig aussehendes Haus. Daß es eine Herberge war, hatte ich durch das Schild »Gute Betten für alleinstehende Männer« im Fenster erfahren. Himmel, wie mußte ich meinen Mut zusammennehmen, bevor ich hineinging! Heute sieht es lächerlich aus. Aber ich hatte, wie Sie bemerken, immer noch Angst vor den Arbeitern. Ich wollte mit ihnen in Berührung kommen, ich wollte sogar einer von ihnen werden, und dennoch sah ich sie als fremdartig und gefährlich an; als ich in den düsteren Eingang der Herberge trat, kam es mir vor, als ginge ich hinab in eine schreckliche unterirdische Welt – einen Kanal voller Ratten zum Beispiel. Ich ging in voller Erwartung einer Auseinandersetzung hinein. Die Leute würden erkennen, daß ich nicht einer von ihnen war, und sofort daraus schließen, daß ich gekommen war, um sie auszuspionieren; und dann würden sie sich auf mich stürzen und mich hinauswerfen – das war meine

Erwartung. Ich fühlte, daß ich es tun mußte, aber ich fand die Aussicht nicht erfreulich.

Innen tauchte von irgendwoher ein Mann in Hemdsärmeln auf. Er war der »Pensionsvorsteher«, und ich sagte ihm, ich hätte gern ein Bett für eine Nacht. Ich bemerkte, daß mein Akzent ihn nicht überraschte; er verlangte lediglich Ninepence und zeigte mir dann den Weg zu einer schmuddligen, nur von einem Feuer erleuchteten Küche unter dem Boden. Stauer und Erdarbeiter und ein paar Seeleute saßen herum, spielten Dame und tranken Tee. Sie sahen mich kaum an, als ich eintrat. Aber es war Samstagnacht, und ein stämmiger junger Stauer war betrunken und schwankte im Raum herum. Er drehte sich um, erblickte mich und taumelte, sein breites rotes Gesicht vorgestreckt und ein gefährlich aussehendes, fischartiges Schimmern in den Augen, auf mich zu. Ich machte mich steif. Der Kampf kam also schon jetzt! Im nächsten Augenblick fiel der Stauer an meine Brust und schlang die Arme um meinen Hals. »Trink 'ne Tasse Tee, Kumpel!« rief er weinerlich, »Trink 'ne Tasse Tee!«

Ich trank eine Tasse Tee. Es war eine Art Taufe. Danach verschwanden meine Ängste. Niemand fragte mich aus, niemand zeigte aufdringliche Neugier; alle waren höflich und nett und akzeptierten mich völlig. Ich blieb zwei oder drei Tage in der Herberge, und ein paar Wochen später, als ich ein gewisses Maß an Informationen über die Gewohnheiten völlig mittelloser Leute aufgelesen hatte, zog ich zum erstenmal selber los.

Ich habe das alles in *Erledigt in Paris und London* beschrieben (fast alle Ereignisse, die dort beschrieben werden, fanden tatsächlich statt, sie wurden jedoch neu angeordnet), und ich will es hier nicht wiederholen. Später lebte ich für längere Zeitspannen auf der Straße, manchmal aus freiem Willen, manchmal aus Notwendigkeit. Im ganzen habe ich mehrere Monate in Herbergen zugebracht. Aber die erste Expedition ist mir am lebhaftesten wegen ihrer Seltsamkeit im Gedächtnis geblieben – der Seltsamkeit, am Ende da unten bei den »Untersten der Unteren« zu sein, und zwar in einem Verhältnis völliger Gleichwertigkeit mit Arbeitern. Es trifft zwar zu, daß ein Landstreicher kein typischer Vertreter der Arbeiterklasse ist, aber trotzdem geht man unter Landstreichern in einer Teilgruppe – einer Unter-Kaste – der Arbeiterklasse auf, was einem, soviel ich weiß, auf keine andere Art passieren kann. Mehrere Tage wanderte ich mit einem irischen Landstreicher durch die nördlichen Vorstädte Londons. Ich war vorübergehend sein Kamerad. Wir teilten nachts die gleiche Zelle, und er erzählte mir die Geschichte seines Lebens, und ich erzählte ihm eine erdichtete von meinem, und wir wechselten uns ab beim Betteln an Häusern, die vielversprechend aussahen, und teilten den Gewinn. Ich war sehr glücklich. Da war ich nun unter den »Untersten der Unteren«, am Fundament der westlichen Welt. Die Klassenschranke war oder schien durchbrochen. Und da unten in der armseligen und in Wirklichkeit furchtbar langweiligen Unter-Welt des Landstreichers hatte ich ein Gefühl der Befreiung, des Abenteuers, das im Rückblick absurd aussieht, das damals aber durchaus lebendig war.

X

Aber unglücklicherweise löst man das Klassenproblem nicht, indem man sich mit Landstreichern anfreundet. Man wird dabei höchstens einige der eigenen Klassenvorurteile los.

Landstreicher, Bettler, Kriminelle und von der Gesellschaft Ausgestoßene sind im allgemeinen sehr außergewöhnliche Wesen und im ganzen für die Arbeiterklasse nicht typischer als beispielsweise die literarische Intelligenz für die Bourgeoisie. Es ist ziemlich leicht, mit einem fremden »Intellektuellen« auf vertrautem Fuß zu stehen; mit einem gewöhnlichen ehrenwerten Fremden aus dem Mittelstand ist es alles andere als leicht. Wieviele Engländer haben zum Beispiel in eine gewöhnliche französische Bürgerfamilie hineingesehen? Wahrscheinlich wäre es ziemlich unmöglich, wenn man nicht gerade in sie hineinheiratet. Und mit den englischen Arbeitern steht es ganz ähnlich. Nichts ist leichter, als mit einem Taschendieb gut Freund zu sein, wenn man weiß, wo man ihn suchen muß; mit einem Maurer gut Freund zu sein ist jedoch sehr schwierig.

Aber warum ist es so leicht, mit sozial Ausgestoßenen auf gleichem Fuß zu stehen? Mir wurde oft gesagt: »Wenn Sie mit Landstreichern zusammen sind, werden Sie doch sicher nicht als einer von ihnen akzeptiert? Die Landstreicher bemerken doch sicher, daß Sie anders sind, sie bemerken die Verschiedenheit der Akzente?« etc. etc. In Wirklichkeit bemerkt ein guter Teil der Landstreicher, vielleicht ein Viertel, nichts von der Art. Zunächst einmal haben viele Leute kein Ohr für Akzente und beurteilen einen ganz nach der Kleidung. Das fiel mir oft auf, wenn ich an Hintertüren bettelte. Manche Leute waren offensichtlich überrascht von meinem »gebildeten« Akzent, andere bemerkten ihn überhaupt nicht; ich war schmutzig und zerlumpt; das war alles, was sie sahen. Zudem kommen die Landstreicher aus allen Teilen der Britischen Inseln, und das Spektrum der englischen Akzente ist enorm. Ein Landstreicher ist es gewohnt, bei seinen Kameraden alle möglichen Akzente zu hören; manche davon sind so fremd, daß er sie kaum verstehen kann, und ein Mann aus sagen wir Cardiff oder Durham oder Dublin weiß nicht unbedingt, welcher südenglische Akzent »gebildet« ist. Ohnehin sind Männer mit »gebildetem« Akzent unter Landstreichern, obgleich selten, doch nicht unbekannt. Aber selbst wenn es den Landstreichern bewußt ist, daß man von anderer Herkunft ist als sie, muß das ihre Haltung nicht ändern. Von ihrem Standpunkt aus ist das einzig Wichtige, daß man, wie sie selber, »auf der Trebe ist«. Und in jener Welt ist es nicht ratsam, zu viele Fragen zu stellen. Man kann den Leuten seine Lebensgeschichte erzählen, wenn man will, und die meisten Landstreicher tun das bei der leisesten Aufforderung, aber man steht unter keinerlei Zwang dazu, und was immer man erzählt, wird fraglos akzeptiert. Sogar ein Bischof könnte unter Landstreichern zu Hause sein, wenn er die richtigen Kleider trüge; und selbst wenn sie wüßten, daß er ein Bischof ist, machte es vielleicht nichts aus, vorausgesetzt sie wüßten oder glaubten, auch er sei wirklich verarmt. Wenn man erst einmal in jener Welt und scheinbar *von* ihr ist, spielt es kaum eine Rolle, was man in der Vergangenheit gewesen ist. Es ist eine Art Welt-in-der-Welt, in der jeder gleich ist, eine kleine schmuddlige Demokratie – vielleicht das, was in England einer Demokratie am nächsten kommt.

Wenn man jedoch zu den normalen Arbeitern kommt, ist die Situation völlig anders. Zunächst gibt es keine Abkürzung in ihre Mitte. Man kann ein Landstreicher werden, indem man einfach die richtigen Kleider anzieht und ins nächste Obdachlosenasyl geht; Erdarbeiter oder Bergmann kann man nicht werden. Selbst wenn man der Arbeit gewachsen wäre, könnte man als Erdarbeiter oder Bergmann keine Arbeit bekommen. Über die Betätigung in sozialistischer Politik kann man mit der Intelligentsia der Arbeiter in Berührung kommen, aber diese Leute sind kaum typischer als Landstreicher oder Einbrecher. Ansonsten kann man sich nur unter die Arbeiter mischen, indem man als Mieter bei ihnen wohnt, was immer eine gefährliche Ähnlichkeit hat mit Ferien im Slum. Einige Monate lebte ich ausschließlich in Häusern von Bergleuten. Ich nahm die Mahlzeiten mit der Familie ein, wusch mich am Küchen-Ausguß, teilte das Schlafzimmer mit Bergleuten, trank Bier mit ihnen, spielte Pfeilwerfen und sprach stundenlang mit ihnen. Aber obwohl ich unter ihnen war und hoffe und glaube, daß sie mich nicht lästig fanden, war ich nicht einer von ihnen, und sie wußten das noch besser als ich. Wie sehr man sie auch mag, wie interessant man ihre Unterhaltung findet, immer bleibt dieses verfluchte Jucken des Klassenunterschieds wie die Erbse unter der Matratze der Prinzessin. Es ist keine Frage der Abneigung oder des Widerwillens, nur des *Unterschieds*, aber dieser Unterschied reicht aus, um eine wirkliche Vertrautheit zu verunmöglichen. Sogar bei Bergleuten, die sich als Kommunisten bezeichneten, kam ich darauf, daß ich sie mit taktvollen Manövern davon abhalten mußte, mich mit »Sir« anzureden, und alle milderten, außer in Augenblicken großer Lebhaftigkeit, mir zuliebe ihren nördlichen Akzent. Ich mochte sie und hoffte, daß sie mich mochten, aber ich bewegte mich als Fremder unter ihnen, und es war uns beiden bewußt. Wohin man sich auch wendet, dieser Fluch des Klassenunterschieds steht einem wie eine Mauer entgegen. Oder eher nicht so sehr wie eine Mauer als wie die Spiegelglasplatte eines Aquariums; es ist so leicht, zu tun, als sei sie nicht da, und so unmöglich, hindurchzukommen.

Unglücklicherweise ist es heute Mode, so zu tun, als sei das Glas durchdringbar. Natürlich weiß jeder, daß es ein Klassenvorurteil gibt, aber gleichzeitig erhebt jeder den Anspruch, *er* sei auf mysteriöse Weise davon ausgenommen. Snobismus ist eines jener Laster, die wir bei jedem anderen erkennen können, nie aber bei uns selbst. Nicht nur der gläubige und praktizierende Sozialist, sondern jeder Intellektuelle nimmt als Selbstverständlichkeit an, daß zumindest *er* außerhalb des Klassenproblems stehe; *er* durchschaut, im Gegensatz zu seinen Nachbarn, die Absurdität des Wohlstands, der Ränge, Titel etc. etc. »Ich bin kein Snob« ist heute eine Art universales *Credo*. Gibt es noch einen, der nicht schon über das Oberhaus, die Militärkaste, die Königliche Familie, die Privatschulen, die jagd- und reitlustigen Gesellschaften, die alten Damen in den Pensionen in Cheltenham, die Schrecken der Provinzgesellschaft und die soziale Hierarchie im allgemeinen gespottet hat? Es ist zu einer automatischen Gebärde geworden. Man bemerkt das vor allem in Romanen. Jeder Romanautor, der etwas auf sich hält, nimmt gegenüber seinen Oberschichtscharakteren eine ironische Haltung an. Es ist wirklich so, daß er, wenn er eine entschieden zur Oberschicht gehörende Figur – einen Grafen oder Baronet oder Wasnichtalles – in einer seiner Geschichten unterbringt, diese Figur mehr oder weniger instinktiv hänselt. Ein wichtiger Nebengrund hierfür liegt in der Armut des modernen Oberschichtsdialekts. Die Sprache der »Gebildeten« ist so leblos und ohne eigenen Charakter, daß ein Romanautor nichts mit ihr anfangen kann. Die bei weitem einfachste Art, sie amüsant zu machen, besteht darin, sie zu travestieren, das heißt, so zu tun, als sei jedes Mitglied der Oberschicht ein intellektueller Trottel. Diesen Tick macht ein Romanautor dem andern nach, bis er am Ende beinahe zu einer Reflexhandlung wird. Und trotzdem weiß jeder im Grunde seines Herzens die ganze Zeit, daß dies Unsinn ist. Wir alle ziehen gegen die Klassenunterschiede los, aber sehr wenige Leute wollen sie im Ernst abschaffen. Hier kommt man zu der wichtigen Tatsache, daß jede revolutionäre Ansicht einen Teil ihrer Kraft aus der geheimen Überzeugung gewinnt, daß nichts verändert werden kann.

Falls Sie hierzu eine gute Illustration wünschen, lohnt es sich, die Romane und Dramen von John Galsworthy zu untersuchen und dabei mit einem Auge auf ihre zeitliche Folge zu achten. Galsworthy ist ein ausgezeichnetes Exemplar des dünnhäutigen Vorkriegsmenschenfreunds mit der Träne im Knopfloch. Er beginnt mit einem morbiden Mitleids-Komplex, der sich sogar bis zu dem Gedanken ausweitet, jede verheiratete Frau sei ein an einen Satyr geketteter Engel. Andauernd bebt er vor Empörung über die Leiden von überarbeiteten Büroangestellten, unterbezahlten Knechten, gefallenen Frauen, Kriminellen, Prostituierten und Tieren. Die Welt, wie er sie in seinen frühen Büchern sieht (*Der reiche Mann* etc.), ist in Unterdrücker und Unterdrückte aufgeteilt, und der Unterdrücker sitzt zuoberst wie ein ungeheurer Steingötze, den alles Dynamit der Welt nicht umstürzen kann. Aber ist es so sicher, daß er ihn umgestürzt haben will? Im Gegenteil, in seinem Kampf gegen eine unbewegliche Tyrannei wird er vom Bewußtsein gestützt, daß sie unbeweglich *ist*. Wenn etwas Unerwartetes passiert und die für ihn gewohnte Weltordnung zu zerbröckeln beginnt, wird ihm ein wenig anders zumute. Also ist er, nachdem er als Fürsprecher des Unterlegenen gegen Tyrannei und Ungerechtigkeit ausgezogen ist, zuletzt dafür, daß die englischen Arbeiter, um von ihren ökonomischen

Krankheiten geheilt zu werden, wie eine Herde Vieh in die Kolonien deportiert werden (siehe *The Silver Spoon*). Wenn er zehn Jahre länger gelebt hätte, wäre er wahrscheinlich bei einer vornehmen Version des Faschismus gelandet. Das ist das unausweichliche Schicksal des Sentimentalisten. Alle seine Auffassungen kehren sich bei der ersten Reibung an der Wirklichkeit in ihr Gegenteil.

Der gleiche Einschlag feuchter, halbgebackener Unaufrichtigkeit zieht sich durch jede »fortschrittliche« Ansicht. Nehmen Sie zum Beispiel die Frage des Imperialismus. Jeder linksgerichtete »Intellektuelle« ist selbstverständlich Anti-Imperialist. So automatisch und selbstgerecht, wie er sich außerhalb des Klassenproblems stellt, behauptet er auch außerhalb des Weltreichproblems zu stehen. Sogar der rechtsgerichtete »Intellektuelle«, der sich nicht entschieden gegen den britischen Imperialismus auflehnt, gibt eine Art belustigter Distanziertheit vor. Es ist so leicht, über das britische Imperium zu witzeln. Die Bürde des Weißen Mannes und »Rule, Britannia« und Kiplings Romane und angloindische Langschwätzer – wer kann diese Dinge auch nur erwähnen, ohne zu grinsen? Und gibt es einen einzigen kultivierten Menschen, der nicht wenigstens einmal im Leben einen Witz gemacht hat über den alten indischen Sergeanten, der sagte, wenn die Briten aus Indien abzögen, bliebe zwischen Peshawar und Delhi (oder wo immer es war) keine Rupie und keine Jungfrau übrig? Das ist die Einstellung des typischen Linken gegenüber dem Imperialismus, und es ist wirklich eine durch und durch schlappe und knochenlose Einstellung. Denn letzten Endes ist die einzige wichtige Frage die: wollen Sie, daß das britische Weltreich zusammenbleibt, oder wollen Sie, daß es sich auflöst? Und im Grunde seines Herzens will kein Engländer, zumindest keiner von den über die angloindischen Obersten witzelnden, daß es sich auflöst. Denn abgesehen von jeder anderen Überlegung hängt der hohe Lebensstandard in England davon ab, daß wir am Weltreich festhalten, besonders an seinen tropischen Teilen wie Indien und Afrika. Unter dem kapitalistischen System müssen, damit man in England relativ komfortabel leben kann, hundert Millionen Inder auf dem Existenzminimum vegetieren – ein schlimmer Zustand, aber man willigt jedesmal in ihn ein, wenn man in ein Taxi steigt oder einen Teller Erdbeeren mit Sahne ißt. Die Alternative besteht darin, das Weltreich über Bord zu werfen und England auf eine kalte und unwichtige Insel zurückzuführen, wo wir alle hart arbeiten und hauptsächlich von Heringen und Kartoffeln leben müßten. Das ist das allerletzte, was irgendein Linker will. Aber er hat weiterhin das Gefühl, er sei für den Imperialismus moralisch nicht verantwortlich. Er ist durchaus bereit, die Produkte des Weltreichs anzunehmen und seine Seele zu retten, indem er über die Leute spöttelt, die es zusammenhalten.

Genau an diesem Punkt beginnt man die reale Haltung der meisten Leute gegenüber der Klassenfrage zu begreifen. Solange es lediglich darum geht, das Los des Arbeiters zu verbessern, ist jeder anständige Mensch einverstanden. Nehmen Sie zum Beispiel einen Bergmann. Jedermann, Narren und Schurken ausgenommen, sähe es *gern*, wenn es dem Bergmann besser ginge. Wenn er beispielsweise in einem bequemen Rollwagen zum Kohleflöz fahren könnte, anstatt auf Händen und Knien hinzukriechen, wenn er in Schichten von drei Stunden statt siebeneinhalb Stunden arbeiten könnte, wenn er in einem ordentlichen Haus mit fünf Schlafzimmern und einem Badezimmer wohnen und zehn Pfund Wochenlohn haben könnte – herrlich! Außerdem weiß jeder, der von seinem Gehirn Gebrauch macht, ganz genau, daß das im Rahmen der Möglichkeit liegt. Die Welt ist, zumindest potentiell, unermeßlich reich, und wenn wir sie nach ihren Möglichkeiten entwickeln, können wir alle wie die Prinzen leben. Auf einen sehr oberflächlichen ersten Blick sieht die soziale Seite der Frage genauso einfach aus. In gewisser Hinsicht trifft es zu, daß jeder die Klassenunterschiede gern abgeschafft sähe. Offensichtlich ist dieses ständige Unbehagen zwischen Mensch und Mensch, an dem wir im modernen England leiden, ein Fluch und ein Ärgernis. Daher die Versuchung zu glauben, es könne mit etwas gutgemeintem Pfadfindergehabe aus der Welt geschrien werden. Hört auf, mich »Sir« zu nennen, Kumpels! Wir sind doch alle Menschen? Werden wir Freunde und packen wir's an und denken daran, daß wir alle gleich sind, und was zum Teufel macht es aus, wenn ich weiß, welche Krawatten man trägt, und ihr nicht; und daß ich meine Suppe relativ leise esse und ihr mit dem Geräusch von Wasser im Abflußrohr – und so weiter und so weiter und so weiter; alles der übelste Quatsch, aber ziemlich verlockend, wenn er passend zum Ausdruck gebracht wird.

Unglücklicherweise kommt man jedoch nicht weiter, wenn man die Klassenunterschiede lediglich hinwegwünscht. Genauer: es *ist* nötig, sie hinwegzuwünschen, aber Ihr Wunsch bleibt wirkungslos, wenn Sie nicht begreifen, was er alles einschließt. Wir müssen der Tatsache ins Gesicht sehen, daß wir mit der Abschaffung der Klassenunterschiede einen Teil von uns selbst abschaffen. Nehmen Sie zum Beispiel mich, einen typischen Vertreter des Mittelstands. Ich kann leicht sagen, ich wolle die Klassenunterschiede loswerden, aber fast alles, was ich denke und tue, ist eine Folge davon. Alle meine Begriffe – Begriffe von Gut und Böse, von Angenehm und Unangenehm, von Lustig und Ernst, von Häßlich und Schön – sind im wesentlichen *Mittelstands*-Begriffe; mein Geschmack in Sachen Bücher, Essen, Kleidung, mein Ehrgefühl, meine Tischmanieren, meine Redewendungen, mein Akzent, sogar meine charakteristischen Körperbewegungen, sind das Ergebnis einer besonderen Art von Erziehung und einer besonderen Spanne ungefähr in der Mitte der sozialen Stufenleiter. Wenn ich das begreife, begreife ich auch, daß es keinen Zweck hat, dem Proletarier auf die Schulter zu klopfen und ihn als ebenso guten Menschen wie mich selber anzuerkennen; wenn ich einen echten Kontakt mit ihm suche, muß ich eine Anstrengung unternehmen, auf die ich wahrscheinlich nicht vorbereitet bin. Denn um aus dem Klassenschlamassel herauszukommen, muß ich nicht nur meinen privaten Snobismus, sondern auch meine meisten anderen Neigungen und

Vorurteile unterdrücken. Ich muß mich so vollständig ändern, daß ich am Ende kaum noch als die gleiche Person zu erkennen wäre. Es geht weder nur um die Verbesserung der Lebensbedingungen der Arbeiterklasse noch um die Vermeidung der dümmeren Spielarten des Snobismus, sondern um die völlige Aufgabe der Einstellung von Oberschicht und Mittelstand. Und ob ich Ja oder Nein sage, hängt wahrscheinlich davon ab, in welchem Ausmaß ich die Zumutungen begreife.

Die meisten Leute bilden sich jedoch ein, sie könnten die Klassenunterschiede abschaffen ohne unbequeme Veränderung ihrer Gewohnheiten und ihrer »Ideologie«. Daher die eifrigen Bestrebungen, die Klassenschranken zu durchbrechen, die man auf allen Seiten im Vormarsch sieht. Überall gibt es wohlmeinende Leute, die ganz ehrlich glauben, sie arbeiteten an der Abschaffung der Klassenunterschiede. Der Mittelstandssozialist schwärmt vom Proletariat und besucht »Sommerkurse«, in denen der Proletarier und der reuige Bourgeois einander um den Hals fallen und sich für immer verbrüdern; und die bürgerlichen Besucher schwärmen nachher davon, wie wunderbar und anregend alles doch war (der Proletarier sagt was anderes). Und dann gibt es noch den schlurfenden Jesus der äußeren Vorstädte, ein Überbleibsel aus der William-Morris-Ära, aber immer noch überraschend verbreitet, der jedem erzählt: »Warum müssen wir nach unten anpassen? Warum nicht nach oben?« und der vorschlägt, die Arbeiter vermittels Hygiene, Fruchtsaft, Geburtenkontrolle, Poesie etc. nach »oben« (bis zu seinem eigenen Standard) zu verfeinern. Sogar der Duke von York (jetzt König George VI.) führt alljährlich ein Lager durch, in dem Jungen aus den Privatschulen mit Jungen aus den Slums auf völlig gleichem Fuß verkehren sollen, und sie verkehren während dieser Zeit tatsächlich miteinander; etwa so wie die Tiere in einem dieser »Glückliche Familie«-Käfige, wo ein Hund, eine Katze, zwei Frettchen, ein Kaninchen und drei Kanarienvögel den Waffenstillstand einhalten, solange das Auge des Schaustellers über ihnen wacht.

Alle diese wohlüberlegten, bewußten Bemühungen, die Klassenschranken zu durchbrechen, sind nach meiner Überzeugung ein überaus ernster Fehler. Manchmal sind sie einfach wirkungslos, aber wo sie ein deutliches Resultat zeigen, *verstärken* sie gewöhnlich das Klassen-Vorurteil. Das hätte man, wenn man einmal darüber nachdenkt, eigentlich erwarten können. Man hat das Tempo forciert und eine unbehagliche, unnatürliche Gleichheit zwischen Klasse und Klasse geschaffen; die entstehende Reibung bringt alle möglichen Gefühle an die Oberfläche, die sonst vielleicht verborgen geblieben wären. Wie ich schon anläßlich Galsworthys gesagt habe: Die Auffassungen des Sentimentalisten kehren sich bei der ersten Reibung an der Realität in ihr Gegenteil. Kratzen Sie an einem Pazifisten durchschnittlicher Machart, und Sie stoßen auf einen Chauvinisten. Das Mittelstands-Labourparteimitglied und der bärtige Fruchtsaftapostel sind beide so lange für die klassenlose Gesellschaft, wie sie das Proletariat durch ein umgekehrtes Fernrohr sehen; zwingen Sie sie zu irgendeinem *wirklichen* Kontakt mit einem Proletarier – lassen Sie ihn samtagsnachts in eine Schlägerei mit einem betrunkenen Fischträger geraten –, und er ist imstande, in den gewöhnlichsten Mittelstandssnobismus zurückzuschwenken. Nun, bei den meisten Mittelstandssozialisten sind Schlägereien mit betrunkenen Fischträgern sehr unwahrscheinlich; wenn sie überhaupt in wirklichen Kontakt mit den Arbeitern kommen, dann gewöhnlich mit der Arbeiter-Intelligentsia. Aber die Arbeiter-Intelligentsia läßt sich klar in zwei verschiedene Typen trennen. Da ist einmal der Typ, der Arbeiter bleibt – der weiterhin als Mechaniker oder Dockarbeiter oder was immer arbeitet, der sich nicht damit plagt, seinen Arbeiterakzent und seine Arbeitergewohnheiten zu ändern, aber der in der Freizeit »seinen Geist kultiviert« und für die I.L.P. [Independent Labour Party] oder die Kommunistische Partei arbeitet; und es gibt den Typ, der seine Lebensweise ändert, zumindest äußerlich, und dem es mit Hilfe eines staatlichen Stipendiums gelingt, in den Mittelstand aufzusteigen. Der erste ist einer der Vortrefflichsten, die wir haben. Mir fallen einige ein, die ich getroffen habe und die sogar der engherzigste Tory mögen und bewundern müßte. Der andere Typ ist, mit Ausnahmen – D. H. Lawrence zum Beispiel –, nicht ganz so bewundernswert.

Zunächst einmal ist es schade, wenn auch die natürliche Folge des Stipendiensystems, daß das Proletariat dahin tendiert, sich über die literarische Intelligenzia mit dem Mittelstand zu vermischen. Denn es ist nicht leicht, in die literarische Intelligenzia vorzupreschen, wenn man zufällig ein anständiger Mensch ist. Die moderne englische Literaturwelt, und ihr arrogant-intellektueller Teil ohnehin, ist eine Art giftiger Dschungel, in dem nur Unkraut gedeihen kann. Wenn man ein entschieden *populärer* Autor ist – ein Autor von Detektivgeschichten zum Beispiel – ist es gerade noch möglich, ein literarischer Gent zu sein und dabei anständig zu bleiben; aber um ein »Highbrow« mit festem Stand in den hochnäsigeren Zeitschriften zu sein, muß man sich zu fürchterlichen Drahtziehereien und Hintertreppenkriechereien hergeben. In der »Highbrow«-Welt kommt man, wenn überhaupt, nicht so sehr durch seine literarischen Fähigkeiten vorwärts als dadurch, daß man Herz und Seele der Cocktailparties ist und kleinen lausigen Zelebritäten den Hintern küßt. Das ist also die Welt, die dem Proletarier, der aus seiner eigenen Klasse aufsteigt, am bereitwilligsten ihre Türen öffnet. Der »clevere« Junge aus einer Arbeiterfamilie, die Art Junge, der Stipendien gewinnt und für ein Leben in manueller Arbeit offensichtlich nicht geeignet ist, findet vielleicht andere Möglichkeiten, in die höhere Gesellschaftsschicht aufzusteigen – ein etwas anderer Typ klettert über die Betätigung in der Politik der Labour-Partei hoch –, aber der literarische Weg ist bei weitem der häufigste. Im literarischen London wimmelt es jetzt von jungen Männern proletarischer Herkunft, die mit Hilfe von Stipendien ausgebildet wurden. Manche von ihnen sind überaus widerwärtig, ganz unrepräsentativ für ihre Gesellschaftsschicht, und es ist eine höchst unglückliche Sache, daß diejenigen Leute bürgerlicher Herkunft, denen es tatsächlich gelingt, einem Proletarier von

Angesicht zu Angesicht und auf gleichem Fuß zu begegnen, am häufigsten diesen Typ antreffen. Denn in der Folge wird der Bourgeois, der die Proletarier, solange er nichts über sie wußte, idealisiert hatte, in snobistische Rasereien zurückgetrieben. Der Vorgang ist manchmal, von außen betrachtet, sehr komisch anzusehen. Der arme wohlmeinende Bourgeois, begierig, seinen proletarischen Bruder an die Brust zu drücken, kommt mit offenen Armen angehüpft; und nur wenig später ist er auf dem Rückzug, abzüglich gepumpte fünf Pfund, und ruft weinerlich: »Verflixt nochmal, der Kerl ist kein Gentleman!«

Was den Bourgeois bei Begegnungen dieser Art aus der Fassung bringt, ist, daß er einige seiner eigenen Bekenntnisse ernst genommen findet. Ich habe darauf hingewiesen, daß die linksorientierten Ansichten des durchschnittlichen »Intellektuellen« vorwiegend unecht sind. Aus reiner Nachahmung spottet er über Dinge, an die er in Wirklichkeit glaubt. Nehmen Sie als ein Beispiel unter vielen den Ehrenkodex der Privatschulen mit seinem »Gemeinschaftsgeist« und »Schlag keinen Wehrlosen« und dem ganzen übrigen bekannten Gewäsch. Wer hat nicht schon darüber gelacht? Wer, der sich selbst als »Intellektuellen« bezeichnet, würde es wagen, *nicht* darüber zu lachen? Aber wenn man jemanden trifft, der *von außen* darüber lacht, sieht es ein bißchen anders aus; genauso wie wir unser Leben damit verbringen, über England zu schimpfen, aber sehr böse werden, wenn ein Fremder genau das gleiche sagt. Niemand hat sich mehr über die Privatschulen lustig gemacht als »Beachcomber«* vom *Express*. Er lacht, ganz zu Recht, über den lächerlichen Kodex, der Mogeleien beim Kartenspiel zur schlimmsten aller Sünden macht. Aber würde sich »Beachcomber« freuen, wenn einer seiner Freunde bei einer Kartenmogelei erwischt würde? Ich bezweifle es. Erst wenn man jemandem aus einer anderen Kultur begegnet, beginnt man seine eigenen Überzeugungen einzusehen. Als bürgerlicher »Intellektueller« bildet man sich allzu

* »Beachcomber« war eine von dem Katholiken J. B. Morton 1924 eingeführte Spalte im *Daily Express*. Orwell hat sich oft über sie geärgert.

bereitwillig ein, man sei irgendwie unbürgerlich geworden, weil man es leicht findet, über den Patriotismus und die Englische Staatskirche und die alte Schulkrawatte und Colonel Blimp und das ganze übrige Zeug zu lachen. Aber unter dem Blickwinkel des proletarischen »Intellektuellen«, der zumindest durch seine Herkunft außerhalb der bürgerlichen Kultur steht, sind Ihre Ähnlichkeiten mit Colonel Blimp vielleicht wichtiger als die Unterschiede. Sehr wahrscheinlich sieht er Sie und Colonel Blimp als praktisch gleichartig an; und in gewissem Sinn hat er recht, obschon weder Sie noch Colonel Blimp das zugeben würden. Deshalb ist die Begegnung von Proletarier und Bourgeois, wenn es ihnen überhaupt gelingt, sich zu treffen, nicht immer die Umarmung von Brüdern, die sich für lange Zeit verloren hatten; zu oft ist es das Aufeinanderprallen fremder Kulturen, die sich nur im Krieg begegnen können.

Ich habe das alles vom Standpunkt des Bürgers aus betrachtet, der seine geheimen Überzeugungen herausgefordert sieht und in einen verängstigten Konservatismus zurückgetrieben wird. Aber man muß auch die Abneigung betrachten, die im proletarischen »Intellektuellen« geweckt wird. Durch eigene Anstrengungen und manchmal unter schrecklichen Kämpfen hat er sich abgemüht, aus seiner eigenen Gesellschaftsschicht heraus und in eine andere hinein zu klimmen, in der er mehr Freiheit und mehr geistige Bildung zu finden erwartet, und sehr oft findet er nichts als eine gewisse Hohlheit, eine Leblosigkeit, ein Fehlen jeden warmen menschlichen Gefühls – jeden wirklichen Lebens überhaupt. Manchmal erscheinen ihm die Bürger nur als Kleiderpuppen mit Geld und Wasser anstelle von Blut in den Adern. *Sagen* wird er das ohnehin, und fast jeder junge »Highbrow« von proletarischer Herkunft wird einem diese Sätze herunterspulen. Daher der »proletarische« Jargon, an dem wir heute leiden. Jeder weiß oder sollte so langsam wissen, wie er abläuft: die Bourgeoisie ist »tot« (heutzutage ein Lieblingsschimpfwort und sehr wirkungsvoll, weil es nichts heißt), die bürgerliche Kultur ist bankrott, die bürgerlichen »Werte« sind jämmerlich und so weiter und so fort; wenn Sie Beispiele wollen, schauen Sie sich irgendeine Nummer der *Left Review* oder irgendeinen der jüngeren kommunistischen Autoren wie Alec Brown, Philip Henderson etc. an. Manches dabei ist von zweifelhafter Aufrichtigkeit, aber D. H. Lawrence, der aufrichtig war, was immer sonst er nicht gewesen sein mag, bringt immer und immer wieder den gleichen Gedanken zum Ausdruck. Es ist eigenartig, wie er auf der Idee herumreitet, daß die englische Bourgeoisie völlig *tot* oder zumindest kastriert sei. Mellors, der Wildhüter in *Lady Chatterley* (in Wirklichkeit Lawrence selbst), hat die Gelegenheit gehabt, aus seiner eigenen Gesellschaftsschicht herauszukommen, und will keineswegs mehr zu ihr zurück, denn die englischen Arbeiter haben verschiedene »unangenehme Gewohnheiten«, andererseits erscheint ihm die Bourgeoisie, in der er auch bis zu einem gewissen Grad verkehrt hat, als halb tot, eine Rasse von Eunuchen. Lady Chatterleys Ehemann ist symbolischerweise im wirklichen physischen Sinn impotent. Außerdem gibt es da noch das Gedicht über den jungen Mann, (wiederum Lawrence selber), der »den Wipfel des Baumes erstieg«, aber beim Herunterkommen sagte:

Oh you've got to be like a monkey
if you climb up a tree!
You've no more use for the solid earth
and the lad you used to be.

You sit in the boughs and gibber
with superiority.

They all gibber and gibber and chatter
and never a word they say
comes really out of their guts, lad,
they make it up half-way....

I tell you something's been done to'em

to the pullets up above;
there's not a cock bird among 'em, etc. etc.

[Oh, man muß wie ein Affe sein, / wenn man den Baum hinaufklimmt. Man kann mit der festen Erde nichts mehr anfangen / und mit dem jungen Burschen, der man war. / Man sitzt in den Zweigen und schreit / vor Überlegenheit. / Sie gibbern und keckern und schnattern alle / und niemals kommt ein Wort, das sie sagen / ihnen wirklich aus den Gedärmen / sie lassen's nur so raus . . . / Ich sage dir, etwas ist mit ihnen passiert / mit den Hühnchen da oben / es ist kein Männchen unter ihnen / etc. etc.]

Man könnte es kaum deutlicher ausdrücken. Vielleicht meint Lawrence mit den Leuten oben »im Baumwipfel« nur die eigentliche Bourgeoisie, die mit 2000 Pfund und mehr im Jahr, aber ich bezweifle es. Wahrscheinlicher ist, daß er jedermann meint, der mehr oder weniger zur bürgerlichen Kultur gehört – jedermann, der mit einem affektierten Akzent und in einem Haus mit einem oder zwei Angestellten groß geworden ist. Und an diesem Punkt erkennt man die Gefahr des »proletarischen« Jargons – d. h. erkennt man den schrecklichen Antagonismus, der unter Umständen hervorgerufen wird. Denn bei einer derartigen Anklage steht man einfach vor einer Wand. Lawrence sagt mir, ich sei ein Eunuch, weil ich an einer Privatschule gewesen bin. Gut, was soll's? Ich kann medizinisch das Gegenteil beweisen, aber was wird das nützen? Lawrences Verdammung bleibt. Wenn man mir sagt, ich sei ein Schurke, werde ich mich vielleicht bessern; aber wenn man mir sagt, ich sei ein Eunuch, führt man mich in Versuchung, auf irgendeine zweckmäßige Art zurückzuschlagen. Wenn Sie sich jemanden zum Feind machen wollen, dann erklären Sie seine Fehler für unheilbar.

Demnach sieht das Netto-Ergebnis der meisten Begegnungen zwischen Proletarier und Bourgeois so aus: sie legen eine wirkliche Feindseligkeit frei, die noch verstärkt wird durch den proletarischen Jargon; dieser ist seinerseits das Ergebnis forcierter Kontakte zwischen den Klassen. Das einzige vernünftige Vorgehen besteht darin, daß man sich Zeit läßt und das Tempo nicht forciert. Wenn man sich insgeheim als Gentleman und als dem Laufburschen des Gemüsehändlers überlegen betrachtet, ist es viel besser, das auch zu sagen, als es mit Lügen zu verdecken. Am Ende muß man seinen Snobismus ablegen; aber es ist verhängnisvoll, so zu tun, als hätte man ihn abgelegt, bevor man wirklich dazu bereit ist.

Mittlerweile kann man überall die gleiche öde Entwicklung beobachten: den Vertreter des Mittelstands, der mit fünfundzwanzig ein glühender Sozialist ist und mit fünfunddreißig ein naserümpfender Konservativer. In gewissem Sinn ist sein Rückzug ganz natürlich; jedenfalls kann man den Gedankengang nachvollziehen. Vielleicht bedeutet die klassenlose Gesellschaft *nicht* einen seligen Zustand, in dem wir alle uns weiterhin so benehmen wie zuvor, außer daß es keinen Klassenhaß und keinen Snobismus mehr gibt; vielleicht bedeutet sie eine öde Welt, in der alle unsere Ideale, unsere Kodexe, unser Geschmack – unsere »Ideologie« also – keinen Sinn mehr haben. Vielleicht ist dieses Durchbrechen der Klassenschranken nicht ganz so einfach, wie es aussah. Im Gegenteil, es ist eine abenteuerliche Fahrt in die Dunkelheit, und an ihrem Ende ist (wie in dem bekannten Limerick) das Lächeln vielleicht auf dem Gesicht des Tigers. Mit liebevollem, wenn auch etwas gönnerhaftem Lächeln sind wir ausgezogen, um unsere proletarischen Brüder zu grüßen, und siehe da! unsere proletarischen Brüder – soweit wir sie verstehen – wollen unsere Grüße gar nicht; sie fordern uns zum Selbstmord auf. Wenn der Bourgeois es so auffaßt, ergreift er die Flucht, und wenn seine Flucht überstürzt genug ist, trägt sie ihn vielleicht bis hin zum Faschismus.

XI

Wie steht es indessen mit dem Sozialismus?

Es muß wohl kaum betont werden, daß wir uns in diesem Augenblick in einem sehr ernsten Schlamassel befinden; es ist so ernst, daß sogar die stumpfsinnigsten Leute Mühe haben, es weiterhin nicht zu bemerken. Wir leben in einer Welt, in der keiner frei ist, in der kaum einer sicher ist, in der es fast unmöglich ist, ehrlich zu sein *und* am Leben zu bleiben. Für riesige Massen von Arbeitern sind die Lebensbedingungen so, wie ich sie in den ersten Kapiteln dieses Buches beschrieben habe, und es besteht keinerlei Aussicht auf grundlegende Verbesserung. Das Allerhöchste, was die englischen Arbeiter erhoffen können, ist eine gelegentliche, vorübergehende Abnahme der Arbeitslosigkeit, wenn diese oder jene Industrie, zum Beispiel durch die Aufrüstung, künstlich angetrieben wird. Sogar der Mittelstand spürt, zum erstenmal in seiner Geschichte, den Druck. Bis jetzt hat er noch keinen wirklichen Hunger gekannt, aber mehr und mehr Leute quälen sich in einem Netz von Frustrationen ab, in dem es immer schwieriger wird, sich selber einzureden, man sei glücklich, aktiv oder nützlich. Sogar die Glückspilze, die oben sitzen, die eigentliche Bourgeoisie, werden zeitweise vom Bewußtsein des Elends da unten und noch mehr von der Angst vor der bedrohlichen Zukunft geplagt. Und das ist lediglich ein Vorstadium, in einem Land, das noch reich ist durch die Beute aus hundert Jahren. Bald können Gott weiß was für Schrecken auf uns zukommen – Schrecken, von denen wir auf dieser behüteten Insel noch nicht einmal ein überliefertes Wissen haben.

Und die ganze Zeit weiß jeder, der sein Gehirn gebraucht, daß der Sozialismus, als weltweites System und aufrichtig angewandt, ein Ausweg ist. Er würde, auch wenn er uns alles andern beraubte, zumindest sicherstellen, daß wir genug zu essen bekämen. Tatsächlich ist der Sozialismus in einer Hinsicht etwas so elementar Vernünftiges, daß ich manchmal erstaunt bin, daß er sich nicht bereits durchgesetzt hat. Die Welt ist ein durch den Raum segelndes Floß mit potentiell reichlichen Vorräten für jedermann; die Idee, daß wir alle zusammenarbeiten und darauf achten müssen, daß jeder seinen fairen Anteil an der Arbeit verrichtet und seinen fairen Anteil an den Vorräten bekommt, ist so schlagend einsichtig, daß man annehmen würde, keiner, der nicht aus einem korrupten Motiv am bestehenden System festhält, *könnte* überhaupt ablehnen. Aber wir müssen der Tatsache ins Gesicht sehen, daß der Sozialismus sich *nicht* durchsetzt. Anstatt Fortschritte zu machen, geht das Anliegen des Sozialismus sichtlich zurück. Gegenwärtig sind die Sozialisten fast überall im Rückzug vor dem Einfall des Faschismus, und die Ereignisse überstürzen sich. Während ich dies hier schreibe, bombardieren die spanischen faschistischen Streitkräfte Madrid, und es ist ziemlich wahrscheinlich, daß wir, bevor dieses Buch gedruckt ist, der Liste ein weiteres faschistisches Land hinzuzufügen haben, ganz zu schweigen von der faschistischen Herrschaft über das Mittelmeer, die vielleicht zur Folge hat, daß die britische Außenpolitik in Mussolinis Hände übergeht. Ich will hier aber nicht die allgemeinen politischen Probleme diskutieren. Mich beschäftigt der Umstand, daß der Sozialismus genau dort an Boden verliert, wo er an Boden gewinnen müßte. Obwohl so vieles für ihn spricht – jeder leere Magen ist ein Argument für den Sozialismus –, hat die *Idee* heute weniger Geltung als noch vor zehn Jahren. Der durchschnittliche denkende Mensch ist heutzutage nicht nur nicht Sozialist, sondern steht ihm aktiv feindlich gegenüber. Das muß hauptsächlich an den falschen Propagandamethoden liegen. Es bedeutet, daß der Sozialismus in der heutigen Form etwas Abstoßendes an sich hat – etwas, das genau die Leute vertreibt, die sich zu seiner Unterstützung zusammentun sollten.

Vor ein paar Jahren hätte das unwichtig erscheinen können. Es kommt mir wie gestern vor, daß Sozialisten, besonders orthodoxe Marxisten, mir mit überlegenem Lächeln erzählten, der

Sozialismus käme durch einen geheimnisvollen, »historische Notwendigkeit« genannten Prozeß von selbst. Vielleicht besteht der Glaube immer noch, aber es ist doch, gelinde gesagt, an ihm gerüttelt worden. Daher die plötzlichen Versuche der Kommunisten in verschiedenen Ländern, sich mit den demokratischen Kräften zu verbinden, die sie in den vergangenen Jahren sabotiert haben. In einem Moment wie diesem ist es dringend notwendig, herauszufinden, warum der Sozialismus an Anziehungskraft verloren hat. Und es hat keinen Zweck, die allgemeine Abneigung dagegen als Produkt von Dummheit und korrupten Motiven abzutun. Wenn man diese Abneigung beseitigen will, muß man sie verstehen, und das heißt, daß man sich in den gewöhnlichen Gegner des Sozialismus hineinversetzen oder zumindest seinen Standpunkt mit Teilnahme betrachten muß. Kein Fall ist wirklich gelöst, bevor die Gegenseite unvoreingenommen angehört worden ist. Deshalb ist es zur Verteidigung des Sozialismus paradoxerweise notwendig, ihn zunächst anzugreifen.

In den letzten drei Kapiteln habe ich versucht, die Schwierigkeiten zu analysieren, die durch unser anachronistisches Klassensystem hervorgerufen werden; ich muß dieses Thema nun noch einmal berühren, denn ich glaube, daß die gegenwärtige, äußerst törichte Behandlung der Klassenfrage Scharen von potentiellen Sozialisten in den Faschismus treiben kann. Im nächsten Kapitel will ich gewisse grundlegende Annahmen diskutieren, weshalb vernünftige Geister dem Sozialismus entfremdet werden. Hier befasse ich mich mit den offensichtlichen, einleitenden Einwänden, die jemand, der nicht Sozialist ist (ich meine nicht den »Wer soll das bezahlen?«-Typ), immer zuerst vorbringt, wenn man ihn auf das Thema anspricht. Einige dieser Einwürfe erscheinen vielleicht unbedacht oder widersprüchlich, aber darum geht es nicht; ich diskutiere lediglich Symptome. Alles, was die Ablehnung des Sozialismus klarzustellen hilft, ist von Bedeutung. Und bitte beachten Sie, daß ich *für* den Sozialismus argumentiere, nicht *gegen* ihn. Aber für den Moment bin ich der *advocatus diaboli*. Ich lege den Fall desjenigen Menschen dar, der mit den grundsätzlichen Zielen des Sozialismus einverstanden ist und genug Verstand hat, um zu sehen, daß der Sozialismus »funktionieren« würde, der aber in der Praxis schon beim bloßen Wort Sozialismus die Flucht ergreift.

Befragen Sie so jemanden, und Sie werden oft die halb gedankenlose Antwort bekommen: »Ich bin nicht gegen den Sozialismus, aber ich bin gegen die Sozialisten.« Logisch betrachtet ist das ein schwaches Argument, aber für viele Leute hat es Gewicht. Wie bei den Christen sind beim Sozialismus seine Anhänger die schlechteste Reklame.

Das erste, was einem außenstehenden Betrachter auffallen muß, ist der Umstand, daß die Theorie den Sozialismus in seiner entwickelten Form ganz auf den Mittelstand beschränkt. Der typische Sozialist ist nicht, wie sich tatterige alte Damen ausmalen, ein grimmig aussehender Arbeiter mit schmierigen Überhosen und rauher Stimme. Er ist entweder ein jugendlicher bolschewistischer Snob, der in fünf Jahren wahrscheinlich eine gute Partie gemacht hat und zum römisch-katholischen Glauben übergetreten ist, oder, noch typischer, ein zimperlicher kleiner Mann mit einem Weißen-Kragen-Beruf, gewöhnlich heimlicher Abstinenzler und oft mit vegetarischen Neigungen, mit einer Geschichte des Nonkonformismus hinter sich und, vor allem, mit einer sozialen Stellung, die er keineswegs aufs Spiel setzen will. Dieser letzte Typ ist in sozialistischen Parteien jeder Schattierung erstaunlich verbreitet; vielleicht ist er von der alten Liberalen Partei *en bloc* übernommen worden. Dazu kommt noch die schreckliche – die wirklich beunruhigende – Häufigkeit verdrehter Typen, wo immer Sozialisten versammelt sind. Manchmal bekommt man den Eindruck, daß die bloßen Worte »Sozialismus« und »Kommunismus« mit magnetischer Kraft jeden Fruchtsaftapostel, Nudisten, Sandalenträger, Sexverrückten, Quäker, »Naturheil«-Pfuscher, Pazifisten und Feministen in England wie magisch an sich ziehen. Als ich diesen Sommer einmal durch Letchworth fuhr, hielt der Bus, und zwei fürchterlich aussehende alte Männer stiegen zu. Sie waren beide ungefähr sechzig, beide sehr klein, rosa und speckig, und beide ohne Hut. Der eine war unanständig kahl, der andere hatte lange graue Haare, die im Lloyd-George-Stil geschnitten waren. Sie trugen pistazienfarbene Hemden und khakifarbene Shorts, in die ihre riesigen Hintern so fest hineingepreßt waren, daß man jedes Grübchen studieren konnte. Ihre Erscheinung rief oben im Bus einen gelinden Schreckensaufruhr hervor. Der Mann neben mir, ich würde sagen, ein Handlungsreisender, schaute zu mir, dann zu ihnen, dann wieder zu mir und murmelte: »Sozialisten«; wie einer »Indianer« sagen würde. Wahrscheinlich hatte er recht – die I.L.P. hielt ihre Sommerkurse in Letchworth ab. Aber der entscheidende Punkt ist der, daß für ihn als einen gewöhnlichen Mann ein verdrehter Typ einfach Sozialist war und ein Sozialist ein verdrehter Typ. Er hatte wahrscheinlich das Gefühl, man könne darauf gehen, daß jeder Sozialist *irgend etwas* Exzentrisches an sich habe. Und etwas von dieser Vorstellung scheint es sogar bei den Sozialisten selber zu geben. Vor mir habe ich zum Beispiel einen Prospekt von einem anderen Sommerkurs, der die wöchentlichen Preise aufführt und mich dann mitzuteilen bittet, »ob meine Ernährungsweise normal oder vegetarisch ist«. Diese Frage wird also, wie Sie sehen, als nötig vorausgesetzt. So etwas reicht allein schon aus, um eine Menge ordentlicher Leute zu entfremden. Und ihr Instinkt ist völlig gesund, denn der Nahrungs-Kauz ist definitionsgemäß jemand, der gewillt ist, sich von der Gesellschaft abzusondern in der Hoffnung, dem Leben seines Kadavers fünf Jahre hinzuzufügen; das heißt also jemand, der mit der gewöhnlichen Menschheit nichts zu tun hat. Widerlich ist außerdem noch zu sehen, wie die meisten Mittelstandssozialisten, die sich theoretisch nach einer klassenlosen Gesellschaft sehnen, wie Leim an den elenden Überresten ihres sozialen Prestiges kleben. Ich erinnere mich daran, wie entsetzt ich war, als ich zum erstenmal an einem I.L.P.-Zweigtreffen in London teilnahm. (Im Norden, wo die Bourgeoisie weniger dicht gestreut ist, wäre es vielleicht wieder anders gewesen.) Sind *diese* knickerigen kleinen Biester, dachte ich, die Vorkämpfer der

Arbeiterklasse? Denn jedermann, männlich oder weiblich, trug die schlimmsten Stigmata verächtlicher Mittelstandsüberlegenheit. Wenn ein richtiger Arbeiter, ein von der Grube schmutziger Bergmann zum Beispiel, plötzlich hereingekommen wäre, wären sie verlegen, erbost und angewidert gewesen; manche, glaube ich, wären mit zugehaltener Nase geflohen. Die gleiche Tendenz kann man in der sozialistischen Literatur sehen, die, auch wenn sie nicht offen *de haut en bas* geschrieben ist, in Ausdruck und Denkweise doch immer völlig an den Arbeitern vorbeigeht. Die Coles, Webbs, Stracheys etc. sind nicht gerade proletarische Schriftsteller. Es ist zweifelhaft, ob es heute so etwas wie proletarische Literatur überhaupt gibt – sogar der *Daily Worker* ist im Standard-Südenglisch geschrieben –, ein guter Tingeltangel-Komödiant kommt ihm näher als jeder sozialistische Schriftsteller, der mir einfällt. Zudem ist der Fachjargon der Kommunisten von der gewöhnlichen gesprochenen Sprache so weit entfernt wie die Sprache eines mathematischen Lehrbuchs. Einmal hörte ich einen kommunistischen Redner, der sich an eine Zuhörerschaft von Arbeitern wandte. Seine Rede war der übliche Bücherkram, voll von langen Sätzen und Klammern und »nichtsdestotrotz« und »sei dem, wie ihm wolle«, im übrigen der bekannte Jargon von »Ideologie« und »Klassenbewußtsein« und »proletarischer Solidarität« und dem ganzen anderen Zeug. Nach ihm stand ein Arbeiter aus Lancashire auf und sprach in ihrem eigenen breiten Kauderwelsch zur Menge. Es gab kaum einen Zweifel, welcher der beiden näher am Publikum war, aber ich glaube keinen Moment lang, daß der Arbeiter aus Lancashire ein orthodoxer Kommunist war.

Man muß nämlich bedenken, daß ein Arbeiter, solange er ein eigentlicher Arbeiter bleibt, selten oder nie im vollständigen und logisch konsequenten Sinn Sozialist ist. Sehr wahrscheinlich wählt er Labour oder sogar kommunistisch, wenn er die Möglichkeit dazu hat, aber seine Vorstellung von Sozialismus ist eine ganz andere als die des theoretisch geschulten Sozialisten weiter oben. Für den gewöhnlichen Arbeiter, wie man ihn Samstagnacht in jeder Kneipe antrifft, bedeutet Sozialismus nicht viel mehr als bessere Löhne und kürzere Schichten und niemanden, der einen herumkommandiert. Für den revolutionären Typ, der bei Hungermärschen mitmacht und bei den Arbeitgebern auf der schwarzen Liste steht, ist das Wort eine Art Parole gegen die Mächte der Unterdrückung, eine vage Drohung zukünftiger Gewalt. Aber soweit meine Erfahrung geht, begreift die tieferen Implikationen des Sozialismus kein eigentlicher Arbeiter. Meiner Ansicht nach ist er oft ein echterer Sozialist als der orthodoxe Marxist, weil er im Gedächtnis behält, was der andere so oft vergißt: daß Sozialismus Gerechtigkeit und anständige Lebensbedingungen für alle bedeutet. Aber er begreift nicht, daß Sozialismus nicht auf bloße ökonomische Gerechtigkeit eingeschränkt werden kann und daß eine Reform von dieser Größe immense Veränderungen in unserer Zivilisation und in seiner eigenen Lebensweise bewirken muß. Seine Vision der sozialistischen Zukunft ist eine Version der gegenwärtigen Gesellschaft ohne deren schlimmste Mißbräuche und mit einem sich auf die gleichen Dinge wie heute konzentrierenden Interesse – Familienleben, Kneipe, Fußball und Lokalpolitik. Was die philosophische Seite des Marxismus betrifft, den Erbse-und-Fingerhut-Trick mit den drei mysteriösen Wesenheiten These, Antithese und Synthese, so habe ich noch nie einen Arbeiter getroffen, der sich im geringsten dafür interessierte. Natürlich trifft es zu, daß zahlreiche Leute, die von der *Herkunft* zur Arbeiterklasse gehören, Sozialisten vom theoretischen, den Büchern ergebenen Typ sind. Aber diese Leute sind nie Arbeiter *geblieben*; das heißt, sie arbeiten nicht mehr mit den Händen. Sie gehören entweder zu dem im letzten Kapitel erwähnten Typ, der sich über die literarische Intelligentsia in den Mittelstand hinaufwindet, oder dem Typ, der Labour M.P. [Member of Parliament] oder hoher Gewerkschaftsbeamter wird. Dieser letzte Typ ist eines der beelendendsten Schauspiele auf der Welt. Er ist ausgesucht worden, um für seine Kameraden zu kämpfen, und für ihn geht es nur um einen bequemen Job und die Möglichkeit, sich zu

»verbessern«. Nicht nur während, sondern *indem* er gegen die Bourgeoisie kämpft, wird er selber zum Bourgeois. Und dabei ist er möglicherweise ein orthodoxer Marxist geblieben. Aber dem *arbeitenden* Bergmann, Stahlarbeiter, Baumwollweber, Dockarbeiter, Erdarbeiter oder wem noch, der »ideologisch bewandert« ist, muß ich erst noch begegnen.

Eine der Analogien zwischen Kommunismus und dem Katholizismus ist die, daß nur die »Gebildeten« ganz orthodox sind. Was einem bei den englischen Römisch-Katholiken – ich meine nicht die wirklichen Katholiken, ich meine die Konvertiten: Ronald Knox, Arnold Lunn und *ihresgleichen* – zuallererst auffällt, ist, wie intensiv sie mit sich selbst befaßt sind. Sie denken offenbar nie über etwas anderes nach – und mit Sicherheit schreiben sie über nichts anderes – als die Tatsache, daß sie Römisch-Katholiken sind; dieser Umstand und das Selbstlob, das ihm folgt, bilden das ganze Inventar des katholischen Literaten. Aber das wirklich Aufschlußreiche ist die Art, in der diese Leute die angeblichen Implikationen der Orthodoxie ausarbeiten, bis die kleinsten Einzelheiten des Lebens mit einbezogen sind. Sogar die Getränke, die man zu sich nimmt, können offenbar orthodox oder häretisch sein; daher die Kampagnen von Chesterton, »Beachcomber« etc. gegen den Tee und zugunsten des Biers. Laut Chesterton ist Teetrinken »heidnisch« und Biertrinken »christlich«, und Kaffee ist »das Opium des Puritaners«. Zum Unglück dieser Theorie wimmelt es in der »Temperenz«-Bewegung von Katholiken, und die größten Teesäufer der Welt sind die katholischen Iren; aber was mich an der Sache interessiert, ist die Geisteshaltung, die sogar Essen und Trinken als Anlaß religiöser Intoleranz nehmen kann. Ein katholischer Arbeiter wäre nie auf solch absurde Weise konsequent. Er verbrütet seine Zeit nicht darüber, daß er ein Römischer Katholik ist, und er fühlt sich nicht als etwas wesentlich anderes als seine nicht-katholischen Nachbarn. Sagen Sie einem irischen Dockarbeiter in den Slums von Liverpool, seine Tasse Tee sei »heidnisch«, und er wird sagen, Sie seien verrückt. Auch bei ernsteren Angelegenheiten erfaßt er die Implikationen seines Glaubens nicht immer. In den katholischen Häusern in Lancashire sieht man das Kruzifix an der Wand und den *Daily Worker* auf dem Tisch. Nur der »gebildete« Mensch, besonders der Literat, heuchelt mit Geschick. Und mit dem Kommunismus ist es, *mutatis mutandis*, das gleiche. Das Glaubensbekenntnis in seiner reinen Form findet man nie bei einem echten Proletarier.

Natürlich kann man nun einwenden, daß der theoretisch geschulte Sozialist, auch wenn er nicht selber Arbeiter ist, so doch mindestens von einer Art Liebe zu den Arbeitern bestimmt wird. Er bemüht sich, seinen bürgerlichen Status abzuwerfen und auf der Seite des Proletariats zu kämpfen – das muß offenbar sein Motiv sein.

Aber ist es das? Manchmal schaue ich einen Sozialisten an – den intellektuellen, Traktate verfassenden Typ, mit seinem Pullover, dem wirren Haar und den Marx-Zitaten – und frage mich, was zum Teufel *wirklich* sein Motiv ist. Oft fällt es schwer, an seine Liebe zu irgend jemandem zu glauben, besonders zu den Arbeitern, von denen er am allerweitesten entfernt ist. Das Motiv vieler Sozialisten ist meiner Meinung nach lediglich ein überentwickelter Ordnungssinn. Der gegenwärtige Zustand verletzt sie nicht deshalb, weil er Elend verursacht, und noch weniger, weil er Freiheit verunmöglicht, sondern weil er unordentlich ist; sie verlangen im Grunde danach, die Welt auf etwas wie ein Schachbrett zu reduzieren. Nehmen Sie die Dramen eines lebenslangen Sozialisten wie Shaw. Wieviel Verständnis oder auch nur Kenntnis des Arbeiterlebens zeigen sie auf? Shaw selbst erklärt, man könne einen Arbeiter nur »als Gegenstand des Mitleids« auf die Bühne bringen; in der Praxis bringt er ihn nicht einmal als das, sondern lediglich als eine Art W. W. Jacobs-Witzfigur – den gebrauchsfertigen komischen Typ aus dem East End wie in *Major Barbara* und *Captain Brassbound's Conversion*. Seine Haltung gegenüber den Arbeitern ist bestenfalls die grinsende Haltung des *Punch*, in ernsteren Augenblicken (betrachten Sie zum Beispiel den jungen Mann, der in *Misalliance* die um ihren Besitz gebrachten Klassen symbolisiert) findet er sie bloß verachtenswert und abstoßend. Armut und, mehr noch, die von der Armut hervorgebrachten Mentalitäten sind etwas, das *von oben her* abgeschafft werden soll, wenn nötig mit Gewalt, vielleicht sogar am liebsten mit Gewalt. Daher seine Verehrung »großer Männer« und sein Verlangen nach Diktaturen, seien sie nun faschistisch oder kommunistisch; denn für ihn sind Stalin und Mussolini (*vide* seine Bemerkungen anläßlich des italienisch-abessinischen Krieges und der Stalin-Wells-Gespräche) fast gleichwertig. Dasselbe in schönfärberischerer Form findet man in der Autobiographie von Mrs. Sidney Webb, die unbewußt ein höchst enthüllendes Bild des edelgesinnten Slumbesuchers vermittelt. In Wahrheit ist für viele Leute, die sich Sozialisten nennen, die Revolution keine Massenbewegung, der sie sich auch gern zugesellen möchten, sondern sie soll in einer Reihe von Reformen bestehen, die »wir«, die Cleveren, »ihnen«, den Niederen Ständen, auferlegen werden. Andererseits wäre es ein Fehler, den theoretisch geschulten Sozialisten als blutloses Wesen zu betrachten, das zu keinem Gefühl fähig ist. Obwohl er selten einen Beweis seiner Zuneigung zu den Ausgebeuteten erbringt, ist er durchaus imstande, seinen Haß – einen seltsamen, theoretischen *in-vacuo-Haß* – gegenüber den Ausbeutern zu zeigen. Daher das große alte Vergnügen der Sozialisten, über die Bourgeoisie herzuziehen. Es ist eigenartig, wie leicht sich fast jeder sozialistische Schriftsteller in Rasereien der Wut gegen die Klasse, zu der er durch Geburt oder Adoption unweigerlich gehört, hineinsteigern kann. Manchmal reicht der Haß auf bürgerliche Gewohnheiten und bürgerliche »Ideologie« sogar bis zu bürgerlichen Charakteren in Büchern. Laut Henri Barbusse sind die Charaktere in den Romanen von Proust, Gide etc. »Charaktere, die man liebend gern auf der anderen Seite einer Barrikade hätte«. Sie bemerken: »eine Barrikade«. Nach *Le feu* würde ich urteilen, daß Barbusses Erfahrung mit Barrikaden sie ihn hätte verabscheuen lassen. Aber die imaginären Fechtereien gegen

Bürger, die vermutlich nicht zurückschlagen werden, sind nicht ganz dasselbe wie das Ding an sich.

Das beste Beispiel bürgerhetzerischer Literatur, dem ich bisher begegnet bin, ist Mirskys *Intelligentsia of Great Britain*. Es ist ein sehr interessantes und gut geschriebenes Buch, und wer immer den Aufstieg des Faschismus begreifen will, sollte es lesen. Mirsky (früher Prinz Mirsky) war ein emigrierter Weißrusse, der nach England kam und während einiger Jahre als Professor für Russische Literatur an der Londoner Universität lehrte. Später wurde er zum Kommunismus bekehrt, kehrte nach Rußland zurück und schrieb sein Buch als eine Art »Entlarvung« der britischen Intelligentsia von marxistischem Standpunkt aus. Es war ein ganz und gar bösartiges Buch mit einem unmißverständlichen und durchgehenden Beigeschmack von: »Jetzt bin ich außerhalb Ihrer Reichweite und kann über Sie sagen, was ich will«, und abgesehen von den üblichen Verdrehungen enthält es einige ganz entschiedene und wahrscheinlich absichtliche Fehldarstellungen: zum Beispiel, daß Conrad als »kein bißchen weniger imperialistisch als Kipling« bezeichnet und von D.H. Lawrence gesagt wird, er schreibe »splitternackte Pornographie« und es sei ihm »gelungen, alle Verbindungen zu seinem proletarischen Ursprung abzubrechen« – als sei Lawrence Schweineschlächter gewesen und ins Oberhaus aufgestiegen! So etwas ist sehr beunruhigend, wenn man bedenkt, daß es an ein russisches Publikum gerichtet ist, das keinerlei Mittel hat, seine Genauigkeit zu überprüfen. Aber im Augenblick denke ich an die Auswirkungen, die so ein Buch auf das englische Publikum hat. Hier haben Sie einen Gelehrten von aristokratischer Herkunft, einen Mann, der wahrscheinlich nie in seinem Leben auf nur annähernd gleicher Ebene mit einem Arbeiter gesprochen hat und der nun ein giftiges, verleumderisches Geschrei gegen seine »bürgerlichen« Kollegen losläßt. Warum? Anscheinend aus reiner Bosheit. Er kämpft *gegen* die britische Intelligentsia, aber *wofür* kämpft er? Im Buch selber gibt es keinen Hinweis. Deshalb vermitteln Bücher wie dieses Außenseitern letztlich den

Eindruck, im Kommunismus gäbe es nichts als *Haß*. Und hier kommen wir noch einmal auf die eigenartige Ähnlichkeit von Kommunismus und (bekehrtem) Katholizismus. Wenn Sie ein Buch finden wollen, das so bösartig ist wie *The Intelligentsia of Great Britain*, schauen Sie am besten bei den populären römisch-katholischen Apologeten. Sie werden die gleiche Giftigkeit und die gleiche Unredlichkeit finden, wenn auch, um hier gerecht zu sein, nicht die gleichen schlechten Manieren. Komisch, daß Genosse Mirskys geistiger Bruder Pater wäre! Die Kommunisten und die Katholiken sagen zwar nicht das gleiche, und jeder würde den anderen herzlich gern in Öl sieden, wenn es sich einrichten ließe; aber für einen Außenstehenden sind sie sich sehr ähnlich.

Tatsache ist, daß der Sozialismus *in der heutigen Form* hauptsächlich unzulängliche oder sogar unmenschliche Typen anzieht. Auf der einen Seite haben wir den warmherzigen Sozialisten, der sich keine Gedanken macht, den typischen Arbeiter-Sozialisten, der nur die Armut abschaffen will und nicht immer begreift, was das alles nach sich zieht. Auf der anderen Seite haben wir den intellektuellen, theoretisch geschulten Sozialisten, der versteht, daß unsere gegenwärtige Zivilisation den Ausguß hinabgeschüttet werden muß und dazu auch durchaus bereit ist. Dieser Typ entstammt zunächst einmal ausschließlich dem Mittelstand, und zwar einem wurzellosen, städtischen Mittelstand. Schlimmer ist, daß er diejenigen Leute einschließt – und zwar in solchem Maß, daß er für den Außenstehenden aus ihnen zu bestehen scheint –, über die ich gesprochen habe: die schäumenden Anprangerer der Bourgeoisie und die Mehr-Wasser-in-euer-Bier-Reformer, deren Prototyp Shaw ist, und die cleveren jungen sozialliterarischen Aufsteiger, die heute Kommunisten sind, wie sie in fünf Jahren Faschisten sein werden, weil das halt so im Schwang ist, und dann noch die öde Zunft von edelgesinnten Frauen und Sandalenträgern und bärtigen Fruchtsafttrinkern, die vom Geruch des »Fortschritts« angezogen werden wie Schmeißfliegen von einer toten Katze.

Der gewöhnliche anständige Mensch, der mit den *wesentlichen* Zielen des Sozialismus einverstanden ist, bekommt den Eindruck, für seinesgleichen gäbe es in einer sozialistischen Partei, die es ernst meint, keinen Platz. Schlimmer noch, er wird zu der zynischen Folgerung getrieben, der Sozialismus sei eine Art Jüngstes Gericht, das wahrscheinlich einmal hereinbricht, aber so lange wie möglich hingehalten werden muß. Natürlich ist es, wie ich schon angedeutet habe, nicht ganz fair, eine Bewegung nach ihren Anhängern zu beurteilen; aber entscheidend ist, daß man es eben unabänderlich tut und daß die allgemeine Vorstellung von Sozialismus von der Vorstellung gefärbt ist, ein Sozialist sei ein langweiliger oder unangenehmer Mensch. »Sozialismus« wird als Zustand geschildert, in dem sich unsere redseligeren Sozialisten ganz und gar zu Hause fühlen würden. Das tut der Sache großen Schaden. Der gewöhnliche Mann schreckt nicht unbedingt vor einer Diktatur des Proletariats zurück, wenn man sie ihm diskret anbietet; bieten Sie ihm eine Diktatur von Tugendaposteln an, und er rüstet sich zum Kampf.

Es gibt ein weitverbreitetes Gefühl, daß jede Zivilisation, in der der Sozialismus verwirklicht wäre, zu unserer eigenen im gleichen Verhältnis stünde wie eine brandneue Flasche Kolonialburgunder zu ein paar Löffeln voll erstklassigem Beaujolais. Wir leben zugegebenermaßen in einem Wrack von Zivilisation; aber sie war zu ihrer Zeit eine große Zivilisation, und stellenweise gedeiht sie noch fast ungestört. Sie hat sozusagen noch ihr Bouquet, während die imaginäre sozialistische Zukunft wie der Kolonialburgunder nur nach Eisen und Wasser schmeckt. Daher rührt es – und das ist verheerend –, daß Künstler irgendwelcher Bedeutung nie für den sozialistischen Stall gewonnen werden können. Das gilt vor allem für den Schriftsteller, dessen politische Ansichten direkter und offensichtlicher mit seinem Werk verbunden sind als die, sagen wir, eines Malers. Wenn man den Tatsachen ins Gesicht sieht, muß man zugeben, daß fast alles, was als sozialistische Literatur bezeichnet werden kann, langweilig, abgeschmackt und schlecht ist. Betrachten Sie die gegenwärtige Situation in England. Eine ganze Generation ist mit der Idee des Sozialismus von Jugend an mehr oder weniger vertraut, und trotzdem ist die obere Grenze der sozialistischen Literatur, wenn man so sagen kann, W. H. Auden, eine Art Kipling ohne dessen Schneid,* und die noch schwächeren Dichter, die mit ihm zusammengebracht werden. Jeder bedeutende Schriftsteller und jedes lesenswerte Buch steht auf der anderen Seite. Ich will gern glauben, daß das in Rußland – über das ich ja nichts weiß – anders ist, denn vermutlich trägt die bloße Gewaltsamkeit der Ereignisse im postrevolutionären Rußland zu einer kräftigeren Art von Literatur bei. Daß der Sozialismus in Europa keine nennenswerte Literatur hervorgebracht hat, steht jedoch fest. Vor einiger Zeit, als die Fronten noch weniger klar waren, gab es Schriftsteller von einiger Vitalität, die sich als Sozialisten bezeichneten, aber das Wort als ungenaue Etikette benutzten. Wenn Ibsen und Zola sich also als Sozialisten bezeichneten, hieß das nicht viel mehr, als daß sie »Progressive« waren, während es im Fall von Anatole France lediglich bedeutete, daß er ein Antiklerikaler war. Die eigentlichen sozialistischen Schriftsteller, die propagandistischen, sind immer langweilige leere Windbeutel gewesen – Shaw, Barbusse, Upton Sinclair, William Morris, Waldo Frank etc. etc. Ich meine natürlich nicht, daß der Sozialismus verurteilt werden soll, weil die literarischen Herrschaften ihn nicht mögen; ich meine noch nicht einmal, daß er unbedingt eine eigene Literatur hervorbringen müßte, obwohl ich es ein schlechtes Zeichen finde, daß er keine singenswerten Lieder hervorgebracht hat. Ich weise lediglich darauf hin, daß wirklich talentierte Schriftsteller dem Sozialismus gleichgültig und oft aktiv und boshaft feindlich gegenüberstehen. Und das ist ein Unglück, nicht nur für die Schriftsteller selber, sondern für die Sache des Sozialismus, der sie sehr nötig braucht.

Das ist also die Außenansicht für das Zurückschrecken des

* Orwell nahm diese Bemerkung später etwas zurück. Siehe »Inside the Whale«, *England, Your England*, p. 120 (Secker & Warburg Collected Edition).

gewöhnlichen Mannes vor dem Sozialismus. Ich kenne die ganze öde Auseinandersetzung sehr gründlich, weil ich sie von beiden Seiten kenne. Alles, was ich hier sage, habe ich zu glühenden Sozialisten gesagt, die mich bekehren wollten, und es ist mir gesagt worden von gelangweilten Nicht-Sozialisten, die ich bekehren wollte. Die ganze Sache läuft auf eine Art *Malaise* hinaus, die durch die Abneigung gegenüber individuellen Sozialisten, besonders gegenüber dem überheblichen Marx-Zitierer entsteht. Ist es kindisch, von derlei beeinflußt zu werden? Ist es albern? Sogar verachtenswert? Es ist all das, aber es geht darum, daß dies eben *passiert*, und deshalb ist es wichtig, es im Gedächtnis zu behalten.

XII

Es gibt nun aber noch eine viel gravierendere Schwierigkeit als die orts- und zeitgebundenen Einwände, die ich im letzten Kapitel diskutiert habe.

Der Sozialist, der sieht, wie intelligente Leute so oft auf der anderen Seite stehen, neigt dazu, ihnen korrupte (bewußte oder unbewußte) Motive zu unterstellen oder einen unwissenden Glauben, daß der Sozialismus nicht »funktionieren« würde, oder die bloße Furcht vor den Greueln und Unannehmlichkeiten der revolutionären Periode, bevor der Sozialismus verwirklicht ist. Zweifellos sind alle diese Motive wichtig, aber es gibt eine Menge Leute, die von keinem von ihnen beeinflußt und dem Sozialismus deshalb nicht weniger feindlich gesinnt sind. Ihr Abscheu vor dem Sozialismus ist geistiger oder »ideologischer« Art. Sie widersetzen sich ihm nicht, weil er nicht »funktionieren« würde, sondern gerade weil er zu gut funktionieren würde. Sie fürchten sich nicht davor, was während ihrer eigenen Lebenszeit passieren wird, sondern in einer weit entfernten Zukunft, dann, wenn der Sozialismus eine Realität ist.

Ich habe äußerst selten einen überzeugten Sozialisten getroffen, der begreifen konnte, daß denkende Menschen vielleicht von dem *Ziel*, auf das sich der Sozialismus zuzubewegen scheint, abgestoßen werden. Besonders der Marxist weist so etwas als bürgerliche Sentimentalität zurück. Marxisten haben in der Regel kein großes Geschick, die Gedanken ihrer Gegner zu lesen; hätten sie es, wäre die Situation in Europa jetzt vielleicht weniger verzweifelt. Da sie eine Methode besitzen, die alles zu erklären scheint, fragen sie oft nicht danach, was in den Köpfen anderer Leute vor sich geht. Ich will das kurz veranschaulichen. Mr. N. A. Holdaway, einer der fähigsten marxistischen Schriftsteller überhaupt, schreibt bei der Untersuchung der weitverbreiteten – und in gewissem Sinn sicherlich wahren – Theorie, der Faschismus sei ein Produkt des Kommunismus:

> Die altersgraue Legende, der Kommunismus führe zum Faschismus ... wahr daran ist, daß das Aufkommen kommunistischer Aktivität die herrschende Klasse warnt, daß die demokratischen Labour-Parteien nicht mehr in der Lage sind, die Arbeiterklasse im Zaum zu halten, und daß die kapitalistische Herrschaft eine andere Form annehmen muß, wenn sie überleben will.

Hier sehen Sie die Mängel der Methode. Weil Mr. Holdaway die dem Faschismus zugrundeliegende ökonomische Ursache aufgedeckt hat, nimmt er stillschweigend an, seine geistige Seite sei völlig unwichtig. Der Faschismus wird abgetan als ein Manöver der »herrschenden Klasse«, was er im Grunde ja ist. Aber das würde nur erklären, warum der Faschismus die Kapitalisten anzieht. Was aber ist mit den Millionen, die nicht Kapitalisten sind, die materiell vom Faschismus nichts zu gewinnen haben und es oft auch wissen, und die dennoch Faschisten sind? Offensichtlich hat sich ihre Annäherung ausschließlich ideologisch abgespielt. Sie konnten nur deshalb in den Faschismus getrieben werden, weil der Kommunismus gewisse Dinge (Patriotismus, Religion etc.) angriff oder anzugreifen schien, die tiefer lagen als das wirtschaftliche Motiv; und in *diesem* Sinn ist es völlig richtig, daß der Kommunismus zum Faschismus führt. Es ist schade, daß Marxisten ihre Aufmerksamkeit fast immer darauf richten, ökonomische Katzen aus ideologischen Säcken herauszulassen. In gewissem Sinn enthüllt das die Wahrheit, aber um den Preis, daß der größte Teil ihrer Propaganda ihr Ziel verfehlt. Warum gerade sensible Leute vor dem Sozialismus zurückschrecken, will ich in diesem Kapitel diskutieren, und zwar in einiger Ausführlichkeit, denn die Abneigung ist sehr weit verbreitet, einflußreich, und von Sozialisten fast völlig unbeachtet.

Als erstes muß bemerkt werden, daß die Idee des Sozialismus mehr oder weniger unzertrennlich mit der Idee der Maschinen-Produktion verbunden ist. Der Sozialismus ist im wesentlichen eine *städtische* Überzeugung. Er ging mehr oder weniger mit der Industrialisierung einher, er hatte seine Wurzeln immer im Stadtproletariat und im städtischen Intellektuellen, und es ist zweifelhaft, ob er in einer anderen als einer industriellen Gesellschaft je hätte entstehen können. Unter dem Industrialismus bietet sich die Idee von selbst an, weil Privateigentum nur dann erträglich ist, wenn jeder einzelne (oder jede Familie oder andere Einheit) sich wenigstens einigermaßen selbst erhalten kann; der Industrialismus jedoch macht es jedermann unmöglich, sich auch nur einen Augenblick lang selber zu erhalten. Der Industrialismus *muß*, sobald er über eine recht niedrige Stufe hinauskommt, zu irgendeiner Form von Kollektivismus führen. Natürlich nicht unbedingt zum Sozialismus; es wäre auch denkbar, daß er zu dem Sklavenstaat führt, wovon der Faschismus eine Art Prophezeiung ist. Und das Umgekehrte trifft auch zu. Die Maschinenproduktion legt den Sozialismus nahe, aber der Sozialismus als weltweites System impliziert die Maschinenproduktion, weil er vieles verlangt, was mit einer primitiven Lebensweise nicht vereinbar ist. Er verlangt zum Beispiel einen ständigen Verkehr und Güteraustausch zwischen allen Teilen der Welt; er verlangt ein gewisses Maß an zentralisierter Lenkung; er verlangt einen annähernd gleichen Lebensstandard und wahrscheinlich eine gewisse Einheitlichkeit der Erziehung. Wir können deshalb annehmen, daß eine Welt, in der der Sozialismus verwirklicht wäre, mindestens so mechanisiert sein müßte wie gegenwärtig die Vereinigten Staaten, und wahrscheinlich noch mehr. Ohnehin würde kein Sozialist das bestreiten wollen. Die sozialisierte Welt wird immer als eine vollständig technisierte, unendlich organisierte Welt geschildert, die von der Maschine abhängt, wie die antike Zivilisation vom Sklaven abhing.

So weit so gut, oder so schlecht. Eine große Zahl, vielleicht die Mehrheit der denkenden Leute, ist nicht in die Maschinenzivilisation verliebt, aber wer kein Narr ist, weiß, daß es unsinnig ist, die Maschine heute zu verschrotten. Das Unglück jedoch besteht darin, daß der Sozialismus, wie er gewöhnlich dargestellt wird, mit der Idee des technischen Fortschritts verknüpft ist, und zwar nicht bloß als eine notwendige Entwicklung, sondern als Selbstzweck, fast als eine Art Religion. Diese Vorstellung ist beispielsweise in dem propagandistischen Zeug enthalten, das über den rasenden technischen Fortschritt in Sowjetrußland (den Dnjepr-Damm, Traktoren etc.) geschrieben wird. Karel Čapek schildert sie sehr zutreffend in dem furchtbaren Schluß von *R.U.R.*, wo die Roboter, nachdem sie das letzte menschliche Wesen niedergemetzelt haben, ihre Absicht kundgeben, »viele Häuser zu bauen« (nur um der Häuser willen, wohlgemerkt). Der Typ Mensch, der den Sozialismus am bereitwilligsten anerkennt, ist auch der, der den technischen Fortschritt *als solchen* mit Begeisterung verfolgt; so sehr, daß Sozialisten oft nicht fähig sind zu begreifen, daß die entgegengesetzte Auffassung überhaupt existiert. In der Regel fällt ihnen als überzeugendstes Argument ein, die gegenwärtige Technisierung der Welt sei noch gar nichts im Vergleich mit dem, was uns der verwirklichte Sozialismus bescheren wird. Wo jetzt ein Flugzeug ist, werden in jener Zeit fünfzig fliegen. Alle Arbeit, die heute von Hand verrichtet wird, wird dann von Maschinen verrichtet werden; alles, was jetzt aus Leder, Holz oder Stein gemacht ist, wird aus Gummi, Glas oder Stahl bestehen; es wird keine Unordnung geben, keine unverarbeiteten Fäden, keine Wildnis, keine wilden Tiere, kein Unkraut, keine Krankheit, keine Armut, keinen Schmerz – und so weiter und so fort. Die sozialistische Welt soll vor allen Dingen eine *geordnete* Welt sein, eine *effiziente* Welt. Aber genau vor dieser Vision der Zukunft als einer Art glitzernder Wells-Welt schaudern sensible Geister zurück. Bitte beachten Sie, daß diese im Grunde genommen fettbäuchige Version des »Fortschritts« kein eigentlicher Bestandteil der sozialistischen Lehre ist, aber sie wird heute dafür gehalten, mit dem Ergebnis, daß der latente gefühlsmäßige Konservatismus leicht gegen den Sozialismus mobilisiert werden kann.

Jeder sensible Mensch kennt Anflüge von Mißtrauen gegenüber den Maschinen und bis zu einem gewissen Grad gegenüber den Naturwissenschaften. Aber es ist wichtig, die verschiedenen Motive der Ablehnung von Wissenschaft und Maschinen, die zu verschiedenen Zeiten sehr verschieden sind, zu trennen und die Eifersucht des modernen literarischen Gents, der die Wissenschaft haßt, weil sie den Wind aus seinen literarischen Segeln genommen hat, aus dem Spiel zu lassen. Die früheste umfassende Attacke gegen Wissenschaft und Maschinen, die ich kenne, ist der dritte Teil von *Gullivers Reisen*. Aber Swifts Angriff ist, obwohl als *tour de force* brillant, unbedeutend und sogar albern, weil er vom Standpunkt eines Mannes aus geschrieben ist, dem es – vielleicht sieht es komisch aus, das vom Autor von *Gullivers Reisen* zu sagen – an Phantasie fehlte. Für Swift war Wissenschaft nur eine Art unnützes Gescharre im Mist, und die Maschinen waren sinnlose Apparaturen, die niemals laufen würden. Sein Maßstab war praktische Nützlichkeit, und ihm fehlte die Vorstellung, daß ein Experiment, das im Augenblick nicht nachweislich von Nutzen ist, in Zukunft vielleicht Ergebnisse bringt. An anderer Stelle im Buch bezeichnet er es als die größte aller

Errungenschaften, »zwei Grashalme wachsen zu lassen, wo vorher nur einer wuchs«, und sieht offenbar nicht, daß die Maschine genau das tun kann. Ein wenig später begannen die verachteten Maschinen zu arbeiten, die Naturwissenschaft weitete ihr Gebiet aus, und es begann der berühmte Konflikt zwischen Religion und Wissenschaft, der unsere Großväter in Wallung brachte. Dieser Konflikt ist vorüber, beide Seiten haben sich zurückgezogen und den Sieg für sich in Anspruch genommen, aber in den Gedanken der meisten Gläubigen klingt noch eine antiwissenschaftliche Neigung nach. Das ganze neunzehnte Jahrhundert hindurch erhoben sich Proteste gegen Wissenschaft und Maschinen (zum Beispiel Dickens' *Harte Zeiten*), aber meist aus dem ziemlich seichten Grund, daß die Industrialisierung in ihren ersten Stadien grausam und häßlich war. Samuel Butlers Angriff auf die Maschine in dem wohlbekannten Kapitel von *Erewhon* ist etwas anderes. Aber Butler selbst lebte in einem Zeitalter, das weniger verzweifelt war als unser eigenes, einem Zeitalter, in dem ein erstrangiger Mann noch einen Teil seiner Zeit als Dilettant verbringen konnte, und so erschien ihm die ganze Sache als eine Art intellektuelle Übung. Er sah unsere unterwürfige Abhängigkeit von der Maschine ganz genau, aber anstatt die Konsequenzen davon herauszuarbeiten, zog er eine Übertreibung vor, die nicht viel mehr war als ein Witz. Erst in unserem eigenen Zeitalter, da die Technisierung endgültig den Sieg davongetragen hat, können wir wirklich *fühlen*, wie die Maschine dazu tendiert, ein umfassend menschliches Leben unmöglich zu machen. Wahrscheinlich hat niemand von denen, die noch denken und fühlen können, nicht gelegentlich einen Gasrohrstuhl angeschaut und dabei an die Maschine als Feind des Lebens gedacht. In der Regel ist dies jedoch eher instinktiv als von der Vernunft begründet. Die Leute wissen, daß der »Fortschritt« irgendwie ein Betrug ist, aber sie kommen durch eine Art Gedankensprung zu dieser Folgerung; meine Aufgabe hier ist es, die logischen Schritte beizusteuern, die im allgemeinen ausgelassen werden. Aber zuerst muß man fragen: Worin besteht die

Funktion der Maschine? Offenbar ist ihre primäre Funktion die, Arbeit zu ersparen, und wem die Maschinenzivilisation ganz und gar willkommen ist, sieht selten ein Grund, weiter zu suchen. Hier zum Beispiel habe ich jemanden, der von sich sagt, oder eher hinausbrüllt, er sei in der modernen technischen Welt völlig zu Hause. Ich zitiere aus *World Without Faith* von Mr. John Beevers. Er sagt folgendes:

> Es ist der reine Wahnsinn zu sagen, der durchschnittliche Mann mit zwischen 2 £ 10 s. und 4 £ pro Woche sei ein niedrigerer Typ als ein Landarbeiter des achtzehnten Jahrhunderts. Oder als der Arbeiter oder Bauer irgendeiner ausschließlich landwirtschaftlichen Gemeinschaft heute oder in der Vergangenheit. Es ist einfach nicht wahr. Es ist so verdammt albern, ein großes Geschrei zu machen über die zivilisierenden Auswirkungen der Arbeit auf den Feldern und Höfen im Gegensatz zur Arbeit in einem großen Lokomotivenwerk oder einer Automobilfabrik. Arbeit ist eine Plage. Wir arbeiten, weil wir müssen, und alle Arbeit wird getan, um uns mit Freizeit zu versehen und mit den Mitteln, durch die wir diese Freizeit so erfreulich wie möglich verbringen können.

Und weiter:

> Der Mensch wird genug Zeit und genug Macht haben, seinem eigenen Himmel auf Erden nachzujagen, ohne sich um den übernatürlichen zu kümmern. Die Erde wird ein so angenehmer Ort sein, daß dem Priester und dem Pfarrer nicht viel zu erzählen übrigbleibt. Ein sauberer Schlag – und die sind ausgezählt. Etc., etc.

Ein ganzes Kapitel haut in dieselbe Kerbe (Kapitel 4 von Mr. Beevers Buch), und als Darstellung der Maschinenverehrung in ihrer vulgärsten, ignorantesten und halbgebackenen Form gibt sie einigen Aufschluß. Es ist der Originalton eines großen Teils der modernen Welt. Jeder Aspirinschlucker in den äußeren Vorstädten würde es eifrig nachbeten. Beachten Sie das schrille Wutgeschrei (»es ist einfach nicht waa-a-a-hr« etc.), mit dem Mr. Beevers dem Ansinnen begegnet, sein Großvater sei vielleicht ein besserer Mensch gewesen als er selber, und dem noch schrecklicheren Ansinnen, daß er, sollten wir zu einer einfacheren Lebensweise zurückkehren, vielleicht in einem anstrengenden Beruf seine Muskeln härten müßte. Arbeit wird, wie Sie sehen, getan, »um uns mit Freizeit zu versehen«. Freizeit wozu? Vermutlich, um so zu werden wie Mr. Beevers. Aber aufgrund der Stelle über »Himmel und Erde« kann man tatsächlich eine recht genaue Vermutung anstellen, wie Mr. Beevers die Zivilisation gern hätte: als eine Art Lyons Corner House*, das in *saecula saeculorum* besteht und immer größer und lärmiger wird. Und in jedem Buch von jedem beliebigen Autor, der sich in der Maschinenwelt zuhause fühlt – von H. G. Wells, zum Beispiel – werden Sie solche Passagen finden. Wie oft haben wir es nicht gehört, dieses klebrig erbauliche Zeug über die »Maschinen, unsere neue Sklavenrasse, die die Menschheit befreien wird« etc. etc. etc. Für diese Leute besteht die einzige Gefahr der Maschine offenbar in ihrem Mißbrauch für zerstörerische Zwecke, wenn zum Beispiel Flugzeuge im Krieg verwendet werden. Kriege und unvorhergesehene Katastrophen ausgenommen, wird die Zukunft als immer schnellere Entwicklung des maschinellen Fortschritts ausgemalt. Maschinen, um Arbeit zu sparen, Maschinen, um Denken zu sparen, Maschinen, um Schmerz, Hygiene, Fleiß, Organisation zu sparen, mehr Hygiene, mehr Effizienz, mehr Organisation, mehr Maschinen – bis man zuletzt in der nunmehr vertrauten Utopia von Wells anlangt, das von Huxley in *Tapfere Neue Welt*, dem Paradies kleiner fetter Männer, treffend karikiert wurde. Natürlich sind die kleinen fetten Männer in ihren Tagträumen von der Zukunft weder fett noch klein; sie sind »Menschen wie

* Vorläufer aller Schnellimbiß-Filialbetriebe

Götter«. Aber warum sollten sie es sein? Jeder technische Fortschritt führt zu größerer und größerer Effizienz und somit zuletzt zu einer Welt, in der *nichts schiefgeht*. Aber in einer Welt, in der nichts schiefginge, wären viele der Eigenschaften, die Mr. Wells als »gottgleich« ansieht, nicht wertvoller als die Fähigkeit der Tiere, mit den Ohren zu wackeln. Die Wesen in *Menschen wie Götter* und *Der Traum* werden zum Beispiel als tapfer, großmütig und physisch stark dargestellt. Aber wäre es in einer Welt, aus der physische Gefahr verbannt wäre – und offenbar führt technischer Fortschritt zum Ausschalten der Gefahr –, wahrscheinlich, daß physischer Mut überlebte? *Könnte* er überleben? Und warum sollte Körperstärke überleben in einer Welt, in der körperliche Arbeit niemals nötig ist? Und Eigenschaften wie Loyalität, Großmut etc. wären in einer Welt, in der nichts schiefginge, nicht nur bedeutungslos, sondern wahrscheinlich unvorstellbar. In Wahrheit können viele Eigenschaften, die wir an Menschen bewundern, nur im Widerstreit mit irgendeiner Art von Unglück, Schmerz oder Schwierigkeiten überhaupt wirksam sein; die Tendenz des technischen Fortschritts dagegen besteht darin, Unglück, Schmerz und Schwierigkeiten auszuschalten. In Büchern wie *Der Traum* und *Menschen wie Götter* wird angenommen, daß Eigenschaften wie Stärke, Tapferkeit, Großmut am Leben gehalten werden, weil sie sich gut ausnehmen und notwendige Merkmale des vollwertigen Menschen sind. Die Einwohner von Utopia zum Beispiel würden vermutlich künstliche Gefahren erfinden, um ihren Mut zu üben, und Hantelübungen, um ihre Muskeln zu härten, die sie sonst nicht gebrauchen müßten. Und hier bemerken Sie den ungeheuren Widerspruch, der gewöhnlich in der Idee des Fortschritts liegt. Die Tendenz des Fortschritts ist, Ihre Umgebung sicher und sanft zu machen; und trotzdem strengen Sie sich an, um tapfer und hart zu bleiben. Im gleichen Moment drängen Sie wild voran und halten sich doch verzweifelt zurück. Es ist, als ob ein Londoner Börsenmakler in einem Kettenpanzer in sein Büro käme und darauf bestünde, mittelalterliches Latein zu sprechen.

So ist letztlich der Anwalt des Fortschritts auch der Fürsprecher von Anachronismen.

Ich bin davon ausgegangen, daß der technische Fortschritt *tatsächlich* zu einem sicheren und sanften Leben führt. Darüber kann man streiten, denn zu jedem Zeitpunkt kann die Wirkung einer kürzlich gemachten technischen Erfindung offenbar gegenteilig sein. Nehmen Sie zum Beispiel den Übergang von Pferden zu Motorwagen. Auf den ersten Blick könnte man, wenn man die enormen Ziffern an Verkehrstoten betrachtet, sagen, daß das Automobil das Leben nicht gerade sicherer macht. Außerdem braucht es wahrscheinlich genausoviel Zähigkeit, um ein erstklassiger Motocrossfahrer zu sein wie ein Rodeozureiter oder ein Jockey am Grand National. Gleichwohl ist es die *Tendenz* aller Maschinen, sicherer und einfacher bedienbar zu werden. Die Gefahr von Unfällen würde verschwinden, wenn wir uns entschlössen, unser Straßenplanungsproblem ernsthaft in die Hand zu nehmen, wie wir es früher oder später tun werden; und inzwischen wird sich das Automobil bis zu einem Punkt entwikkelt haben, an dem jedermann, der nicht blind oder gelähmt ist, es nach ein paar Fahrstunden fahren kann. Sogar schon jetzt braucht es viel weniger Mut und Geschicklichkeit, um ein Auto gut zu lenken, als ein Pferd einigermaßen gut zu reiten; in zwanzig Jahren braucht es vielleicht überhaupt keinen Mut und überhaupt keine Geschicklichkeit mehr. Deshalb muß man, wenn man die Gesellschaft als ganzes nimmt, sagen, daß das Ergebnis des Übergangs von Pferden zu Autos für den Menschen eine Zunahme an Weichlichkeit bedeutet. Bald danach kommt einer mit einer anderen Erfindung daher, dem Flugzeug zum Beispiel, das auf den ersten Blick das Leben auch nicht sicherer zu machen scheint. Die ersten Männer, die mit Flugzeugen in die Luft stiegen, waren überaus tapfer, und sogar noch heute muß man außergewöhnlich gute Nerven haben, um Pilot zu sein. Dennoch ist die gleiche Tendenz am Werk wie oben. Das Flugzeug wird, genau wie das Auto, narrensicher gemacht werden; eine Million Ingenieure arbeiten fast unbewußt darauf hin. Zuletzt – das ist das Ziel, wenn es vielleicht auch nie erreicht wird – wird man ein Flugzeug haben, dessen Pilot nicht mehr Geschicklichkeit oder Mut braucht als ein Baby in seinem Kinderwagen. Und aller technische Fortschritt verläuft notwendigerweise in dieser Richtung. Eine Maschine entwickelt sich, indem sie effizienter, das heißt narrensicherer wird; daher ist das Ziel des technischen Fortschritts eine narrensichere Welt – was vielleicht nicht eine Welt von Narren bedeutet. Mr. Wells würde vielleicht einwerfen, daß die Welt nie narrensicher werden kann, weil bei einem noch so hohen Grad von Effizienz immer noch größere Schwierigkeiten auftreten werden. Wenn wir beispielsweise (das ist Mr. Wells' Lieblingsidee – er hat sie Gott weiß wie oft rhetorisch ausgeschlachtet) unseren Planeten völlig im Griff haben, gehen wir die ungeheure Aufgabe an, einen andern Planeten zu erreichen und zu kolonisieren. Aber das rückt das Ziel lediglich weiter in die Zukunft; das Ziel selbst bleibt das gleiche. Kolonisieren Sie einen anderen Planeten, und das Spiel des technischen Fortschritts beginnt von neuem; Sie haben die narrensichere Welt durch das narrensichere Sonnensystem ersetzt – das narrensichere Universum. Indem man sich an das Ideal der technischen Effizienz bindet, bindet man sich an das Ideal der Weichlichkeit. Aber Weichlichkeit ist abstoßend, und so wird der ganze Fortschritt als ein wahnsinniger Kampf auf ein Ziel hin gesehen, das, wie man hofft und betet, nie erreicht werden wird. Hin und wieder, aber nicht oft, trifft man jemanden, der begreift, daß das, was gewöhnlich Fortschritt genannt wird, auch das zur Folge hat, was man gewöhnlich Degeneration nennt, und der trotzdem dafür ist. So kommt es, daß in Mr. Shaws Utopia eine Statue für Falstaff als ersten Menschen errichtet wurde, der je eine Rede auf die Feigheit hielt.

Aber das Dilemma geht unendlich viel tiefer. Bis jetzt habe ich nur auf die Absurdität hingewiesen, auf technischen Fortschritt hinzuzielen und gleichzeitig Eigenschaften zu bewahren, die der technische Fortschritt unnötig macht. Zu überlegen ist, ob es überhaupt eine menschliche Tätigkeit gibt, die durch die Vorherrschaft der Maschine nicht verstümmelt würde.

Die Funktion der Maschine besteht darin, Arbeit zu ersparen. In einer vollständig technisierten Welt wird alle langweilige Plackerei von Maschinen erledigt werden, und wir werden frei sein für interessantere Beschäftigungen. So ausgedrückt, tönt das herrlich. Es wird einem übel, wenn man sieht, wie sich ein halbes Dutzend Männer die Gedärme aus dem Leib schwitzt, um einen Graben für ein Wasserrohr auszuheben, wenn eine leicht erdachte Maschine die Erde in ein paar Minuten herausschaufeln kann. Warum nicht die Maschine die Arbeit tun und die Männer gehen und etwas anderes tun lassen! Aber sogleich taucht die Frage auf: Was sollen sie denn sonst tun? Vermutlich sind sie von der »Arbeit« freigestellt, damit sie etwas tun können, das nicht »Arbeit« ist. Aber was ist Arbeit und was nicht? Ist es Arbeit, zu graben, zu zimmern, Bäume zu pflanzen, Bäume zu fällen, zu reiten, zu fischen, zu jagen, Hühner zu füttern, Klavier zu spielen, Fotos zu machen, ein Haus zu bauen, zu kochen, zu nähen, Hüte zu garnieren, Motorräder zu flicken? Alle diese Dinge sind Arbeit für den einen, und alle sind Spiel für den andern. Eigentlich gibt es sehr wenige Tätigkeiten, die nicht, je nachdem, als Arbeit oder als Spiel klassiert werden können. Der Arbeiter, der vom Graben befreit ist, möchte seine Freizeit oder einen Teil davon vielleicht mit Klavierspielen verbringen, während der Pianist vielleicht nur zu froh ist, herauszukommen und im Kartoffelacker zu graben. Deshalb ist die Antithese zwischen Arbeit als etwas unendlich Langweiligem und Nicht-Arbeit als etwas Wünschenswertem falsch. Die Wahrheit ist, daß der Mensch, wenn er nicht gerade ißt, trinkt, schläft, mit jemandem ins Bett geht, redet, Spiele macht oder einfach herumlungert – und das alles kann nicht ein Leben ausfüllen –, Arbeit braucht und gewöhnlich auch sucht, obwohl er sie vielleicht nicht so nennt. Über dem Niveau eines Schwachsinnigen dritten oder vierten Grades ist das Leben größtenteils auf Anstrengungen ausgerichtet. Denn der Mensch ist nicht, wie die vulgäreren

Hedonisten zu vermuten scheinen, eine Art wandelnder Magen; er hat auch Hände, Augen und ein Gehirn. Hören Sie auf, Ihre Hände zu gebrauchen, und Sie haben ein riesiges Stück Ihres Bewußtseins abgeschnitten. Und jetzt denken Sie noch einmal an jenes halbe Dutzend Männer, die den Graben für das Wasserrohr ausheben. Eine Maschine hat sie vom Graben befreit, und jetzt wollen sie sich mit etwas anderem vergnügen, zum Beispiel mit Zimmern. Aber was immer sie tun werden, sie werden bemerken, daß eine andere Maschine sie auch *davon* befreit hat. Denn in einer vollständig technisierten Welt wäre es genauso überflüssig, zu zimmern, zu kochen, Motorräder zu flicken etc., wie es unnötig wäre zu graben. Vom Walfangen bis zum Kirschkernschnitzen gibt es kaum etwas, das theoretisch nicht von Maschinen gemacht werden könnte. Die Maschine würde sogar auf die Tätigkeiten übergreifen, die wir heute als »Kunst« einstufen; über die Kamera und das Radio tut sie es bereits. Technisieren Sie die Welt so vollständig, wie sie nur technisiert werden könnte, und wohin Sie sich auch wenden, wird eine Maschine stehen, die Ihnen die Möglichkeit versperrt, zu arbeiten – das heißt, zu leben.

Auf den ersten Blick scheint das vielleicht keine Rolle zu spielen. Warum sollte man nicht mit seiner »kreativen Arbeit« fortfahren und die Maschinen, die sie für einen tun würden, nicht beachten? Aber es ist nicht so einfach, wie es tönt. Da arbeite ich acht Stunden im Tag in einem Versicherungsbüro, und in meiner Freizeit will ich etwas »Kreatives« tun; deshalb entschließe ich mich, ein bißchen zu zimmern – mir zum Beispiel einen Tisch zu machen. Beachten Sie, daß die ganze Angelegenheit von allem Anfang an etwas Künstliches an sich hat, denn die Fabriken können mir einen weit besseren Tisch herstellen, als ich ihn je anfertigen kann. Aber selbst wenn ich mich an die Arbeit an meinem Tisch mache, ist es mir nicht möglich, ihm gegenüber so zu empfinden wie der Möbelschreiner noch vor hundert Jahren gegenüber seinem Tisch, und noch weniger wie Robinson Crusoe gegenüber seinem. Denn noch bevor ich anfange, ist die meiste Arbeit schon von Maschinen für mich getan. Die Werkzeuge, die ich benutze, erfordern ein Minimum an Geschicklichkeit. Ich kann zum Beispiel Holzwerkzeuge bekommen, die jede beliebige Form ausschneiden; der Möbelschreiner vor hundert Jahren hätte diese Arbeit noch mit Meißel und Gutsche machen müssen, was ein wirklich geübtes Auge und eine geschickte Hand erforderte. Die Bretter, die ich kaufe, sind fertig gehobelt, und die Beine sind fertig gedrechselt. Ich kann sogar ins Holzgeschäft gehen und alle Teile des Tisches vorgefertigt kaufen, so daß sie nur noch zusammengefügt werden müssen und meine Arbeit darauf reduziert wird, daß ich ein paar Holznägel einschlage und von einem Stück Sandpapier Gebrauch mache. Und wenn das schon heute so ist, wird es in der technisierten Zukunft erst recht so sein. Mit den Werkzeugen und Materialien, die dann erhältlich sind, wird es keine Fehlermöglichkeit und daher auch keinen Raum für Geschicklichkeit mehr geben. Es wird leichter und langweiliger sein, einen Tisch zu machen, als eine Kartoffel zu schälen. Unter solchen Umständen ist es Unsinn, von »kreativer Arbeit« zu sprechen. Auf jeden Fall wären die Fertigkeiten (die durch eine Lehre weitergegeben werden müssen) schon lange verschwunden. Manche sind durch die Konkurrenz der Maschine heute schon verschwunden. Sehen Sie sich auf irgendeinem Landfriedhof um und schauen Sie, ob Sie einen ordentlich behauenen Grabstein finden, der nach 1820 gemacht wurde. Die Kunst oder vielmehr das Handwerk der Steinmetzarbeit ist so vollständig ausgestorben, daß es Jahrhunderte brauchte, um es wieder zu beleben.

Aber man könnte sagen: Warum behalten wir nicht die Maschine *und* die kreative Arbeit bei? Warum nicht Anachronismen als Freizeit-Hobby kultivieren? Viele Leute haben mit diesem Gedanken gespielt; er scheint die von der Maschine gestellten Probleme so wunderbar leicht zu lösen. Der Bürger von Utopia, sagt man uns, wird, wenn er von seinen täglichen zwei Stunden Hebel-Betätigen in der Tomatenkonservenfabrik heimkommt, bewußt zu einer primitiveren Lebensweise zurückkehren und seine kreativen Instinkte mit ein bißchen Laubsägearbeit, dem Lasieren von Keramik oder Handweberei besänftigen. Und warum ist dieses Bild eine Absurdität – was es natürlich ist? Wegen eines Prinzips, das nicht immer erkannt, nach dem aber immer gehandelt wird: daß man, solange die Maschine *da* ist, sich verpflichtet fühlt, sie zu benutzen. Niemand zieht das Wasser aus dem Brunnen hoch, wenn er den Wasserhahn aufdrehen kann. Eine gute Illustration hierzu ist das Reisen. Jedermann, der mit primitiven Mitteln in einem unerschlossenen Land gereist ist, weiß, daß der Unterschied zwischen dieser Art des Reisens und dem modernen Reisen in Zügen, Autos etc. ein Unterschied wie Leben und Tod ist. Der Nomade, der zu Fuß geht oder reitet, sein Gepäck auf einem Kamel oder einem Ochsenwagen verstaut, erleidet vielleicht alle möglichen Unannehmlichkeiten, aber wenigstens lebt er, während er reist; die Reise in einem Schnellzug oder Luxusdampfer hingegen ist für den Passagier ein Interregnum, eine Art zeitweiliger Tod. Und doch muß man, solange es die Bahn gibt, mit dem Zug reisen – oder mit dem Auto oder dem Flugzeug. Nehmen Sie beispielsweise mich. Ich bin vierzig Meilen von London entfernt. Warum packe ich, wenn ich hinauf nach London will, nicht mein Gepäck auf einen Maulesel und ziehe zu Fuß los, so daß ich zwei Tage unterwegs bin? Weil so eine Reise, neben den Green-Line-Bussen, die alle zehn Minuten an mir vorbeizischen, unerträglich mühsam wäre. Damit man primitives Reisen genießen kann, darf es keine andere Methode geben. Kein Mensch will je etwas auf beschwerlichere Weise tun als nötig. Daher die Absurdität jenes Bildes von Utopiern, die mit Laubsägen ihre Seele retten. In einer Welt, in der alles von Maschinen gemacht werden könnte, würde auch alles von Maschinen gemacht. Bewußt zu primitiven Methoden zurückzukehren, archaische Werkzeuge zu benutzen, sich selbst dumme kleine Schwierigkeiten in den Weg zu legen, wäre ein Stück Dilettantismus, eine künstliche Kunstwerkelei. Es wäre so, wie wenn man sich feierlich zu Tische setzte, um sein Dinner mit Steinwerkzeugen zu sich zu nehmen. Kehren

Sie in einem Maschinenzeitalter zur Handarbeit zurück, und Sie sind wieder in Ihrem alt aufgemotzten Kaffeehaus oder der Tudorvilla mit dem vorfabrizierten Fachwerk.

Der technische Fortschritt wirkt also dahin, das menschliche Bedürfnis nach Anstrengung und schöpferischer Tätigkeit zu vereiteln. Er macht die Tätigkeiten des Auges und der Hand unnötig und sogar unmöglich. Der Fortschritts-Apostel wird manchmal erklären, das spiele keine Rolle, aber man kann ihn gewöhnlich in die Enge treiben, indem man ihm zeigt, wie entsetzlich weit dieser Prozeß getrieben werden kann. Warum, zum Beispiel, überhaupt die Hände benutzen, warum sie auch nur zum Naseschneuzen oder Bleistiftspitzen benutzen? Man könnte doch sicher irgendeinen Apparat aus Stahl und Gummi an den Schultern befestigen und die Arme zu Stummeln aus Haut und Knochen verkümmern lassen? Und das gleiche mit jedem Organ und jeder Fähigkeit. Es gibt wirklich keinen Grund, weshalb ein Mensch etwas anderes tun sollte als essen, trinken, atmen und sich fortpflanzen; *alles* andere könnten Maschinen für ihn erledigen. Deshalb besteht die logische Folge des technischen Fortschritts in der Reduktion des menschlichen Wesens auf gleichsam ein Gehirn in einer Flasche. Darauf steuern wir bereits zu, obwohl das natürlich nicht unsere Absicht ist; so wie ein Mann, der pro Tag eine Flasche Whisky trinkt, es nicht eigentlich auf eine Leberzirrhose anlegt. Das implizierte Ziel des Fortschritts ist – vielleicht nicht *ganz* – das Gehirn in der Flasche, aber auf jeden Fall ein schrecklicher, unmenschlicher Abgrund an Verweichlichung und Hilflosigkeit. Und das Bedauerliche ist, daß der Begriff »Fortschritt« und der Begriff »Sozialismus« heute in fast jedermanns Vorstellung untrennbar verknüpft sind. Wer Maschinen haßt, findet es auch selbstverständlich, den Sozialismus zu verabscheuen; der Sozialist ist immer für Technisierung, Rationalisierung, Modernisierung – oder glaubt zumindest, daß er dafür sein sollte. Vor einiger Zeit gestand mir zum Beispiel ein recht prominentes Labourpartei-Mitglied mit einer Art gedankenvoller Scham – als ob es etwas leicht Unanständiges sei –, er »habe Pferde gern«. Pferde gehören, wie Sie sehen, der verschwundenen landwirtschaftlichen Vergangenheit an, und jede Empfindung für die Vergangenheit hat einen vagen Geruch von Häresie an sich. Ich glaube nicht, daß das unbedingt so sein muß, aber zweifellos ist es so. Und das allein genügt schon, um die Entfremdung anständiger Geister vom Sozialismus zu erklären.

Vor einer Generation war jeder intelligente Mensch in gewissem Sinne Revolutionär; heutzutage wäre es treffender zu sagen, daß jeder intelligente Mensch ein Reaktionär ist. In diesem Zusammenhang lohnt es sich, H. G. Wells' *Wenn der Schläfer erwacht* mit Aldous Huxleys *Tapferer neuer Welt*, das dreißig Jahre später geschrieben wurde, zu vergleichen. Beide sind pessimistische Utopien, Visionen von einer Art Paradies für Pedanten, in dem alle Träume des »progressiven« Menschen wahr werden. Rein als ein Werk phantasievoller Gestaltung betrachtet, ist *Wenn der Schläfer erwacht* in meinen Augen weit überlegen, aber es leidet unter großen Widersprüchen, weil Wells, der Erzpriester des »Fortschritts«, nicht mit der geringsten inneren Überzeugung *gegen* den Fortschritt schreiben kann. Er zeichnet das Bild einer glitzernden, seltsam unheimlichen Welt, in der die privilegierten Klassen ein Leben des seichten, feigen Hedonismus leben und die Arbeiter, auf einen Zustand äußerster Sklaverei und halbtierischer Unwissenheit reduziert, wie Troglodyten in unterirdischen Höhlen schuften. Sobald man diese Vorstellung überprüft – sie wird in einer ausgezeichneten Kurzgeschichte in *Stories of Space and Time* weiterentwickelt –, sieht man ihre innere Widersprüchlichkeit. Denn warum sollten in der ungeheuer technisierten Welt, die Wells sich vorstellt, die Arbeiter schwerer arbeiten müssen als jetzt? Die Tendenz der Maschine besteht offensichtlich darin, Arbeit abzuschaffen, und nicht darin, sie zu vermehren. In der Maschinenwelt wären die Arbeiter vielleicht versklavt, schlecht behandelt und sogar unterernährt; aber sicher wären sie nicht zu endloser mühsamer Handarbeit verurteilt; denn was sollte in diesem Fall die Maschine ausrichten? Man kann entweder Maschinen haben, die die ganze Arbeit machen, oder Menschen, die die ganze Arbeit machen, aber nicht beides. Die Heere von unterirdischen Arbeitern mit ihren blauen Uniformen und ihrer verderbten, halbmenschlichen Sprache sind nur ins Spiel gebracht worden, damit es einem kalt den Rücken hinunterläuft. Wells will andeuten, daß der »Fortschritt« eine falsche Wendung nehmen könnte; aber das einzige Übel, das er sich vorzustellen bemüht, ist die Ungleichheit – eine Klasse reißt allen Reichtum und alle Macht an sich und unterdrückt die andern; anscheinend aus reiner Bosheit. Es braucht nur eine ganz kleine Drehung, scheint er sagen zu wollen, stürzen Sie die privilegierte Klasse, wechseln Sie einfach vom Weltkapitalismus zum Sozialismus über, und alles renkt sich ein. Die Maschinenzivilisation soll weiterbestehen, aber ihre Produkte sollen gleichmäßig verteilt werden. Der Gedanke, den er nicht zu fassen wagt, ist die Möglichkeit, daß die Maschine selbst der Feind ist. Deshalb kehrt er in seinen charakteristischeren Utopien (*Der Traum, Menschen wie Götter*) zum Optimismus und zu einer Vision der Menschheit als einer durch die Maschine »befreiten« Rasse von aufgeklärten Sonnenanbetern zurück, deren einziges Gesprächsthema ihre eigene Überlegenheit gegenüber ihren Vorfahren ist. *Tapfere neue Welt* gehört einer späteren Zeit und einer Generation an, die den Schwindel vom »Fortschritt« durchschaut hat. Es enthält seine eigenen Widersprüche (der wichtigste wird in John Stracheys *The Coming Struggle for Power* aufgezeigt), aber es ist zumindest ein denkwürdiger Angriff auf die fettbäuchige Art von Perfektionismus. Unter Berücksichtigung der karikierenden Übertreibungen drückt es wahrscheinlich das aus, was die Mehrheit der denkenden Menschen gegenüber der Maschinenzivilisation empfindet.

Die Feindseligkeit des empfindsamen Menschen gegenüber der Maschine ist auch unrealistisch, denn offensichtlich wird die Maschine hierbleiben. Aber die Geisteshaltung hat vieles für sich. Die Maschine muß akzeptiert werden, aber wahrscheinlich ist es besser, sie so zu akzeptieren wie ein Medikament – das heißt widerwillig und mißtrauisch. Wie ein Medikament ist auch die Maschine nützlich, gefährlich und gewohnheitserzeugend. Je öfter man ihr nachgibt, desto fester wird ihr Griff. Man braucht sich nur umzusehen, um wahrzunehmen, mit welch unheimlicher Geschwindigkeit die Maschine uns in ihre Gewalt bekommt. Als erstes ist da die fürchterliche Verdorbenheit des Geschmacks durch ein Jahrhundert der Technisierung. Das ist fast zu offensichtlich und zu allgemein anerkannt, als daß man noch besonders darauf hinweisen müßte. Aber nehmen Sie als Beispiel den Geschmack im engsten Sinn – für anständiges Essen. In den hochtechnisierten Ländern ist der Gaumen dank Büchsennahrung, Kühllagerung und künstlichen Aromastoffen etc. fast ein totes Organ. Wie Sie in jedem Früchte- und Gemüseladen sehen können, versteht die Mehrheit der Engländer unter einem Apfel einen Klumpen stark gefärbter Watte aus Amerika oder Australien; sie verschlingen diese Dinger, anscheinend mit Genuß, und lassen die englischen Äpfel unter den Bäumen verfaulen. Es ist das glänzende, standardisierte, maschinengemachte Aussehen des amerikanischen Apfels, das sie anzieht; den besseren Geschmack des englischen Apfels bemerken sie einfach nicht. Oder schauen Sie den in Fabriken hergestellten, in Folie verpackten Käse und die Butter in irgendeinem Lebensmittelladen an; schauen Sie sich die scheußlichen Reihen von Konservenbüchsen an, die in jedem Lebensmittelladen, und sogar in der Molkerei, mehr und mehr Platz für sich beanspruchen; schauen Sie sich eine »Schweizer« Bisquitrolle für Sixpence oder ein Eis für Twopence an; schauen Sie sich das chemische Abfallprodukt an, das sich die Leute unter dem Namen Bier die Kehle hinunterschütten. Wo man auch hinschaut, überall sieht man irgendeinen schicken, maschinell hergestellten Artikel triumphieren über den altmodischen Artikel, der immer noch nach etwas anderem als nach Sägemehl schmeckt. Und was für Nahrungsmittel gilt, gilt auch für Möbel, Häuser, Kleider, Bücher, Vergnügungen und alles andere, aus dem unsere Umgebung besteht. Es gibt heute Millionen von Leuten, und ihre Zahl nimmt jedes Jahr zu, für die das Plärren eines Radios nicht nur ein angenehmerer, sondern ein *normalerer* Hintergrund für ihre Gedanken ist als das Muhen der Kühe oder das Singen der Vögel. Die Technisierung der Welt könnte nie sehr weit fortschreiten, solange der Geschmack, ja nur die Geschmacksnerven der Zunge, unverdorben blieben, weil die Produkte der Maschine in diesem Fall einfach unerwünscht wären. In einer gesunden Welt bestünde kein Bedarf an Konserven, Aspirintabletten, Grammophonen, Gasrohrstühlen, Maschinengewehren, Tageszeitungen, Telephonen, Autos etc. etc.; auf der anderen Seite dagegen bestünde ein ständiger Bedarf an den Dingen, die die Maschine nicht herstellen kann. Aber inzwischen ist die Maschine da, und ihre verderblichen Auswirkungen sind fast unaufhaltsam. Man wettert gegen sie, aber man benutzt sie weiterhin. Sogar ein nacktarschiger Wilder wird, wenn man ihm die Möglichkeit dazu gibt, die Laster der Zivilisation innert ein paar Monaten erlernen. Die Technisierung führt zum Verfall des Geschmacks, der Verfall des Geschmacks führt zum Verlangen nach maschinell hergestellten Artikeln und somit zu mehr Technisierung, und so entsteht ein Teufelskreis.

Darüber hinaus jedoch neigt die Technisierung der Welt dazu, gewissermaßen automatisch fortzuschreiten, ob wir es wollen oder nicht. Das liegt daran, daß beim modernen westlichen Menschen die Fähigkeit zur technischen Erfindung gepflegt und angeregt worden ist, bis sie beinahe den Status eines Instinkts erreicht hat. Die Leute erfinden neue Maschinen und verbessern bestehende fast unbewußt, fast wie ein Schlafwandler, der im Schlaf weiterarbeitet. In der Vergangenheit, als es selbstverständlich war, daß das Leben auf diesem Planeten rauh oder jedenfalls mühsam ist, erschien es einem als natürliches Los, die plumpen Werkzeuge seiner Vorväter weiter zu benutzen, und nur ein paar exzentrische Menschen, Jahrhunderte auseinander, schlugen Neuerungen vor; deshalb blieben über enorme Zeit spannen hinweg Dinge wie der Ochsenwagen, der Pflug, die Sichel etc. im Grunde unverändert. Es ist schriftlich belegt, daß Schrauben seit dem fernen Altertum im Gebrauch sind und daß dennoch bis zur Mitte des neunzehnten Jahrhunderts niemand daran dachte, Schrauben mit Spitzen zu machen; mehrere tausend Jahre lang behielten sie ein flaches Ende, und es mußten Löcher für sie gebohrt werden, bevor sie eingesetzt werden konnten. In unserer eigenen Epoche wäre so etwas undenkbar. Denn bei fast jedem modernen westlichen Menschen ist die Erfindungsgabe bis zu einem gewissen Grad entwickelt; der westliche Mensch erfindet Maschinen so natürlich, wie der polynesische Inselbewohner schwimmt. Geben Sie einem westlichen Menschen eine Arbeit, und er beginnt sofort, eine Maschine zu ersinnen, die sie für ihn tun würde; geben Sie ihm eine Maschine, und er denkt sich Möglichkeiten aus, sie zu verbessern. Ich verstehe diese Neigung recht gut, weil ich auf unzulängliche Art und Weise gleich veranlagt bin. Ich habe weder die Geduld noch die technische Fertigkeit, eine Maschine zu ersinnen, die funktionieren würde; aber ich sehe ständig die Schatten möglicher Maschinen, die meinem Gehirn oder meinen Muskeln Mühen ersparen könnten. Ein Mensch mit mehr mechanischer Begabung würde wahrscheinlich einige von ihnen bauen und in Betrieb setzen.

Aber unter unserem bestehenden wirtschaftlichen System hinge die Frage, ob er sie baut – oder vielmehr, ob irgend jemand anders von ihnen profitiert – davon ab, ob sie kommerziell gewinnbringend sind. Daher haben die Sozialisten recht, wenn sie behaupten, daß die Geschwindigkeit des technischen Fortschritts unter einem sozialischen System viel größer sein wird. Innerhalb einer technischen Zivilisation wird der Prozeß von Erfindung und Verbesserung immer weitergehen, aber der Kapitalismus hat die Tendenz, ihn zu verlangsamen, weil jede Erfindung, die nicht ziemlich rasche Gewinne verspricht, vernachlässigt wird; manche, die die Gewinne zu verringern drohen, werden fast so grausam unterdrückt wie das flexible Glas, das bei Petronius erwähnt wird.* Verwirklichen Sie den Sozialismus – entfernen Sie das Profitprinzip –, und der Erfinder wird freie Hand haben. Die Technisierung der Welt, die ja schon rasch genug geschieht, würde oder könnte zumindest enorm beschleunigt werden.

Und diese Aussicht ist etwas düster, weil es schon heute offensichtlich ist, daß der Prozeß der Technisierung außer Kontrolle geraten ist. Er findet einfach statt, weil er zur Gewohnheit geworden ist. Ein Chemiker perfektioniert eine neue Methode der synthetischen Herstellung von Gummi, oder ein Mechaniker ersinnt ein neues Bolzenmodell. Warum? Nicht zu irgendeinem klar begriffenen Zweck, sondern einfach aus dem Impuls, zu erfinden und zu verbessern, der jetzt instinktiv geworden ist. Schicken Sie einen Pazifisten zur Arbeit in eine Bombenfabrik, und in zwei Monaten entwirft er eine neue Bombe. Deshalb gibt es so teuflische Dinge wie Giftgase, die nicht einmal ihre Erfinder für eine Wohltat für die Menschheit ansehen. Unsere Haltung gegenüber Dingen wie Giftgasen *sollte* die des Königs von Brobdingnag gegenüber dem Schießpulver sein; aber weil wir in einem technischen und wissenschaftlichen Zeitalter leben, sind wir von der Vorstellung infiziert, daß der »Fortschritt«, was auch sonst geschehen mag, weitergehen muß und Wissen nie unterdrückt werden darf. Verbal wären wir zweifellos damit einverstanden, daß die Maschinen für den Menschen gemacht sind und nicht der Mensch für die Maschinen; in Wirklichkeit erscheint uns jeder Versuch, die Entwicklung der Maschine aufzuhalten, als Angriff auf das Wissen und daher als eine Art Blasphemie. Und sogar wenn sich die gesamte Menschheit plötzlich gegen die Maschine auflehnte und beschlösse, in eine einfachere Lebensweise zu flüchten, wäre das Entrinnen immer noch unendlich schwierig. Es würde nicht genügen, wie in Butlers *Erewhon*, jede Maschine, die nach einem

* Beispiel: Vor einigen Jahren erfand jemand eine Plattenspielernadel, die jahrzehntelang halten würde. Eine der großen Grammophongesellschaften kaufte die Patentrechte auf, und das war das letzte, was man je von der Sache hörte.

bestimmten Zeitpunkt erfunden wurde, zu zertrümmern; wir müßten auch die ganze geistige Haltung zertrümmern, die fast unwillkürlich neue Maschinen ersinnen würde. Und in uns allen steckt zumindest eine Spur dieser Geisteshaltung. In jedem Land der Erde marschiert das große Heer von Wissenschaftlern und Technikern – wir andern heften uns keuchend an ihre Fersen –, mit der blinden Beharrlichkeit einer Ameisenkolonne die Straße des »Fortschritts« entlang. Relativ wenige Menschen wollen, daß er stattfindet, viele Menschen wollen aktiv, daß er *nicht* stattfindet, und dennoch findet er statt. Der Prozeß der Technisierung ist selbst zur Maschine geworden, zu einem riesigen glitzernden Vehikel, das uns irgendwohin schleudert, wir sind selbst nicht sicher, wohin, aber wahrscheinlich zur gepolsterten Wells-Welt und dem Gehirn in der Flasche.

Das also sind die Einwände gegen die Maschine. Ob es starke oder schwache Einwände sind, spielt kaum eine Rolle. Entscheidend ist, daß diese oder sehr ähnliche Argumente vorgebracht werden von denen, die die Maschinenzivilisation fürchten. Und auf Grund der unglückseligen Gedankenkette »Sozialismus – Fortschritt – Maschinen – Rußland – Traktor – Hygiene – Maschinen – Fortschritt«, die sich in fast jedermanns Vorstellung breitgemacht hat, ist es gewöhnlich *dieselbe* Person, die sich dann auch vor dem Sozialismus fürchtet. Die Leute, die für Zentralheizung und Gasrohrstühle nichts übrig haben, sind auch gleichzeitig diejenigen, die beim bloßen Wort Sozialismus etwas von »Bienenstaat« murmeln und sich mit gequältem Gesicht abwenden. Nach meinen Beobachtungen begreifen nur sehr wenige Sozialisten, warum das so ist, oder auch nur, *daß* es so ist. Nehmen Sie einmal den redseligeren Typus in eine Ecke und wiederholen Sie ihm das Wesentliche von dem, was ich in diesem Kapitel gesagt habe, und achten Sie auf die Antwort. Sie werden sogar mehrere Antworten bekommen; sie sind mir so vertraut, daß ich sie beinahe auswendig kann.

Als erstes wird er Ihnen erzählen, daß es unmöglich sei, »zurückzugehen« (oder »den Zeiger des Fortschritts zurückzustellen«) – als ob der Zeiger des Fortschritts in der Geschichte der Menschheit nicht schon mehrmals ganz schön gewaltsam zurückgestellt worden wäre!), und dann wird er Sie als Verehrer des Mittelalters beschuldigen und sich über die Schrecken des Mittelalters, Lepra, die Inquisition etc. auslassen. In Wirklichkeit geht die Schelte des Mittelalters und der Vergangenheit im allgemeinen, die von Apologeten der Moderne vorgetragen werden, meistens an der Sache vorbei, weil ihr eigentlicher Trick darin besteht, einen modernen Menschen mit seiner Zimperlichkeit und seinem hohen Komfort-Bedürfnis in ein Zeitalter zu projizieren, in dem all dies völlig unbekannt war. Aber beachten Sie, daß das ohnehin keine Antwort ist. Denn eine Abneigung gegenüber der technisierten Zukunft impliziert nicht die geringste Verehrung irgendeiner Epoche in der Vergangenheit. D. H. Lawrence, weiser als der Verehrer des Mittelalters, verfiel darauf, die Etrusker, über die wir glücklicherweise so wenig wissen, zu idealisieren. Aber es ist überhaupt nicht notwendig, auch nur die Etrusker oder die Pelasger oder die Azteken oder die Sumerer oder irgendein anderes verschwundenes und romantisches Volk zu idealisieren. Eine wünschenswerte Zivilisation schildert man lediglich als Ziel; es ist nicht nötig vorzugeben, daß sie in Zeit und Raum je existiert hat. Trichtern Sie ihm das ein und erklären Sie ihm, daß Sie darauf aus sind, das Leben einfacher und härter statt weichlicher und komplexer zu machen, und der Sozialist wird gewöhnlich annehmen, daß Sie zu einem »Naturzustand« zurückkehren wollen – womit er irgendeine stinkende paläolithische Höhle meint: als ob es zwischen einem Flintschaber und den Stahlwerken von Sheffield oder zwischen einem mit Häuten überzogenen Fischerboot und der *Queen Mary* gar nichts gäbe.

Schließlich jedoch werden Sie eine Antwort bekommen, die den Kern der Sache eher trifft und die ungefähr wie folgt lautet: »Ja, was Sie da sagen, ist ja schön und gut. Zweifellos wäre es sehr edel, wenn wir uns abhärten würden und ohne Aspirin und Zentralheizung und so weiter auskämen. Aber sehen Sie, das Entscheidende ist, daß niemand das ernsthaft will. Es würde die

Rückkehr zu einer landwirtschaftlichen Lebensweise bedeuten, und das bedeutet scheußlich harte Arbeit und hat nichts mit ein bißchen Gärtnern zu tun. Ich will nicht schwer arbeiten, Sie wollen nicht schwer arbeiten – niemand, der weiß, was es heißt, will es. Sie reden nur so, weil Sie in Ihrem Leben noch nie einen Tag lang wirklich gearbeitet haben«, etc. etc.

Nun, in einem gewissen Sinn trifft das zu. Es läuft darauf hinaus, daß man sagt: »Wir sind weichlich – laßt uns um Gottes willen weichlich bleiben!«, was wenigstens realistisch ist. Wie ich schon dargelegt habe, hat die Maschine uns im Griff, und es wird unendlich schwierig sein, zu entkommen. Trotzdem ist diese Antwort im Grunde eine Ausflucht, weil sie nicht klarzumachen vermag, was wir meinen, wenn wir sagen, daß wir dies oder das »wollen«. Ich bin ein degenerierter moderner Halbintellektueller, der draufgehen würde, wenn er nicht jeden Morgen seine Tasse Tee und jeden Freitag seinen *New Statesman* bekäme. Natürlich »will« ich in gewissem Sinn gar nicht zu einer einfacheren, härteren, wahrscheinlich landwirtschaftlichen Lebensweise zurückkehren. Im gleichen Sinn »will« ich auch nicht meinen Alkoholkonsum einschränken, meine Schulden bezahlen, mich genug bewegen, meiner Frau treu sein etc. etc. Aber in einem anderen und beständigeren Sinn will ich dies alles eben doch, und vielleicht will ich im gleichen Sinn eine Zivilisation, in der »Fortschritt« nicht als eine sichere Welt für kleine fette Menschen definiert werden kann. Die angeführten Argumente sind praktisch die einzigen, die ich von Sozialisten – denkenden, theoretisch geschulten Sozialisten – zur Antwort bekommen konnte, wenn ich ihnen zu erklären versuchte, wie sie potentielle Anhänger vertreiben. Natürlich gibt es auch das alte Argument, daß der Sozialismus sowieso kommen wird, ob es den Leuten gefällt oder nicht, und zwar wegen dieser müheersparenden Sache, der »historischen Notwendigkeit«. Aber die »historische Notwendigkeit«, oder vielmehr der Glaube an sie, hat es nicht geschafft, Hitler zu überleben.

Unterdessen lungert der denkende Mensch, vom Verstand her

gewöhnlich links, aber vom Temperament her oft rechts, am Gatter des sozialistischen Geheges herum. Zweifellos ist er sich bewußt, daß er Sozialist sein *sollte*. Aber er bemerkt zuerst die Geistlosigkeit einzelner Sozialisten, dann die offenbare Schlappheit sozialistischer Ideale und wendet sich ab. Bis vor ziemlich kurzer Zeit war es natürlich, zum Indifferentismus überzuschwenken. Vor zehn Jahren, ja sogar vor fünf Jahren, schrieb der typische literarische Gent Bücher über Barockarchitektur und hielt seine Seele aus der Politik heraus. Aber diese Haltung wird allmählich schwierig und sogar altmodisch. Die Zeiten werden schwerer, die Probleme liegen klarer zutage, der Glaube, daß sich nichts je ändern wird (d. h. daß Ihre Dividenden immer sichergestellt sein werden), ist weniger vorherrschend. Der Zaun, auf dem der literarische Gent sitzt, einst so bequem wie das Plüschkissen eines Chorgestühls, zwickt ihn nun unerträglich in den Hintern; mehr und mehr zeigt er einen Hang, auf der einen oder anderen Seite hinunterzuplumpsen . Es ist interessant anzusehen, wie viele unserer führenden Schriftsteller, die vor einem Dutzend Jahren mit allen Kräften l'art pour l'art betrieben und es für unaussprechlich vulgär gehalten hätten, auch nur bei einer allgemeinen Wahl stimmen zu gehen, nun einen entschiedenen politischen Standpunkt einnehmen, während die meisten jüngeren Schriftsteller, zumindest diejenigen, die nicht bloße Schwätzer sind, von Anfang an »politisch« waren. Ich glaube, wenn es zum Äußersten kommt, besteht eine schreckliche Gefahr, daß sich der Großteil der Intelligentsia zum Faschismus hin bewegen wird. Wie bald genau es zum Äußersten kommt, ist schwer zu sagen; es hängt wahrscheinlich von den Ereignissen in Europa ab; aber es kann sein, daß wir in zwei Jahren oder sogar in einem Jahr den entscheidenden Augenblick erreicht haben werden. Das wird auch der Augenblick sein, wo jeder, der überhaupt etwas Verstand oder Anstand hat, in den Knochen spüren wird, daß er auf der sozialistischen Seite stehen sollte. Er wird aber nicht unbedingt aus eigenem Antrieb dorthin gelangen; es gibt zu viele uralte Vorurteile, die ihm im Weg stehen. Er wird überzeugt werden müssen, und zwar durch Methoden, die ein Verständnis seines Standpunkts einschließen. Die Sozialisten können es sich nicht leisten, noch mehr Zeit damit zu verlieren, zu den Bekehrten zu predigen. Ihre Aufgabe ist es nun, so schnell wie möglich Sozialisten zu machen; statt dessen machen sie allzuoft Faschisten.

Wenn ich vom Faschismus in England spreche, denke ich nicht unbedingt an Mosley und seine pickligen Anhänger. Der englische Faschismus wird, wenn er kommt, wahrscheinlich von gesetzter und feiner Art sein (vermutlich wird er, am Anfang ohnehin, nicht Faschismus *genannt* werden), und es ist zweifelhaft, ob ein schwerer Gilbert-und-Sullivan-Operettendragoner vom Schlag Mosleys für die Mehrheit der Engländer je viel mehr als ein Witz sein wird, obwohl man sogar auf Mosley aufpassen soll; denn die Erfahrung zeigt (siehe die Karrieren von Hitler, Napoleon III.), daß es für einen politischen Aufsteiger manchmal von Vorteil ist, am Anfang nicht zu ernst genommen zu werden. Aber im Augenblick denke ich an die faschistische Geisteshaltung, die ohne jeden Zweifel an Boden gewinnt bei Leuten, die es besser wissen müßten. Der Faschismus, wie er im Intellektuellen zutage tritt, ist eine Art Spiegelbild – nicht des eigentlichen Sozialismus, sondern eines plausiblen Zerrbilds davon. Er läuft auf den Entschluß hinaus, immer das Gegenteil von dem zu tun, was der erdichtete Sozialist tut. Wenn man den Sozialismus in einem schlechten und irreführenden Licht darstellt, wenn man die Leute glauben macht, er heiße nicht viel mehr, als die europäische Zivilisation auf den Befehl eines marxistischen Pedanten den Ausguß hinabzuschütten, läuft man Gefahr, den Intellektuellen in den Faschismus zu treiben. Man scheucht ihn in eine zornige, abwehrende Haltung, in der er schlechterdings das Anliegen des Sozialismus gar nicht anhören will. Etwas von dieser Haltung ist bereits recht klar zu erkennen bei Schriftstellern wie Pound, Wyndham Lewis, Roy Campbell etc., bei den meisten katholischen Schriftstellern und bei vielen von der Douglas-Credit-Gruppe, bei gewissen populären Romanautoren, und sogar, wenn man unter die Oberfläche sieht, bei den ach so überlegenen konservativen Intellektuellen wie Eliot und seinen zahllosen Anhängern. Wenn Sie gern ein paar unmißverständliche Illustrationen zum Wachstum des faschistischen Gefühls in England hätten, schauen Sie sich einige der unzähligen Leserbriefe während des abessinischen Krieges an, die die italienische Aktion guthießen, und auch das Jubelgeschrei über die faschistische Machtübernahme in Spanien, das sowohl von katholischen als auch von anglikanischen Kanzeln aus ertönte (siehe *Daily Mail* vom 17. August 1936).

Damit man den Faschismus bekämpfen kann, muß man ihn verstehen, und das schließt das Eingeständnis ein, daß er sowohl etwas Gutes als auch viel Böses enthält. In der Praxis ist er natürlich eine infame Tyrannei, und seine Methoden der Machtergreifung und -erhaltung sind derart, daß sogar seine glühendsten Verehrer lieber über etwas anderes reden. Aber das dem Faschismus zugrunde liegende Gefühl, das die Leute zuerst ins faschistische Lager zieht, ist vielleicht weniger verächtlich. Es ist nicht *immer*, wie die *Saturday Review* einen glauben machen würde, das Entsetzensgequieke vor dem bolschewistischen Buhmann. Jeder, der der Bewegung auch nur einen Blick geschenkt hat, weiß, daß der Faschist des Fußvolks oft ein recht wohlmeinender Mensch ist – zum Beispiel aufrichtig bemüht, das Los der Arbeitslosen zu bessern. Aber wichtiger als das ist die Tatsache, daß der Faschismus seine Kraft sowohl aus den guten wie auch aus den schlechten Spielarten des Konservativismus zieht. Für alle mit einem Gefühl für Tradition und Disziplin kommt er wie gerufen. Wahrscheinlich ist es, wenn man eine Dosis von der taktloseren Art sozialistischer Propaganda abbekommen hat, sehr leicht, den Faschismus als das letzte Bollwerk all dessen, was an der europäischen Zivilisation gut ist, zu sehen. Sogar der faschistische Schläger, in seiner symbolisch schlimmsten Aufmachung, mit einem Gummiknüppel in der einen und einer Rizinusölflasche in der andern Hand, fühlt sich selber nicht unbedingt als Schläger; wahrscheinlich eher wie der wackere Roland, als er bei Roncevaux die Christen gegen die Barbaren verteidigt. Wir müssen zugeben, daß es zum großen Teil der Fehler der Sozialisten selber ist, wenn der Faschismus überall vorrückt. Zum Teil liegt das an der falschen kommunistischen Taktik, die Demokratie zu sabotieren, d. h. den Ast abzusägen, auf dem man sitzt, aber mehr noch an der Tatsache, daß die Sozialisten ihr Anliegen sozusagen mit der falschen Seite voran dargestellt haben. Sie haben nie ausreichend klargestellt, daß die eigentlichen Ziele des Sozialismus Gerechtigkeit und Freiheit sind. Die Sozialisten gingen, die Augen auf wirtschaftliche Verhältnisse geheftet, von der Annahme aus, daß der Mensch keine Seele hat, und explizit oder implizit haben sie das Ziel einer materialistischen Utopie errichtet. In der Folge davon konnte der Faschismus jeden Instinkt, der sich gegen den Hedonismus und eine billige Konzeption von »Fortschritt« auflehnte, für sich ausschlachten. Er konnte sich als Hüter der europäischen Tradition ausgeben und den christlichen Glauben, den Patriotismus und die militärischen Tugenden ansprechen. Es ist viel schlimmer als nur nutzlos, den Faschismus als »Massen-Sadismus« oder mit einer andern leichtfertigen Phrase abzutun. Wenn Sie den Faschismus bloß als eine geistige Verirrung hinstellen, die bald von selber vorübergehen wird, träumen Sie einen Traum, aus dem Sie mit Gummiknüppeln aufgeschreckt werden. Das einzig mögliche Vorgehen besteht darin, den Fall des Faschismus zu prüfen, zu begreifen, daß es etwas gibt, was für ihn spricht, und dann der Welt klarzumachen, daß, was immer Gutes der Faschismus enthält, schon im Sozialismus mitinbegriffen ist.

Im Augenblick ist die Situation völlig verfahren. Sogar wenn uns nichts Schlimmeres zustößt, bleiben die Lebensbedingungen, die ich im ersten Teil dieses Buches beschrieben habe und die sich unter unserm gegenwärtigen wirtschaftlichen System nicht verbessern werden. Noch dringender ist die Gefahr einer faschistischen Vorherrschaft in Europa. Und wenn die sozialistische Lehre nicht in einer wirksamen Form sehr weit und sehr rasch verbreitet werden kann, gibt es keine Gewißheit, daß der

Faschismus je gestürzt wird. Denn der Sozialismus ist der einzige wirkliche Feind, dem der Faschismus entgegentreten muß. Die kapitalistisch-imperialistischen Regierungen werden, obwohl sie selber im Begriff sind, ausgeplündert zu werden, nicht mit der geringsten Überzeugung gegen den Faschismus als solchen kämpfen. Unsere Herrschenden, diejenigen von ihnen, die begreifen, worum es geht, würden wahrscheinlich eher jeden Quadratzoll des Britischen Weltreichs an Italien, Deutschland und Japan ausliefern als den Sozialismus siegen sehen. Es war leicht, über den Faschismus zu lachen, als wir uns einbildeten, er beruhe auf hysterischem Nationalismus, weil es offensichtlich schien, daß die faschistischen Staaten, von denen jeder sich als das auserwählte und patriotische Volk gegen alle Welt betrachtete, aneinandergeraten würden. Aber nichts dergleichen geschieht. Der Faschismus ist heute eine internationale Bewegung, was nicht nur bedeutet, daß sich die faschistischen Nationen zu Beutezwecken verbünden können, sondern daß sie, bis jetzt vielleicht nur halbbewußt, nach einem Weltsystem greifen. Die Vision vom totalitären Staat wird durch die von der totalitären Welt ersetzt. Wie ich bereits dargelegt habe, muß das Fortschreiten der Maschinen-Technik schließlich zu einer Form von Kollektivismus führen, aber diese Form muß nicht unbedingt auf dem Prinzip der Gleichheit beruhen; das heißt, es muß nicht der Sozialismus sein. Die Meinung der Ökonomen *in Ehren*, aber es ist ziemlich leicht, sich eine Weltgesellschaft vorzustellen, die wirtschaftlich betrachtet kollektivistisch ist – das heißt, daß das Profitprinzip abgeschafft ist –, in der aber alle politische, militärische und erzieherische Macht in den Händen einer kleinen Herrscherkaste und ihrer Bravos liegt. Das oder etwas Ähnliches ist das Ziel des Faschismus. Und das ist natürlich der Sklavenstaat oder vielmehr die Sklavenwelt; wahrscheinlich wäre es eine stabile Gesellschaftsform, und die Aussicht wäre da, daß die Sklaven nur wohlgenährt und zufrieden wären, wenn der enorme Reichtum der Welt wissenschaftlich ausgebeutet wird. Es ist üblich, vom Ziel des Faschismus als dem »Bienenstaat« zu reden, womit man den Bienen schwer unrecht tut. Eine Welt von Kaninchen, die von Hermelinen regiert werden, käme der Sache näher. Gegen diese abscheuliche Möglichkeit müssen wir uns zusammentun.

Das einzige, *wofür* wir uns zusammentun können, ist das dem Sozialismus zugrunde liegende Ideal: Gerechtigkeit und Freiheit. Aber die Bezeichnung »zugrunde liegend« geht daneben. Das Ideal ist fast völlig vergessen. Es ist unter Schicht um Schicht doktrinärer Besserwisserei, Parteigezänk und halbgebackener »Progressivität« begraben worden, bis es ein unter einem Berg von Mist begrabener Diamant war. Die Aufgabe des Sozialismus ist es, ihn wieder herauszuholen. Gerechtigkeit und Freiheit! Diese Worte müssen wie ein Signalhorn über die Welt hin tönen. Während einer langen Zeit hat der Teufel alle besten Melodien gehabt. Wir haben eine Stufe erreicht, wo das bloße Wort »Sozialismus« einesteils das Bild von Flugzeugen, Traktoren und riesigen glitzernden Fabriken aus Glas und Beton hervorruft und andererseits das Bild von Vegetariern mit verwitterten Bärten, bolschewistischen Kommissaren (halb Gangster, halb Grammophon), von ernsten Damen in Sandalen, zerzausten mehrsilbenkauenden Marxisten, entlaufenen Quäkern, Geburtskontrollfanatikern und Labourpartei-Hintertreppenaufsteigern. Der Sozialismus riecht, zumindest auf dieser Insel, überhaupt nicht mehr nach Revolution und dem Sturz der Tyrannen; er riecht nach Verschrobenheit, Maschinenverehrung und dem dämlichen Rußlandkult. Wenn wir diesen Geruch nicht wegbringen, und zwar sehr rasch, kann sich der Faschismus durchsetzen.

XIII

Und jetzt: kann man da irgend etwas tun?

Im ersten Teil dieses Buches habe ich mit ein paar kurzen Streiflichtern der Schlamassel, in dem wir uns befinden, illustriert. In diesem zweiten Teil habe ich zu erklären versucht, warum meiner Meinung nach so viele normale anständige Leute vom einzigen Mittel, dem Sozialismus, abgestoßen werden. Offensichtlich besteht die dringendste Notwendigkeit der nächsten Jahre darin, diese normalen anständigen Leute zu gewinnen, bevor der Faschismus seine Trumpfkarte ausspielt. Ich will hier nicht die Frage der Parteien und politischen Pragmatik aufwerfen. Wichtiger als jedes Parteienschild (obwohl zweifellos die Bedrohung durch den Faschismus bald eine Art Volksfront hervorrufen wird) ist die Verbreitung der sozialistischen Lehre in einer wirksamen Form. Die Leute müssen darauf vorbereitet werden, als Sozialisten zu *handeln*. Ich glaube, daß es zahllose Leute gibt, die, ohne daß es ihnen bewußt ist, mit den eigentlichen Zielen des Sozialismus sympathisieren und die fast mühelos gewonnen werden könnten, wenn man nur das Wort fände, das sie in Bewegung setzt. Wer weiß, was Armut heißt, wer Tyrannei und Krieg wirklich haßt, ist potentiell auf der sozialistischen Seite. Meine Aufgabe hier ist es deshalb, vorzuschlagen – notwendigerweise in sehr allgemeinen Begriffen –, wie eine Aussöhnung zwischen dem Sozialismus und den Intelligenteren unter seinen Feinden erreicht werden kann.

Zunächst zu den Feinden selber – ich meine alle jene Leute, die begreifen, daß der Kapitalismus ein Übel ist, die aber beim Wort Sozialismus eine Art Brechreiz und Schauder spüren. Wie ich gezeigt habe, läßt sich das auf zwei Hauptgründe zurückführen. Einer ist die persönliche Inferiorität vieler einzelner Sozialisten, der andere, daß der Sozialismus zu oft mit einer fettbäuchigen, gottlosen Konzeption von »Fortschritt« in Verbindung gebracht wird, die jeden empört, der ein Gefühl für Tradition oder

Überreste eines ästhetischen Empfindens hat. Lassen Sie mich den zweiten Punkt zuerst nehmen.

Die Abneigung gegenüber »Fortschritt« und Maschinenzivilisation, die unter sensiblen Leuten heute so verbreitet ist, ist nur als geistige Haltung vertretbar. Als Einwand gegen den Sozialismus hat sie keine Gültigkeit, weil sie eine Alternative voraussetzt, die es nicht gibt. Wenn man sagt: »Ich bin gegen Technisierung und Standardisierung – deshalb bin ich gegen den Sozialismus«, sagt man im Effekt: »Ich habe die Freiheit, ohne die Maschine auszukommen, wenn ich will«, was Unsinn ist. Wir alle sind von der Maschine abhängig, und wenn die Maschinen zu arbeiten aufhörten, würden die meisten von uns umkommen. Sie mögen die Maschinen-Zivilisation hassen, vielleicht haben Sie recht damit, aber für den Augenblick kann es nicht darum gehen, ob man sie annimmt oder ablehnt. Die Maschinenzivilisation *ist da*, und sie kann nur von innen her kritisiert werden, weil wir alle in ihr drin sind. Nur romantische Narren schmeicheln sich damit, daß sie aus ihr ausgestiegen sind, wie der literarische Herr in seiner Tudor-Hütte mit Badezimmer und h. & k. fl. Wasser, und der Kraftmensch, der auszieht, um im Dschungel ein »primitives« Leben zu führen, mit einem Mannlicher-Gewehr und vier Wagenladungen Konservendosen. Und es ist fast sicher, daß die Maschinenzivilisation auch weiterhin siegreich ist. Es gibt keinen Grund zur Annahme, sie werde sich selbst zerstören oder aus eigenem Antrieb zu funktionieren aufhören. Vor einiger Zeit war es Mode, zu sagen, der Krieg werde die »Zivilisation bald ganz und gar zertrümmern«; aber es ist, obwohl der nächste ausgewachsene Krieg sicherlich schrecklich genug sein wird, um alle vorhergehenden als Witz erscheinen zu lassen, äußerst unwahrscheinlich, daß er dem technischen Fortschritt ein Ende setzen wird. Zwar könnte ein überaus verletzliches Land wie England und vielleicht ganz Westeuropa durch ein paar tausend gut plazierte Bomben in ein Chaos zurückgeführt werden, aber gegenwärtig ist kein Krieg denkbar, der die Industrialisierung in allen Ländern gleichzeitig ausradieren könnte. Vielleicht finden wir uns besser damit ab, daß die Rückkehr zu einer einfacheren, freien, weniger technisierten Lebensart, wie wünschenswert auch immer, nicht stattfinden wird. Das ist kein Fatalismus, es ist lediglich das Hinnehmen von Tatsachen. Es ist sinnlos, gegen den Sozialismus zu sein, weil man gegen den Bienenstaat ist, denn der Bienenstaat *ist da*. Es gibt nicht, wie bisher, die Wahl zwischen einer menschlichen und einer unmenschlichen Welt. Es gibt nur die Wahl zwischen dem Sozialismus und dem Faschismus, der im allerbesten Falle Sozialismus ohne dessen Tugenden ist.

Die Aufgabe des denkenden Menschen ist es deshalb nicht, den Sozialismus abzulehnen, sondern sich einen Ruck zu geben und ihn zu humanisieren. Wenn der Sozialismus erst einmal in Reichweite ist, werden sich jene, die den Schwindel vom »Fortschritt« durchschauen, wahrscheinlich widersetzen. Tatsächlich ist es ihre spezielle Funktion, sich zu widersetzen. In der Maschinenwelt müssen sie eine Art permanente Opposition sein, was nicht das gleiche ist wie Obstruktionismus oder Verrat. Aber damit spreche ich von der Zukunft. Für den Augenblick gibt es für einen anständigen Menschen, wieviel er im Temperament auch von einem Tory oder einem Anarchisten haben mag, keinen andern Weg, als auf die Verwirklichung des Sozialismus hinzuarbeiten. Nichts anderes kann uns vom Elend der Gegenwart oder dem Alptraum der Zukunft retten. *Jetzt* gegen den Sozialismus zu sein, wo zwanzig Millionen Engländer unterernährt sind und der Faschismus halb Europa erobert hat, ist selbstmörderisch. Es ist, als ob man einen Bürgerkrieg begänne, während die Barbaren die Grenze überschreiten.

Deshalb ist es um so wichtiger, jenes bloße ängstliche Vorurteil gegen den Sozialismus loszuwerden, das nicht auf irgendeinem ernsthaften Einwand beruht. Wie ich schon gezeigt habe, werden viele Leute nicht vom Sozialismus, sondern von Sozialisten abgestoßen. Der Sozialismus, wie er heute dargestellt wird, ist vor allem deshalb unattraktiv, weil er als Spielzeug von verdrehten Leuten, Doktrinären, Salon-Bolschewiken und so weiter erscheint. Aber es lohnt sich zu bedenken, daß das nur deshalb so ist, weil man zugelassen hat, daß die verdrehten Menschen, Doktrinäre etc. zuerst dorthin gekommen sind; wenn die Bewegung von besseren Köpfen und einer elementaren Anständigkeit durchdrungen wäre, würden die unangenehmen Typen aufhören, sie zu dominieren. Für den Augenblick muß man die Zähne zusammenbeißen und sie ignorieren; sie werden von viel geringerer Bedeutung sein, wenn die Bewegung humanisiert ist. Außerdem sind sie alle unerheblich. Wir müssen für Gerechtigkeit und Freiheit kämpfen, und Sozialismus bedeutet, wenn aller Unsinn abgestreift ist, Gerechtigkeit und Freiheit. Nur das Wesentliche ist es wert, bedacht zu werden. Vor dem Sozialismus zurückzuschrecken, weil so viele Sozialisten inferiore Leute sind, ist so absurd, wie das Reisen im Zug abzulehnen, weil man das Gesicht des Schaffners nicht leiden kann.

Und zweitens nun zum Sozialisten selber, genauer zum redseligeren, Traktate schreibenden Typ.

Wir sind an einen Punkt gelangt, wo es für die Linken aller Schattierungen verzweifelt notwendig ist, ihre Differenzen beizulegen und sich zusammenzuschließen. Das geschieht ja auch bereits im kleinen. Offensichtlich muß sich dann der unnachgiebige Typ von Sozialist auch mit Leuten verbünden, die nicht völlig mit ihm übereinstimmen. In der Regel will er das mit Recht nicht, weil er die überaus konkrete Gefahr sieht, daß die ganze sozialistische Bewegung zu einer Art blaßrosa Humbug verwässert wird, der noch wirkungsloser ist als die parlamentarische Labour-Partei. Im Augenblick zum Beispiel besteht große Gefahr, daß die Volksfront, die der Faschismus vermutlich hervorrufen wird, nicht von wirklich sozialistischem Charakter, sondern einfach ein Manöver gegen den deutschen und italienischen (nicht gegen den englischen) Faschismus sein wird. Deshalb könnte die Notwendigkeit, sich gegen den Faschismus zu verbünden, den Sozialisten in eine Allianz mit seinen schlimmsten Feinden treiben. Woran man sich halten kann, ist das Prinzip, daß man nie in Gefahr ist, sich mit den falschen Leuten zu verbünden, wenn man das Wesentliche an der Bewegung nicht aus dem Auge verliert. Und was ist das Wesentliche? Was ist das Kennzeichen eines echten Sozialisten? Ich meine, der wirkliche Sozialist ist einer, der wünscht – es nicht bloß als wünschenswert betrachtet, sondern aktiv wünscht –, daß die Tyrannei gestürzt wird. Aber ich kann mir vorstellen, daß die Mehrheit der orthodoxen Marxisten diese Definition nicht oder nur sehr widerwillig akzeptieren würde. Wenn ich manchmal diese Leute reden höre, und noch mehr, wenn ich ihre Bücher lese, bekomme ich den Eindruck, daß für sie die ganze sozialistische Bewegung nicht mehr ist als eine Art aufregende Jagd auf jede Ketzerei – ein Hin- und Herspringen rasender Medizinmänner zum Schlagen von Tom-Toms und der Melodie »Fi, fai, fo, fum, seid auf der Hut, ich rieche Rechtsabweichlerblut!« Aus solcherlei Gründen ist es so viel leichter, sich als Sozialist zu fühlen, wenn man unter Arbeitern ist. Der sozialistische Arbeiter ist wie der katholische Arbeiter schwach in der Lehre und kann kaum den Mund öffnen, ohne eine Ketzerei zu äußern, aber er hat begriffen, worum es wirklich geht. Er versteht die zentrale Tatsache, daß Sozialismus den Sturz der Tyrannei bedeutet, und die »Marseillaise« würde, wenn man sie für ihn übersetzte, viel tiefer auf ihn wirken als irgendein gelehrter Traktat über den dialektischen Materialismus. In unserer Situation ist es Zeitverschwendung, auf einer Anerkennung des Sozialismus auch als Anerkennung der philosophischen Seite des Marxismus plus Lobhudelei Rußlands zu bestehen. Die sozialistische Bewegung hat keine Zeit, ein Bund dialektischer Materialisten zu sein; sie muß ein Bund der Unterdrückten gegen die Unterdrücker sein. Man muß den Mann, der es ernst meint, für sich einnehmen, und man muß den duckmäuserigen Liberalen vertreiben, der für die Zerstörung des ausländischen Faschismus ist, damit er weiterhin in Ruhe seine Dividenden beziehen kann – den Typ von Schwindler, der Resolutionen »gegen Faschismus und Kommunismus« faßt, d. h. gegen Ratten und Rattengift. Sozialismus bedeutet den Sturz der Tyrannei, zuhause so gut wie im Ausland.

Solange man *diese* Tatsache gut im Auge behält, wird man nie groß im Zweifel sein, wer die wirklichen Anhänger sind. Und was die kleineren Unterschiede betrifft – und die profundeste philosophische Differenz ist unwichtig im Vergleich mit der Rettung von zwanzig Millionen Engländern, deren Knochen durch Unterernährung verfaulen –, so ist später noch Zeit, darüber zu streiten.

Ich glaube nicht, daß der Sozialist irgend etwas Wesentliches zu opfern braucht, aber sicher muß er ein großes Opfer an Äußerlichkeiten erbringen. Es wäre zum Beispiel eine enorme Hilfe, wenn der ihm anhaftende Geruch von Verdrehtheit zerstreut werden könnte. Wenn nur die Sandalen und die pistazienfarbenen Hemden auf einen Haufen gelegt und verbrannt und alle Vegetarier, Abstinenzler und schlurfenden Jesusse nach Welwyn Garden City heimgeschickt werden könnten, um in Ruhe ihre Yogaübungen zu machen! Ich fürchte, es wird nicht geschehen. Immerhin ist es aber möglich, daß die intelligenteren Sozialisten mögliche Anhänger durch unbedeutende Dämlichkeiten zu entfremden aufhören. Es gibt so viel unbedeutende Besserwisserei, die so leicht abgelegt werden könnte. Nehmen Sie zum Beispiel die öde Haltung des typischen Marxisten gegenüber der Literatur. Von den vielen Beispielen, die mir in den Sinn kommen, will ich nur eines geben. Es tönt trivial, ist es aber nicht. Im alten *Workers Weekly* (einem Vorläufer des *Daily Worker*) gab es eine Kolumne mit literarischem Geplauder vom Typ »Bücher auf dem Tisch des Herausgebers«. Über mehrere Wochen hinweg war unter anderem von Shakespeare die Rede gewesen, worauf ein entrüsteter Leser schrieb: »Lieber Genosse, wir wollen nichts von diesen bürgerlichen Schriftstellern wie Shakespeare hören. Könnt Ihr nicht etwas bringen, das ein bißchen proletarischer ist?« etc. etc. Die Antwort des Herausgebers war einfach: »Wenn Sie den Index von Marx' *Kapital* aufschlagen«, schrieb er, »werden Sie bemerken, daß Shakespeare mehrmals erwähnt ist.« Und bitte beachten Sie, daß das genügte, um den Opponenten zum Schweigen zu bringen.

Sobald Shakespeare den Segen von Marx empfangen hatte, wurde er respektabel. Diese Mentalität bringt gewöhnliche, sensible Leute vom Sozialismus ab. Man muß nicht Shakespeare-Anhänger sein, damit man von so etwas abgestoßen wird. Und dazu kommt wiederum der fürchterliche Jargon, den fast alle Sozialisten zu verwenden nötig finden. Wenn ein gewöhnlicher Mensch Ausdrücke wie »bürgerliche Ideologie« und »proletarische Solidarität« und »Enteignung der Enteigner« hört, wird er von ihnen nicht angeregt, sondern lediglich angewidert. Sogar das bloße Wort »Genosse« hat sein dreckiges kleines bißchen zur Diskreditierung der sozialistischen Bewegung beigetragen. Wie mancher Unschlüssige hat auf der Schwelle gezögert, ist vielleicht zu irgendeiner öffentlichen Veranstaltung gegangen und hat befangen Sozialisten einander pflichtgetreu mit »Genosse« anreden hören und ist enttäuscht in die nächste Bierkneipe davongeschlichen. Und sein Instinkt ist ganz richtig, denn worin liegt der Sinn einer lächerlichen Etikette, die man sogar nach langem Üben kaum ohne ein beschämtes Schlucken herausbringt? Es ist fatal, den gewöhnlichen Interessenten mit dem Eindruck weggehen zu lassen, Sozialist zu sein bedeute Sandalen tragen und über den dialektischen Materialismus faseln. Man muß klarstellen, daß es in der sozialistischen Bewegung für die Menschen Platz hat, oder das Spiel ist aus.

Die Klassenfrage – nicht bloß als Angelegenheit des wirtschaftlichen Standes – muß realistischer angegangen werden, als dies im Augenblick geschieht.

Und das wirft ein großes Problem auf. Es bedeutet, daß die Klassenfrage als vom bloßen ökonomischen Status unterschiedenes Problem ernsthafter als bisher ins Auge gefaßt werden muß.

Ich habe der Diskussion von Klassenschwierigkeiten drei Kapitel gewidmet. Was grundsätzlich zum Vorschein gekommen ist, glaube ich, ist, daß das englische Klassensystem, obwohl es seine Nützlichkeit überlebt hat, sie tatsächlich *überlebt* und keine Anzeichen des Sterbens zeigt. Man bringt das Problem ganz durcheinander, wenn man, wie die orthodoxen Marxisten so oft, annimmt (siehe zum Beispiel Mr. Alec Browns in mancher Hinsicht interessantes Buch *The Fate of the Middle Classes)*, der soziale Status werde ausschließlich durch das Einkommen bestimmt. Ökonomisch gesehen, gibt es zweifellos nur zwei Klassen, die Reichen und die Armen, aber sozial gesehen, gibt es eine ganze Hierarchie, und die Manieren und Traditionen, die von jeder Klasse in der Kindheit erlernt werden, sind nicht nur sehr unterschiedlich, sondern – das ist der wesentliche Punkt – bleiben im allgemeinen von der Geburt bis zum Tod bestehen. Daher die anomalen Individuen, die man in jeder Gesellschaftsschicht findet. Man findet Schriftsteller wie Wells oder Bennett, die ungeheuer reich geworden sind und trotzdem ihre Vorurteile des unteren Mittelstands und des Nonkonformismus unversehrt beibehalten haben; man findet Millionäre, die ihre h's nicht korrekt aussprechen können, man findet kleine Ladeninhaber, deren Einkommen geringer ist als das eines Maurers und die sich selber deshalb als dem Maurer nicht weniger sozial überlegen betrachten (und betrachtet werden); man findet ehemalige Volksschüler, die indische Provinzen regieren, und Männer aus Privatschulen, die Staubsauger verkaufen gehen. Wenn die soziale Schichtung genau der ökonomischen Schichtung entspräche, würde der Mann aus der Privatschule an dem Tag, da sein Einkommen unter 200 Pfund im Jahr absinkt, einen Cockney-Akzent annehmen. Aber tut er das? Im Gegenteil, er wird plötzlich zwanzigmal privatschuliger als vorher. Er hängt an der Alten Schulkrawatte wie an einem Rettungsring. Und sogar dem Millionär, der das h nicht sagen kann, gelingt es selten, obwohl er manchmal zu einem Redekünstler geht und den B.B.C.-Akzent lernt, sich so vollständig zu verstellen, wie er es gern täte. Es ist in der Tat sehr schwierig, kulturell seiner angeborenen Klasse zu entrinnen.

Wenn der Wohlstand abnimmt, werden soziale Anomalien häufiger. Es gibt nicht mehr Millionäre, die das h nicht aussprechen können, aber es gibt mehr und mehr Privatschulabsolventen, die mit Staubsaugern hausieren, und mehr und mehr kleine

Ladeninhaber, die ins Armenhaus geraten. Große Teile des Mittelstands werden nach und nach proletarisiert; aber ins Gewicht fällt, daß sie, auf jeden Fall in der ersten Generation, keinen proletarischen Standpunkt annehmen. Nehmen Sie zum Beispiel mich, mit meiner bürgerlichen Erziehung und mit meinem Arbeitereinkommen. Zu welcher Klasse gehöre ich? Ökonomisch gehöre ich zur Arbeiterklasse, aber es ist mir fast unmöglich, mich als etwas anderes denn als Mitglied der Bourgeoisie zu sehen. Und angenommen, ich müßte Partei nehmen, für wen sollte ich sein, für die Oberschicht, die versucht, mich aus dem Dasein hinauszuquetschen, oder für die Arbeiter, deren Manieren nicht die meinen sind? Wahrscheinlich würde ich selber in jedem wichtigen Problem für die Arbeiter Partei nehmen. Aber wie steht es mit den Dutzenden oder Abertausenden, die in der annähernd gleichen Lage sind? Und wie steht es mit jener weit größeren Klasse, die zur Zeit in die Millionen geht – den Büro- und Weißkragenangestellten aller Art –, deren Traditionen weniger ausdrücklich mittelständisch sind, die aber sicher nicht begeistert wären, wenn man sie als Proletarier bezeichnete? Alle diese Leute haben die gleichen Interessen und die gleichen Feinde wie die Arbeiterklasse. Alle werden vom gleichen System ausgeraubt und eingeschüchtert. Aber wie viele von ihnen bemerken das? Im entscheidenden Moment würden sie fast alle für ihre Unterdrücker und gegen die Partei nehmen, die ihre Verbündeten sein sollten. Es ist ziemlich leicht vorstellbar, daß der Mittelstand, wenn er in die schlimmste Armut gestoßen würde, im Gefühl immer noch heftig gegen die Arbeiterklasse eingestellt bliebe; und damit hätte man natürlich eine fixfertige faschistische Partei.

Offensichtlich muß die sozialistische Bewegung den ausgebeuteten Mittelstand erobern, bevor es zu spät ist; vor allem muß sie die Büroangestellten gewinnen, die so zahlreich sind und, wenn sie sich zusammenzutun verstünden, so mächtig wären. Ebenso offensichtlich ist ihr das bisher mißlungen. Der allerletzte Mensch, in dem man eine revolutionäre Ansicht zu finden hoffen kann, ist ein Buchhalter oder ein Handlungsreisender. Warum? Hauptsächlich wohl wegen des »proletarischen« Jargons, mit dem die sozialistische Propaganda vermengt ist. Um den Klassenkampf zu veranschaulichen, ist eine mehr oder weniger mythische »Proletarier«figur aufgebaut worden, ein muskulöser, aber niedergetretener Mann in schmierigen Überhosen, im Gegensatz zum »Kapitalisten«, einem fetten bösen Mann in Zylinder und Pelzmantel. Es wird stillschweigend angenommen, daß es niemanden dazwischen gibt; während in Wirklichkeit in einem Land wie England natürlich ungefähr ein Viertel der Bevölkerung dazwischen ist. Wenn man sich über die »Diktatur des Proletariats« ausbreiten will, ist es eine elementare Vorsichtsmaßnahme, zuerst zu erklären, wer das Proletariat *ist*. Aber wegen der sozialistischen Tendenz, den manuellen Arbeiter schlechthin zu idealisieren, ist das nie ausreichend klargestellt worden. Wie viele in der elenden, schauernden Armee der Büroangestellten und Ladenaufseher, denen es in gewisser Hinsicht noch schlechter geht als einem Bergmann oder Dockarbeiter, betrachten sich selbst als Proletarier? Ein Proletarier – so ist es ihnen beigebracht worden – ist ein Mann ohne Kragen. Wenn man sie also mobilisieren will und von »Klassenkampf« spricht, bringt man es fertig, sie zu verscheuchen; sie denken nicht mehr an ihr Einkommen, sondern erinnern sich an ihren Akzent und steigen auf die Barrikaden für die Klasse, die sie ausbeutet.

Hier haben Sozialisten eine große Aufgabe vor sich. Sie müssen über jeden Zweifel hinaus zeigen, wo genau die Trennungslinie zwischen Ausbeutern und Ausgebeuteten verläuft. Wieder geht es darum, sich an das Wesentliche zu halten; und das besteht hier darin, daß alle Leute mit kleinen, unsicheren Einkommen im gleichen Boot sitzen und auf der gleichen Seite kämpfen sollten. Wahrscheinlich kämen wir mit etwas weniger Gerede über »kapitalistisch« und »proletarisch« aus und mit etwas mehr über Räuber und Ausgeraubte. Auf jeden Fall aber müssen wir vom Irrtum, manuelle Arbeiter seien die einzigen Proletarier, loskommen. Es muß dem Büroangestellten, dem

Mechaniker, dem Handlungsreisenden, dem Mann aus dem Mittelstand, der heruntergekommen ist, dem Dorfkrämer, dem niederen Staatsbeamten und allen andern zweifelhaften Fällen klargemacht werden, daß sie das Proletariat *sind* und daß der Sozialismus für sie genauso wie für den Erdarbeiter und den Fabrikarbeiter ein fairer Handel ist. Man darf sie nicht im Glauben lassen, die Schlacht finde statt zwischen denen, die ihre h's aussprechen können, und denen, die sie nicht aussprechen können; denn wenn sie das glauben, werden sie sich auf die Seite der h's stellen.

Ich gehe davon aus, daß verschiedene Klassen überzeugt werden müssen, gemeinsam zu handeln, ohne daß man für den Augenblick von ihnen den Verzicht auf ihre Klassenunterschiede verlangt. Und das tönt gefährlich. Es tönt auch sehr nach dem Sommerlager des Duke von York und diesem trüben Geschwätz von Klassen-Kooperation und »Packen wir's an«, und das ist Schwindel oder Faschismus, oder beides. Es kann keine Zusammenarbeit geben zwischen Klassen, deren wirkliche Interessen einander entgegengesetzt sind. Der Kapitalist kann nicht mit dem Proletarier zusammenarbeiten, die Katze nicht mit der Maus; und wenn die Katze Zusammenarbeit vorschlägt und die Maus so verrückt ist, darauf einzugehen, wird die Maus nach sehr kurzer Zeit im Schlund der Katze verschwinden. Möglich ist Zusammenarbeit jedoch immer auf der Basis gemeinsamer Interessen. Die Leute, die gemeinsam handeln müssen, sind die, die vor ihrem Chef kriechen, und alle, die ein Schauder überläuft, wenn sie an die Miete denken. Das bedeutet, daß der Kleinbauer sich mit dem Fabrikarbeiter verbünden muß, der Stenotypist mit dem Bergmann und der Lehrer mit dem Automechaniker. Es gibt etwas Hoffnung, sie dazu zu bringen, wenn man ihnen begreiflich macht, wo ihr Interesse liegt. Aber das wird nicht geschehen, wenn ihre gesellschaftlichen Vorurteile, die bei manchen von ihnen mindestens so stark sind wie jede wirtschaftliche Überlegung, unnötig gereizt werden. Schließlich gibt es eine wirkliche Verschiedenheit der Manieren und Traditionen zwischen einem Bankangestellten und einem Dockarbeiter, und das Überlegenheitsgefühl des Bankangestellten ist sehr tief verwurzelt. Später wird er es loswerden müssen, aber jetzt ist kein guter Augenblick dazu. Deshalb wäre es von großem Vorteil, wenn diese ziemlich sinnlose und mechanische Bürgerhetze, ein Teil fast aller sozialistischen Propaganda, einstweilen fallengelassen werden könnte. Durch das linksgerichtete Denken und Schreiben – und zwar auf der ganzen Breite von den Leitartikeln im *Daily Worker* bis zu den Witzkolumnen im *News Cronicle* – zieht sich eine anti-vornehme Tradition, ein hartnäckiges und oft sehr dummes Gespött über vornehme Manieriertheiten und vornehme Loyalitäten (oder, in kommunistischem Jargon, »bürgerliche Werte«). Es ist größtenteils Humbug; er kommt ja auch von Bürgerhetzern, die selber Bürger sind; aber er richtet viel Schaden an, weil er zuläßt, daß ein unwichtiges Problem ein wichtigeres blockiert. Es lenkt die Aufmerksamkeit von der zentralen Tatsache, daß Armut Armut ist, darauf, ob das Werkzeug, mit dem man arbeitet, eine Spitzhacke oder ein Füllfederhalter ist.

Nehmen Sie noch einmal mich als Beispiel, mit meiner Mittelstandsherkunft und meinem Einkommen von etwa drei Pfund pro Woche, alles zusammengerechnet. In Anbetracht aller meiner Eigenschaften wäre es besser, mich auf die sozialistische Seite zu bekommen, als einen Faschisten aus mir zu machen. Aber wenn man mich dauernd wegen meiner »bourgeoisen Ideologie« anschnauzt, wenn man mir zu verstehen gibt, daß ich auf irgendeine perfide Art ein minderwertiger Kerl bin, weil ich nie mit meinen Händen gearbeitet habe, bewirkt man nur, daß man sich mich zum Feind macht. Denn man sagt mir entweder, daß ich von angeborener Unbrauchbarkeit bin, oder, daß ich mich in einer Weise verändern sollte, die jenseits meiner Kräfte liegt. Ich kann meinen Akzent oder gewisse Vorlieben und Überzeugungen nicht proletarisieren; und auch wenn ich es könnte, würde ich es nicht tun. Warum sollte ich? Ich verlange von niemandem, daß er meinen Dialekt spricht; warum sollte jemand anders mir seinen aufdrängen? Es wäre weit besser, diese elenden Klassen-Stigmata als gegeben hinzunehmen und sie so wenig wie möglich zu betonen. Sie sind einem Rassenunterschied vergleichbar, und Erfahrung zeigt, daß man mit Fremden zusammenarbeiten *kann*, wenn es wirklich nötig ist, sogar mit Fremden, die man nicht mag. Ökonomisch gesehen, sitze ich im gleichen Boot wie der Bergmann, der Erdarbeiter und der Bauernknecht; erinnern Sie mich daran, und ich werde auf ihrer Seite kämpfen. Aber kulturell unterscheide ich mich vom Bergmann, vom Erdarbeiter, vom Bauernknecht: betonen Sie das, und Sie bringen mich vielleicht gegen sie auf. Wenn ich eine vereinzelte Anomalie wäre, käme es nicht auf mich an; aber was für mich gilt, gilt auch für zahllose andere. Jeder Bankangestellte, der von seiner Entlassung träumt, jeder Ladenhalter, der am Rand des Bankrotts herumschwankt, ist im wesentlichen in der gleichen Lage. Sie sind der sinkende Mittelstand, und die meisten von ihnen halten an ihrer vornehmen Lebensart fest unter dem Eindruck, daß das sie über Wasser hält. Es ist keine gute Politik, ihnen *zuallererst* zu sagen, daß sie ihren Rettungsring wegwerfen sollen. Es besteht eine ziemlich offensichtliche Gefahr, daß in den nächsten paar Jahren große Teile des Mittelstandes eine plötzliche und heftige Wendung nach rechts machen werden. Wenn sie das tun, können sie fürchterlich werden. Die Schwäche des Mittelstands war bisher darin begründet, daß er sich nie zu vereinigen gelernt hat, aber wenn Sie ihn in eine vereinigte Gegnerschaft jagen, entdecken Sie vielleicht, daß Sie einen Teufel heraufbeschworen haben. Einen ersten flüchtigen Eindruck von dieser Möglichkeit hatten wir im Generalstreik.

Um zusammenzufassen: Es gibt keine Möglichkeit, die Lebensbedingungen, die ich in den ersten Kapiteln dieses Buches beschrieben habe, grundlegend zu verbessern oder England vor dem Faschismus zu bewahren, wenn wir nicht eine wirkungsvolle sozialistische Partei ins Leben rufen können. Es wird eine Partei mit wirklich revolutionären Absichten sein müssen, und sie wird zahlenmäßig stark genug sein müssen, um handeln zu können. Wir können sie nur bekommen, wenn wir ein Ziel anbieten, das ziemlich gewöhnliche Leute als wünschenswert anerkennen. Vor allem anderen brauchen wir deshalb eine intelligente Propaganda. Weniger über »Klassenbewußtsein«, »Ausbeutung der Ausbeuter«, »bürgerliche Ideologie« und »proletarische Solidarität«, ganz zu schweigen von den heiligen Schwestern These, Antithese und Synthese; und mehr über Gerechtigkeit, Freiheit und das Elend der Arbeitslosen. Und weniger über technischen Fortschritt, Traktoren, den Dnjepr-Damm und die neueste Lachskonservenfabrik in Moskau; solche Dinge sind kein integraler Bestandteil der sozialistischen Lehre; und sie vertreiben viele Leute, die die Sache des Sozialismus nötig hat, inbegriffen die meisten von denen, die mit einer Schreibfeder umgehen können. All das ist nötig, um dem öffentlichen Bewußtsein zweierlei einzuhämmern: daß die Interessen aller ausgebeuteten Leute die gleichen sind und daß sich Sozialismus mit menschlichem Anstand verträgt.

Beim schrecklich schwierigen Problem der Klassenunterschiede ist für den Augenblick die einzig mögliche Politik die, es locker anzusehen und nicht mehr Leute als irgend nötig zu verscheuchen. Und vor allem nichts mehr von diesen Kraftmeiereien, um die Klassenschranken zu durchbrechen. Wenn Sie zum Bürgertum gehören, hüpfen Sie nicht allzu beflissen los, um Ihre proletarischen Brüder zu umarmen; vielleicht mögen die es nicht, und wenn sie Ihnen zeigen, daß sie es nicht mögen, bemerken Sie vielleicht, daß Ihre eigenen Klassenvorurteile nicht so tot sind, wie Sie sich eingebildet haben. Und wenn Sie durch Geburt oder in den Augen Gottes zum Proletariat gehören, verhöhnen Sie die Alte Schulkrawatte nicht zu automatisch; sie bedeckt Loyalitäten, die von Nutzen sein können, wenn Sie damit richtig umgehen.

Gleichwohl, glaube ich, besteht etwas Hoffnung, daß – wenn der Sozialismus etwas Lebendiges ist, etwas, an dem einer großen Zahl von Engländern wirklich gelegen ist –, sich die Klassenschwierigkeiten vielleicht rascher von selbst lösen, als heute denkbar scheint. In den nächsten paar Jahren werden wir entweder die wirkungsvolle sozialistische Partei, die wir brauchen, bekommen, oder wir werden sie nicht bekommen. Wenn wir sie nicht bekommen, dann kommt der Faschismus; wahrscheinlich in einer schleimigen anglisierten Form mit kultivierten Polizisten anstelle von Nazigorillas und mit dem Löwen und dem Einhorn anstelle des Hakenkreuzes. Aber wenn wir die Partei bekommen, wird es einen Kampf abgeben, vermutlich einen physischen, denn unsere Plutokratie wird unter einer wirklich revolutionären Regierung nicht ruhig sitzen bleiben. Und wenn die weit auseinanderliegenden Klassen, die notwendigerweise jede wirkliche sozialistische Partei bilden würden, miteinander gekämpft haben, gewinnen sie vielleicht ein anderes Gefühl füreinander. Und dann wird dieses Elend der Klassenvorurteile vielleicht verschwinden, und wir vom sinkenden Mittelstand – der Privatlehrer, der halbverhungerte freischaffende Journalist, die altjüngferliche Obersten-Tochter mit 75 Pfund im Jahr, der arbeitslose Cambridge-Absolvent, der Schiffsoffizier ohne Schiff, die Büroangestellten, die Staatsangestellten, die Handlungsreisenden und die dreifach bankrotten Tuchhändler in den Landstädtchen – können ohne weitere Anstrengungen in die Arbeiterklasse sinken, wo wir hingehören, und wahrscheinlich wird es dort gar nicht so schrecklich sein, wie wir befürchtet haben: denn am Ende haben wir nichts zu verlieren als unsere h's.

NACHWORT

Der Weg nach Wigan Pier ist nicht »noch ein Buch von Orwell«, das nun halt auch erscheint, weil 1984 bestimmt kommt. Es ist eines von Orwells faszinierendsten Büchern, in Thematik, Form und Engagement so gewichtig wie überraschend. Man muß sich wundern, daß es im deutschen Sprachraum nicht schon früher der Klassiker geworden ist, als der es in England längst gilt. Denn dort hat es nicht nur zahlreiche Auflagen erlebt (und wird in Wigan Jahr um Jahr in den Schulen gelesen), es ist auch das Buch, mit dem Orwell nach mehreren mäßig erfolgreichen Publikationen der Durchbruch gelang.

Die Idee kam nicht von ihm selber. Victor Gollancz, Gründer, Inhaber und Motor des »Left Book Club«, machte Orwell den Vorschlag, sich die Massenarbeitslosigkeit in den Industriestädten des Nordens anzusehen und ein Buch darüber zu schreiben. Zusammen mit dem Vorschlag stellte er einen Vorschuß von fünfhundert Pfund in Aussicht. Das war 1936 für einen Schriftsteller »mit Mittelstandstraditionen und einem Arbeitereinkommen« eine gewaltige Summe, auch wenn sie nach bewährter Verlegertücke in Teilauszahlungen aufgestückelt wurde: ein Teil bei Vertragsunterzeichnung, ein Teil bei Manuskriptabgabe, ein Teil gar erst bei Erscheinen des Buches.

Orwell sagte sofort zu: für ihn bedeutete der Vorschuß eine in seinem bisherigen Schriftstellerleben ungekannte Sicherheit: zwei Jahre bescheidenes Leben inklusive kleiner Hochzeit lagen nach seiner Rechnung nun drin. Später sagte er zu Geoffrey Gorer, ohne das Geld von Gollancz wäre er nie bis nach Wigan gekommen.

Zwei Monate lang, vom 31. Januar bis zum 30. März 1936, lebt

Orwell in Barnsley, Sheffield und Wigan, um das Leben der Bergleute kennenzulernen. Eine kurze Zeit, wenn man die »Ausbeute« betrachtet. Von innen her muß sie jedoch lang erschienen sein: zwei Monate in schäbigen Absteigen und überfüllten Arbeiterwohnungen, tags in den Gruben, in den Elendsvierteln, in den Wohnwagenkolonien oder in der Bibliothek, zwischendurch bei Gewerkschaftsbeamten oder, krank, bei Verwandten, dann wieder, Empfehlungsbriefe von Gewerkschaftern und Arbeitern in der Tasche, auf dem Weg ins nächste Elendsviertel, um die Wohnbedingungen oder die Kindersterblichkeit zu untersuchen, erbittert bemüht, sich den Blick nicht trüben zu lassen.

Im Mai 1936 setzt sich Orwell an die Niederschrift des Buches. Er unterbricht die Arbeit selten. (Immerhin schreibt er zwischendurch noch den Essay »Einen Elefanten erschießen«, einen Meilenstein moderner Literatur, und nimmt an den Sommerkursen der Independent Labour Party in Letchworth teil, was seinen Niederschlag im zweiten Teil von *Wigan Pier* findet.) Nach einem halben Jahr ist das Manuskript fertig. Wiederum eine kurze Zeit von außen, und eine lange, wenn man Orwells Arbeitsweise in Betracht zieht, in der sich Disziplin und Verbissenheit verbinden.

Gollancz ist über das bestellte Buch einigermaßen entsetzt. Er hat sich eine Art *Erledigt in Paris und London* über die Bergbaustädte vorgestellt, und nun liest er die ketzerischen Zivilisationsanalysen des zweiten Teils, die in ihrer Polemik gegen Maschinenverherrlichung und doktrinären Modesozialismus so gar nicht dem entsprechen, was die »Left Book Club«-Mitglieder hören wollen. Er trägt sich mit dem Gedanken, in der Buchclubausgabe nur den ersten Teil, die eigentliche Sozialreportage, zu bringen. Es kommt zu einigem Hin und Her. Im März 1937 erscheint dann doch das ganze Buch, »erweitert« um ein überaus diplomatisches Vorwort von Gollancz, in einer Clubauflage von 43 690 Exemplaren. Gegenüber Orwells bisherigen Erstauflagen von etwa 2000 – bei der allgemeinen Ausgabe unseres Buches

1750 – bedeutet das eine ungeheure Steigerung. Eine zweite und dritte Clubauflage folgen nach, und für die nächsten Jahre ist Orwell »der Autor von *Wigan Pier*«

Was ist nun das Besondere an diesem Buch? Zunächst fällt auf, wie *vorurteilslos* Orwell an die Arbeit geht. Er kommt nicht mit einem fertigen Konzept, für das er allenfalls noch illustrierendes Material sucht, in den Norden, sondern setzt sich erst einmal rückhaltlos den verschiedensten Erlebniswelten aus. Damit entgeht er der Gefahr der »selffulfilling prophecy«. (Wie sehr Orwell sich als *Lernender* begriff, sieht man am deutlichsten im »Tagebuch zu *Der Weg nach Wigan Pier*«. Es handelt sich dabei nicht um ein eigentliches Tagebuch, sondern um ein fertiges Typoskript aus dem Nachlaß, das eine überaus aufschlußreiche Vorstufe zur endgültigen Buchfassung darstellt. Vgl. Das *George Orwell Lesebuch* (detebe 228, 1981, S. 81–120). Noch nicht einmal den Begriff der »Reportage« bringt Orwell mit. Das einzige, was sich feststellen läßt, ist der allmählich Gestalt gewinnende Entschluß, »keinen Roman« zu schreiben.

Dazu kommt, daß Orwell – mit verblüffender Selbstverständlichkeit – mit den verschiedensten Methoden arbeitet. Er »recherchiert«, er betreibt gar »Feldforschung«, beschränkt sich aber nicht darauf, die Gruben und Arbeitersiedlungen zu »besuchen«, sondern bemüht sich, das Leben der Bergleute in seinen elementaren Details mitzuvollziehen. Daneben vertieft er sich in die theoretische Seite der Sache: er vergleicht Statistiken, analysiert ökonomische Probleme, hinterfragt die traditionellen theoretischen Raster, aber – und das scheint entscheidend – bleibt sich jeden Augenblick bewußt, daß es bei seinem Vorhaben so etwas wie einen objektiven Standpunkt oder einen unbeteiligten Betrachter nicht gibt. Er weiß, daß seine Sehkraft und seine Perspektive beschränkt sind. Was immer er entdeckt, wird eine teilweise Erkenntnis aus einem ganz bestimmten Blickwinkel sein. Indem er diese Erkenntnis reflektiert und in den Prozeß seiner Untersuchungen miteinbezieht, gewinnt er eine Differenziertheit der Darstellung, die anders nicht zu erreichen ist. (Mit welch bescheidenem begrifflichem Aufwand er das schafft, sei deutschem Sozialwissenschaftsjargon gegenübergestellt.) Entscheidend hinzu kommt das *Genre* des Buchs. Es ist wohl kein Zufall, daß wir vergeblich nach einem Untertitel suchen. Reportage? Essay? Sozialgeschichtliche Untersuchung? Oder sogar eine Textsorte am Rand des fiktiven Bereichs? *Wigan Pier* ist das alles, aber es ist noch mehr. Vielleicht ist es das erste Buch, in dem Orwell *seine* Form gefunden hat, eine Form, die gewissermaßen seinen Stärken entgegenkommt. Hier muß er nicht die Fäden einer möglichst kompliziert konstruierten Handlung möglichst raffiniert verknüpfen, sondern er kann sich ganz auf die präzise, dabei hintergründige Schilderung und die geduldige Analyse komplexer Probleme (wobei es an markiger Polemik nach allen möglichen Seiten nicht fehlt) konzentrieren. Paradoxerweise kommen aber auch seine dichterischen Fähigkeiten hier fast deutlicher zum Ausdruck als in seinen Romanen. Manche Bilder in *Wigan Pier* sind von einer seltenen Dichte und Eindringlichkeit und wirken durch die Zurückhaltung ihres Umfelds nur um so stärker. Der Hauptvorteil der Form ist aber ihre *Offenheit*. Sie läßt es zu, daß Orwell locker einem roten Faden folgt und gleichzeitig einer Vielzahl von Seitenlinien der Argumentation nachgeht. Auch unvermittelte Aperçus von allgemeinerem Interesse finden mühelos Platz. Diesem Umstand ist es sicherlich zu verdanken, daß *Der Weg nach Wigan Pier* zahlreiche Gedankengänge aus anderen Büchern Orwells nachträglich verdichtet oder verkürzend vorwegnimmt. So dürfen die autobiographischen Passagen des zweiten Teils als – unmittelbarere – Gegenstücke zu *Tage in Burma* und *Erledigt in Paris und London* gelten, und im zwölften Kapitel wird der geneigte Leser schon frühe Konzeptionen zu *1984* erkennen. Manches, was in den großen Essays der vierziger Jahre ausgearbeitet wird, ist hier, oft nur in einer kurzen, aufblitzenden Nebenbemerkung, schon angelegt.

Was Orwell schließlich von vielen anderen Versuchen in dieser Richtung unterscheidet, ist das völlige Fehlen jeder Rechthaberei. Er weiß, daß er nicht aufgehört hat, ein Bürger zu sein, weil er eine Industriereportage geschrieben hat; er weiß auch, daß er unter anderem deshalb in der Grube herumkriecht, weil er £ 500 Vorschuß bekommen hat. Und gerade weil er sich nicht als allbesserwissender Lehrer verhält, weil er mit-lernt, weil er, mit einem Wort, Aufklärer ist, macht er es dem Leser leicht, einmal grundsätzlich über Dinge nachzudenken, die er bis anhin für ausgemacht hielt. Und diese Haltung macht ein Gespräch mit dem Leser überhaupt erst möglich.

Allerdings ergreift Orwell unmißverständlich Partei. Die Unaufdringlichkeit seiner Argumentation darf nicht verwechselt werden mit der Wischi-Waschi-Konzilianz des »Liberalen«, der unvereinbare Gegensätze zurechtrelativieren möchte, damit alles beim alten bleibt. Unter dem Strich steht für Orwell: Gerechtigkeit und Freiheit für alle. Für *alle*: nicht nur für die »edlen Ausgebeuteten«, gegen deren Idealisierung er so verzweifelt gekämpft hat. Er wußte, daß jede Gesellschaft, die nicht von der grundsätzlichen Unzulänglichkeit des Menschen ausgeht, unmenschlich werden muß. Der Einsatz für das Recht des Menschen, kein Ideal zu sein, macht einen guten Teil von Orwells Humanismus aus. (Auch stilistisch wirkt sich diese Überzeugung aus. Wir suchen in *Wigan Pier*, abgesehen vielleicht von dem Arbeiter-Interieur am Schluß des siebten Kapitels, vergeblich nach der Sentimentalität, die die deutsche »Arbeiterliteratur« der Zwischenkriegszeit so stark beeinträchtigt.)

Natürlich hat Orwell nicht immer recht – gerade im zweiten Teil unseres Buches hat er vielleicht oft unrecht –, aber darauf kommt es gar nicht an: seine Irrtümer sind mit so viel Aufrichtigkeit und Offenheit formuliert, daß sie für den, der sich nicht einbildet, er sei ein für allemal über sie hinaus, interessant bleiben, und mehr als das.

Manfred Papst

George Orwell im Diogenes Verlag

Werkausgabe in 11 Bänden:

Erledigt in Paris und London
Sozialreportage aus dem Jahre 1933. Aus dem Englischen von Alexander Schmitz
detebe 20533

Tage in Burma
Roman. Deutsch von Susanna Rademacher
detebe 20308

Eine Pfarrerstochter
Roman. Deutsch von Hanna Neves
detebe 21088

Die Wonnen der Aspidistra
Roman. Deutsch von Nikolaus Stingl
detebe 21086

Der Weg nach Wigan Pier
Sozialreportage von 1936. Deutsch und mit einem Nachwort von Manfred Papst
detebe 21000

Mein Katalonien
Bericht über den Spanischen Bürgerkrieg. Deutsch von Wolfgang Rieger. detebe 20214

Auftauchen, um Luft zu holen
Roman. Deutsch von Helmut M. Braem
detebe 20804

Farm der Tiere
Ein Märchen. Neu übersetzt von Michael Walter. Mit Zeichnungen von Friedrich Karl Waechter und einem neuentdeckten Nachwort des Autors ›Die Pressefreiheit‹.
Diogenes Evergreens. Auch als detebe 20118

1984
Roman. Deutsch von Kurt Wagenseil
detebe 21087 (nur in Kassette lieferbar)

Im Innern des Wals
Erzählungen und Essays. Deutsch von Felix Gasbarra und Peter Naujack. detebe 20213
Warum ich schreibe – Einen Mann hängen – Einen Elefanten erschießen – Hopfenpflükken – In einem Bergwerk – Marrakesch – Im Innern des Wals – Mark Twain – Der Hofnarr – Rudyard Kipling – Wells, Hitler und der Weltstaat

Rache ist sauer
Erzählungen und Essays. Deutsch von Felix Gasbarra und Claudia Schmölders
detebe 20250
Autobiographisches – Rückblick auf den Spanischen Krieg – Einige Bemerkungen über Salvador Dali – Raffles und Miss Blandish – Rache ist sauer – Zur Verhinderung von Literatur – Gedanken über die gemeine Kröte – Bekenntnisse eines Rezensenten – Politik contra Literatur: Eine Untersuchung von *Gullivers Reisen* – Lear, Tolstoi und der Narr – Gedanken über Gandhi – Die Schriftsteller und der Leviathan

Außerdem lieferbar:

Das George Orwell Lesebuch
Essays, Reportagen, Betrachtungen. Herausgegeben und mit einem Nachwort von Fritz Senn. Deutsch von Tina Richter
detebe 20788
Orwell über Orwell – Die Engländer – Reportagen – Freiheit und Sozialismus – Allerlei Vorurteile – Aus dem Alltag – Schriftsteller und Bücher – Bemerkungen am Weg

Denken mit Orwell
Sätze für Zeitgenossen, zusammengestellt von Fritz Senn. Deutsch von Felix Gasbarra und Tina Richter. Mit 8 Zeichnungen von Tomi Ungerer

● George Orwell

Farm der Tiere
Ein Märchen. Neu aus dem Englischen übersetzt von Michael Walter. Mit Zeichnungen von Friedrich Karl Waechter
Diogenes Evergreens
Außerdem lieferbar in der Übersetzung von N.O. Scarpi. detebe 20118

Im Innern des Wals
Ausgewählte Essays I. Deutsch von Felix Gasbarra. detebe 20213

Rache ist sauer
Ausgewählte Essays II. Deutsch von Felix Gasbarra. detebe 20250

Mein Katalonien
Bericht über den Spanischen Bürgerkrieg. Deutsch von Wolfgang Rieger. detebe 20214

Erledigt in Paris und London
Sozialreportage. Deutsch von Alexander Schmitz. detebe 20533

Der Weg nach Wigan Pier
Sozialreportage von 1936. Deutsch von Manfred Papst. detebe 21000

Das George Orwell Lesebuch
Herausgegeben und mit einem Nachwort von Fritz Senn. Deutsch von Tina Richter detebe 20788

● Liam O'Flaherty

Ich ging nach Rußland
Ein politischer Reisebericht. Deutsch von Heinrich Hauser. detebe 20016

● Alfred Andersch

Öffentlicher Brief an einen sowjetischen Schriftsteller, das Überholte betreffend
Reportagen und Aufsätze. detebe 20398

Ein neuer Scheiterhaufen für alte Ketzer
Kritiken und Rezensionen. detebe 20594

Das Alfred Andersch Lesebuch
Herausgegeben von Gerd Haffmans detebe 20695

● Friedrich Dürrenmatt

Stoffe I–III
Winterkrieg in Tibet. Mondfinsternis. Der Rebell

Philosophie und Naturwissenschaft
Essays, Gedichte und Reden. detebe 20858

Politik
Essays, Gedichte und Reden. detebe 20859

Zusammenhänge/Nachgedanken
Essay über Israel. detebe 20860

● Hans Wollschläger

Die Gegenwart einer Illusion
Reden gegen ein Monstrum. detebe 20576

Die bewaffneten Wallfahrten gen Jerusalem
Geschichte der Kreuzzüge. detebe 20082

● Andrej Sacharow

Wie ich mir die Zukunft vorstelle
Memorandum über Fortschritt, friedliche Koexistenz und geistige Freiheit. Aus dem Russischen von E. Guttenberger. Mit einem Nachwort von Max Frisch. detebe 20116

● Alexander Sinowjew

Gähnende Höhen
Deutsch von G. von Halle und Eberhard Storeck

Lichte Zukunft
Deutsch von Franziska Funke und Eberhard Storeck. Mit einer Beilage ›Über Alexander Sinowjew‹ von Jutta Scherrer

Ohne Illusionen
Interviews, Vorträge, Aufsätze. Deutsch von Alexander Rothstein

Kommunismus als Realität
Deutsch von Katharina Häußler detebe 20963

● Aristophanes
Lysistrate
Deutsch von Ludwig Seeger. Illustriert von Aubrey Beardsley. Mit Anmerkungen und einem Nachwort von Thomas Bodmer
detebe 20975

● Francisco Goya
Caprichos
Mit einem Vorwort von Urs Widmer
kunst-detebe 26003

Desastres de la Guerra
Mit einem Vorwort von Konrad Farner
kunst-detebe 26014

Lesebücher im Diogenes Verlag

Das Diogenes Lesebuch klassischer deutscher Erzähler
in drei Bänden: I. von Wieland bis Kleist, II. von Grimm bis Hauff, III. von Mörike bis Busch. Herausgegeben von Christian Strich und Fritz Eicken. detebe 20727, 20728, 20669

Das Diogenes Lesebuch moderner deutscher Erzähler
in zwei Bänden: I. von Schnitzler bis Kästner, II. von Andersch bis Urs Widmer. Herausgegeben von Christian Strich und Fritz Eicken. detebe 20782 und 20776

Das Diogenes Lesebuch amerikanischer Erzähler
Geschichten von Washington Irving bis Harold Brodkey. Bio-Bibliographie der Autoren und Literaturhinweise. Herausgegeben von Gerd Haffmans. detebe 20271

Das Diogenes Lesebuch englischer Erzähler
Geschichten von Wilkie Collins bis Alan Sillitoe. Bio-Bibliographie der Autoren und Literaturhinweise. Herausgegeben von Gerd Haffmans. detebe 20272

Das Diogenes Lesebuch irischer Erzähler
Geschichten von Joseph Sheridan Le Fanu bis Edna O'Brien. Bio-Bibliographie der Autoren und Literaturhinweise. Herausgegeben von Gerd Haffmans. detebe 20273

Das Diogenes Lesebuch deutscher Balladen
von Bürger bis Brecht. Herausgegeben von Christian Strich. detebe 20923

Das Diogenes Lesebuch französischer Erzähler
von Stendhal bis Simenon. Herausgegeben von Anne Schmucke und Gerda Lheureux. detebe 20304

Das Alfred Andersch Lesebuch
Herausgegeben von Gerd Haffmans. detebe 20695

Das Gottfried Benn Lesebuch
Ein Querschnitt durch das Prosawerk, herausgegeben von Max Niedermayer und Marguerite Schlüter. detebe 20982

Das Wilhelm Busch Bilder- und Lesebuch
Ein Querschnitt durch sein Werk, dazu Essays und Zeugnisse sowie Chronik und Bibliographie. Herausgegeben von Gerd Haffmans. detebe 20391

Das Erich Kästner Lesebuch
Herausgegeben von Christian Strich. detebe 20515

Das James Joyce Lesebuch
Auswahl aus ›Dubliner‹, ›Porträt des Künstlers‹ und ›Ulysses‹. Aus dem Englischen von Dieter E. Zimmer, Klaus Reichert und Hans Wollschläger. Mit Aufzeichnungen von Georges Borach und einer Betrachtung von Fritz Senn. detebe 20645

Das Karl Kraus Lesebuch
Herausgegeben und mit einem Nachwort von Hans Wollschläger. detebe 20781

Das George Orwell Lesebuch
Essays, Reportagen, Betrachtungen. Herausgegeben und mit einem Nachwort von Fritz Senn. Deutsch von Tina Richter. detebe 20788

Das Georges Simenon Lesebuch
Herausgegeben von Daniel Keel. detebe 20500

Das Tomi Ungerer Bilder- und Lesebuch
Mit Beiträgen von Erich Fromm bis Walther Killy. Zahlreiche Zeichnungen. Chronik und Bibliographie. Herausgegeben von Daniel Keel. detebe 20487

Das Urs Widmer Lesebuch
Herausgegeben von Thomas Bodmer. Vorwort von H. C. Artmann. Nachwort von Hanns Grössel. detebe 20783